عُمرٌ مديد
وصحَّة مثل الحديد

بحث في الصحة المتكاملة

عُمرٌ مديد
وصحَّة مثل الحديد

بحث في الصحة المتكاملة

أ. ج. جاكوبس

A. J. JACOBS

ترجمة

بسام شيحا

مراجعة وتحرير

مركز التعريب والبرمجة

الدار العربية للعلوم ناشرون ش.م.ل

Arab Scientific Publishers, Inc. S.A.L

بِسْمِ اللَّهِ الرَّحْمَنِ الرَّحِيمِ

يتضمن هذا الكتاب ترجمة الأصل الإنكليزي
Drop Dead Healthy
حقوق الترجمة العربية مرخّص بها قانونياً من الناشر
Simon & Schuster
بمقتضى الاتفاق الخطي الموقّع بينه وبين الدار العربية للعلوم ناشرون، ش.م.ل.

الطبعة الأولى
1433 هـ - 2012 م

ردمك 978-614-01-0535-5

الدار العربية للعلوم ناشرون ش.م.ل
Arab Scientific Publishers, Inc. S.A.L

عين التينة، شارع المفتي توفيق خالد، بناية الريم
هاتف: 786233 – 785108 – 785107 (1-961+)
ص.ب: 5574-13 شوران - بيروت 2050-1102 – لبنان
فاكس: 786230 (1-961+) – البريد الإلكتروني: asp@asp.com.lb
الموقع على شبكة الإنترنت: http://www.asp.com.lb

إن الآراء الواردة في هذا الكتاب لا تعبر بالضرورة عن رأي الدار العربية للعلوم ناشرون ش.م.ل

التنضيد وفرز الألوان: **أبجد غرافيكس**، بيروت - هاتف 785107 (1-961+)
الطباعة: **مطابع الدار العربية للعلوم**، بيروت - هاتف 786233 (1-961+)

المحتويات

مُقـدّمـة

خلال الأشـهر القليلـة الماضية كتبـت لائحة بالأشـياء التي أحتاج إليهـا من أجل تحسين صحتي. إنها لائحة طويلة، تتكون من ثلاث وخمسين صفحة. إليكم عيِّنة منها:

- تناول خضروات ذات أوراق خضراء.
- ممارسة تمارين لياقة بدنية لمدة أربعين دقيقة يومياً.
- التّأمُّل عدة مرات في الأسبوع.
- مشاهدة كرة القاعدة (تخفِّض ضغط الدّم، بحسب إحدى الدّراسات).
- أخذ قيلولة (صحية للذهن والقلب).
- دندنة لحن ما (تمنع نزلات البرد).
- الفـوز بجائزة أوسـكار (أعرف أن هـذا صعب المنـال بعض الشّـيء، لكن الدّراسـات تُظهـر أن الفائزين بالأوسـكار يعيشـون ثلاث سـنوات أكثر مـن أولئك الذين لا يفوزون بها).
- إبقـاء درجة الحـرارة داخل شـقتي عند 29 درجـة، لأنها تحـرق المزيد من السّعرات الحرارية في اليوم.
- شراء نبتة نخيل موضوعة ضمن حوض (ترفع مستويات الأوكسجين).
- رفع الأثقال حتى إرهاق العضلات.
- التحوُّل إلى امرأة أوكيناوية - نسـبة إلـى جزيرة أوكينـاوا اليابانية - (هدف آخر صعب المنال).

وغير ذلك من الأشياء.

بالمناسـبة، لقد طبعت هـذه اللائحـة بخط حجمه تسـع نقاط لأننـي وجدت دراسة تفيد أن الخطوط التي تصعب قراءتها تحسِّن الذّاكرة.

أريد تنفيذ كل ما ورد في لائحتي لأنني لا أسعى فقط إلى تحسين صحتي قليلاً؛ كأن أفقد بعض الكيلوغرامات من وزني، بل أهدف إلى تحويل ذاتي الحالية - كتلة رخوة غير محددة الشّكل، سهلة الدّوران، مثيرة للاشمئزاز نوعاً ما - إلى نموذج للصحة والرشاقة. أريد أن أتمتع بأعلى درجة ممكنة من الصّحة.

منذ سنوات وأنا مهتم بموضوع الصّحة والرشاقة، لكن تكريس نفسي لهذا الموضوع لم يحدث إلا مؤخراً، خلال عطلة كان يُفترَض بها أن تكون أسبوعاً للاستجمام مع العائلة في جمهورية الدّومينيكان، نبني خلالها قلاعاً من الرّمل، ونلعب، ونطلب مشروبات غازية من دون ثلج.

بدلاً من ذلك، انتهى بي الأمر في أحد المستشفيات لمدة ثلاثة أيام لإصابتي بالتهاب رئوي حاد. توقعت اضطراباً ناجماً عن السّفر، أو مشاكل في المعدة. ولكن، التهاب رئوي مداري! لقد تفاجأت بالفعل.

وبما أنني قرأت الكثير عن أهمية الشّعور بالامتنان، حاولت أن أجد أشياء تشعرني بالامتنان بينما كنت راقداً وأنا أصفُرُ وأرتعشُ على فراشي الرّقيق في المستشفى. على سبيل المثال، لقد منحني وجودي في المستشفى الفرصة لتعلُّم كلمات إسبانية جديدة مثل *pulmon* و*dolor* (وتعنيان، رئة وألم على التّوالي). كما اعتدت الاستيقاظ على صياح الديك كل صباح، وهذا أكثر متعة بقليل من أجهزة إنذار السّيارات في نيويورك.

مثل هذه الأمور لم تساعدني كثيراً بالطبع، لكنني وجدت شيئاً إيجابياً كبيراً في هذه التّجربة التي دامت اثنتين وسبعين ساعة؛ وهو أنها كانت واحدة من بضع مناسبات في حياتي أكون متأكداً فيها من أنني سأفارق الحياة. قد يبدو هذا الخوف مضخَّماً عندما أتذكّره الآن. ولكن، يمكنني الدّفاع عن نفسي بالقول: إذا كنتَ موصولاً عن طريق الوريد بمجموعة من السّوائل غير المعلومة (شفافة، صفراء، زرقاء، وردية)، وإذا رأيتَ أطباء يتحدثون بنبرة سريعة وهم يختلسون نظرات خاطفة إليك بين الحين والآخر، وإذا لم يكن باستطاعتك التّنفس من دون أن تشعر بالألم، وإذا كان ذهنك مشوشاً بفعل فيروسات، فلعلك ستفكِّر تماماً كما فكّرت أنا؛ أي إنّ الطّريقة الوحيدة التي سأخرج بها من هنا على نقّالة وأنا مغطّى بملاءة.

كان فزعي شديداً ومركّزاً بطريقة لم أختبرها من قبل قطّ. ربما بسبب أبنائي الثّلاثة. فأنا أريد أن أكون بجانبهم عندما يكبرون، وأريد أن أكون معهم عندما يتخرّجون، وعندما يتزوجون. أريد أن أكون معهم كي أعلِّمهم أهمية التّعاطف ومساعدة الغير.

لكنني في الواحدة والأربعين من عمري، ولا يمكنني الاستهتار بصحتي بعد الآن. والإصابة بالتهاب رئوي ما هي إلا مؤشر واحد على أنني آخذ بالتدهور. عضلاتي تذوي، ودماغي ينكمش، وشراييني تضيق، وحركتي تتباطأ، وأفقد واحداً بالمائة من التستسترون في العام.

أنا سمين. لست بديناً بصورة تثير القرف. ولكن، أنا من يوصَف بالبدين النّحيل. يمكن وصف نوع جسدي بالثعبان القادر على ابتلاع معزاة. يُعتبَر الدّهن الذي يُدعى الدّهن الدّاخلي (الذي يحيط بالكبد والأعضاء الحيوية الأخرى) أشد خطورة من الدّهن تحت الجلد (النوع الذي يسبب السّيلوليت). في الواقع، إن أفضل منبئ بمرض القلب هو حجم وسط الجسم.

منذ سنوات وزوجتي تنبهني إلى بطني المتنامي. وهي تملك مجموعة من الوسائل لهذا الغرض. منها سؤالي: "متى ستلد؟". وعندما تريد أن تستخدم أسلوباً غير مباشر، فإنها تكتفي بالصفير مرنِّمةً لحن "*Winnie-the-Pooh*" خلال مرورها بجانبي.

تقول إنها لا تكترث لكوني سميناً، لكنها تريد مني الاهتمام بصحتي. منذ بضع سنوات، أجلستني إلى مائدة الطّعام، ووضعت يديها على يدي، ثم قالت: "لا أريد أن أكون أرملة في الخامسة والأربعين".

فأجبتها بجدية: "فهمت". تعهدت لها بالانضمام إلى أحد النّوادي الرّياضية، وكنت أعني ذلك فعلاً. لكن الخمول قوة قاهرة.

هكذا، لم أفعل أي شيء، واصلت أكل أطعمة مليئة بالسعرات الحرارية؛ الكثير من المعكرونة وحبوب الفطور المحلاة. كان هناك نقص ملحوظ في الأطعمة الخضراء. وبقي نظامي الرّياضي سيئاً كما هو، إذ لم أقم بأي تمارين بدنية جدية منذ أن كنت في الجامعة. حتى إنني كنت ألهث عندما ألعب مع أولادي.

إلى أن استقر بي المقام في المستشفى. وهكذا، عندما دخلت الممرضة

غرفتي حاملة قرص دواء بحجم غطاء زجاجة، تعهّدت لنفسي أنني إذا خرجت من المستشفى على قيد الحياة، فإن مشروعي التّالي هو تحسين حالتي الجسدية.

أقول مشروعي التّالي لأن هذا الكتاب ليس محاولتي الأولى لتحسين ذاتي بصورة جذرية. فخلال العقد الماضي، تملّكني نوع من الهوس في هذا المجال. تُظهر الدّراسات أنه أمر صحي أن تكون للمرء غاية في الحياة، وغايتي تمثلت بسعي عنيد وذي مغزى نحو الكمال، وإن ضلّ الطّريق في أغلب الأحيان. ومشروع الصّحة هو الجزء الثّالث من سباق ثلاثي مكرّس لتطوير ذهني وروحي وجسدي.

كان الذّهن يحتل المرتبة الأولى. بعد الجامعة، عندما ابتعدت عن البحث وحلقات النّقاش، خشيت أن يتحوّل ذهني تدريجياً إلى قوام اللّبن اليوناني (الموجود، بالصدفة، في لائحتي للأطعمة التي يجب أن أتناولها). كان بوسعي الشّعور بتراجع معدل ذكائي. ولهذا السّبب خرجت بحل: تعهدت بقراءة موسوعة بريتانيكا بأكملها وبتعلّم كل ما يمكنني تعلّمه. لا شك في أنه إجراء شاق، لكنه ليس من دون سابقة في العائلة. لقد حصلت على الفكرة من أبي الذي بدأ بقراءة مجموعة بريتانيكا الموجودة في منزلنا عندما كنت طفلاً، لكنه وصل إلى الحرف B فقط عند كلمة Borneo أو boomerang. أردت إنهاء ما بدأه أبي وإزالة تلك العلامة السّوداء من تاريخ عائلتنا.

كانت المحاولة – التي سجلت أحداثها في كتابي الأول – مؤلمة في بعض الأحيان، حتى بالنسبة إلى المحيطين بي (بدأت زوجتي بتغريمي دولاراً واحداً لكل واقعة خارجة عن الموضوع أدخلها في الحديث). وبصراحة، لقد نسيت 98 بالمائة مما تعلّمته. لكنها كانت تجربة مذهلة بالرغم من ذلك. كانت تبعث على التّفاؤل أيضاً. فبعد 18 شهراً من قراءة تشكيلة واسعة من الأحداث التّاريخية، خرجت بثقة أكبر بالإنسانية. قرأت عن جميع الأشياء الشّريرة التي يستحيل فهمها، وكذلك عن جميع الأشياء الجيدة (الفن، الطّب، القناطر الدّاعمة في دور العبادة القوطية). وفي المحصلة، بدا لي أن الأشياء الجيدة فاقت تلك السّيئة، ولو بفارق ضئيل.

بعد أن تحققت من حالة الذّهن، كنت ملهَماً بما يكفي للعمل على روحي. وقد اخترت الرّوح تالياً لأنني نشأت من دون بُعْد روحاني.

10

وهذا يوصلني إلى الهدف الأخير، وهو إعادة تشكيل جسدي.

كما هو الحال مع مغامراتي الأخرى، كان الجهل يغذي جزءاً كبيراً من هذه التّجربة. فأنا أعرف القليل بصورة تدعو للدهشة عن جسدي. أعرف أن الأمعاء الدّقيقة تأتي قبل الأمعاء الغليظة. وأعرف أن القلب بحجم قبضة اليد وأن فيه أربع حجرات. ولكن، ماذا عن دورة كيربس؟ الغدة التّوتية؟ من المفترَض أنني قرأت عنهما في الموسوعة، لكنهما ليستا ضمن نسبة الاثنين بالمائة التي أتذكرها.

علاوة على ذلك، أنا لا أعرف ماذا يجب أن آكل أو أشرب، أو ما هي الطّريقة المثلى للتمرين. إنه وضع غريب. إنه يشبه امتلاك منزل لمدة واحد وأربعين عاماً، ومع ذلك أجهل المعلومات الرّئيسة عنه، مثل كيفية عمل حوض المطبخ، أو مكانه، أو ما هو المطبخ.

إنني أنظر إلى الأمر على أنه تدريب داخل جسدي. سأكون تلميذاً في الأرض الغريبة داخل جلدي. سأجرِّب أنظمة صحية غذائية ورياضية. سأختبر أدوية ومكمِّلات وألبسة ضيِّقة. سأجرِّب أشد النّصائح الصّحية تطرفاً، لأنه من خلال استكشاف الحدود القصوى فقط - كما تعلّمت خلال السّنة التي عشتها وفق المبادئ الرّوحانية - يمكنك إيجاد الأرض الوسطى المثالية.

عند نهاية المشروع، لعلني لن أواظب على الالتزام بسلوكي الصّحي كله، لكنني سأحتفظ ببعضه على الأقل. سأجد الأنجع وألتزم به. وهذا سيبقيني - كما آمل - على قيد الحياة بما يكفي لتعليم أولادي كيف يكونون أصحاء.

الإحماء

كما هو الحال مع جميع المجهودات البدنية، أنت بحاجة إلى إحماء. لا يمكنك أن تبدأ بحمل الأثقال وأكل اللّفت من دون أن تعرف شيئاً عن الموضوع.

أول شيء فعلته كان تجميع عدد من المستشارين الطّبيين. صحيح أنني لست طبيباً، لكنني تمكنت - بالمثابرة وبشيء من الحظ - من الوصول إلى أفضل العقول الصّحية في البلد. إنها مجموعة خاصة نوعاً ما، لكنها متنوعة ومحترمة وأكثر علماً مني بما لا يقاس.

سأحصل على النّصائح من بروفيسورين في جامعة هارفارد، وباحثين في جامعة جون هوبكنز؛ من أفضل الأطباء في اختصاصاتهم، ومن مدرِّبي لياقة بدنية يملكون عضلات ثنائية الرّأس مثل البطيخ. وعمتي مارتي ستقدم مساهمتها أيضاً. إنها الشّخص الأشد اهتماماً بالصحة في أميركا، ولديها عمل خاص تبيع من خلاله عبر البريد مكمِّلات غذائية مكونة من بودرة الطّحالب ومعقِّمات عضوية لليدين. إنها تعيش في بيركلي وستقدِّم لي وجهة نظر كاليفورنية مميزة.

عندما اتصلت بها لأحدثها عن المشروع، أحسَّتْ بالإثارة في البداية، ثم بالصدمة: "تقوم بمشروع حول الصّحة وتتصل بي من هاتفك الخلوي؟"، وراحت تعطيني محاضرةً حول مخاطره على الدّماغ، وحول مخاطر الاتصال في وقت متأخر؛ لأن السّهر يعطِّل ساعتي البيولوجية.

قرأت الكثير من الكتب والمجلات المختصة بالصحة، وزرت العديد من المواقع الإلكترونية. قرأت ما لا يقل عن 14 مقالة حول فوائد العنَّاب. أتناول الآن الكثير من الأطعمة التي تحوي الأوميغا 3 والفلافونويدات. وأستطيع التّمييز بين تمرين عضلات الظّهر وتمرين عضلات الكتفين، وبين الفركتوز والسكروز، وبين الكوليسترول الصحي HDL والكولسترول السيئ LDL. وأعرف أنه يفترض بكم أن تأكلوا الكثير من الكركم الهندي لأنه يحارب السّرطان. وأعرف أيضاً أنه يجدر بكم أن تتجنبوا الكركم الهندي لأنه يمكن أن يحتوي على مستويات خطرة من الرّصاص.

إن البحث حتى الآن مذهل. فهو محيِّر غالباً، ولكنه مشجِّع بالإجمال. لا بد من الاعتراف بحقيقة أنني أملك 23 زوجاً من الكروموزومات التي لا أستطيع تغييرها، على الأقل ليس الآن. ولكن، هناك الكثير من الأشياء التي أستطيع التّحكم بها. يُقدَّر أن نحو 50 بالمائة من صحتنا يتحدد من خلال سلوكنا. إن صحتنا الجيدة عبارة عن تراكم مئات الخيارات الصّغيرة التي نتخذها كل يوم؛ ماذا نأكل، ونشرب، ونتنفس، ونفكر، ونلبس، ونقول، ونشاهد، ونحمل.

كما أنني محظوظ بالزمن. فنحن نعيش في حقبة جيدة يمكننا فيها الوصول إلى صحة مثالية. إن التّقدم الطّبي الذي حققناه خلال الأعوام الثّلاثين السّابقة ربما يفوق ما حققناه خلال الألفية السّابقة كلها.

لكن، ينبغي لي الحذر في الوقت نفسه؛ لأنني وجدت كمية مذهلة مما يمكنني - بخبرتي المحدودة الحالية - أن أسميه تضليلاً. قد تظنون أنه مع التّقدم الحثيث للعلم تضاءلت النّصائح الصّحية غير الموثوقة، لكن هذا ليس صحيحاً.

فبفضل الإنترنت، أي فكرة تخطر ببال إنسان - حتى لو لم تكن ناضجة كفاية - يمكن أن تجد من يعمل بها. وخير مثال على ذلك الممارسة التي تعود إلى العام 6500 قبل الميلاد، وهي إحداث ثقب في الجمجمة من أجل إخراج الأرواح الشّريرة.

يمكن أن يكون التّضليل ممتعاً، بل ومهماً أيضاً (على سبيل المثال، قام أحد زعماء حزب الشّاي في بوسطن في العام 1773 بإثارة غضب المحتجّين بادعائه أن الشّاي خطر على الصّحة، ما يعني أن بلدنا تأسس على ادعاءات طبّيّة سخيفة).

لكنني أريد لهذا المشروع أن يشكل تغييراً مستنداً إلى الأدلة. أريد أن أفصل بين العلم الصّلب والادعاءات الضّعيفة. يجب أن أكون حذراً من "متلازمة أحدث الأبحاث". كل دراسة بحاجة إلى مقارنتها بجبل من البيانات الموجودة. وأنا أريد أن أركّز على ما يُسمى بالتحليل الإضافي (*meta-analysis*) أو بالأحرى التّحليل الإضافي للتحليلات الإضافية. سأبحث عن آراء ثانية، وثالثة، ورابعة، وثامنة. سأستشير مجموعة كوتشرين كولابوريشن للبحوث، التي تبدو مثل جمعية دولية مؤامراتية مخيفة، لكنها في الواقع جمعية غير حزبية تقوم بمراجعة الدّراسات الطّبّيّة.

يكمن السّر في تجنب التّضليل وفي الحفاظ على حماسة تشبه حماسة الأطفال تجاه الابتكار في الوقت نفسه. لأن العلم الحديث يتجه نحو السّريالية. إنه عالم تعيش فيه الفئران عمراً مضاعفاً عندما تكون على حافة الموت جوعاً، وحيث يحسّن مرضى ربو يستنشقون مادة وهمية غير فعّالة أداءهم الرّئوي.

قرأت قولاً لكارل ساجان فطبعته وألصقته على الجدار فوق حاسوبي. وهو سيكون مرشداً لي:

"المطلوب تحقيق توازن صعب بين حاجتين متعارضتين: التّدقيق الأشد ارتياباً في جميع النّظريات التي تُقدَّم لنا، وفي الوقت نفسه الانفتاح التّام على الأفكار الجديدة".

خطة المعركة

ماذا يعني أن تكون متمتعاً بأقصى درجة ممكنة من الصّحة؟ بمساعدة تعريف منظمة الصّحة العالميّة للصحة، قسَّمت هذا إلى ثلاثة أقسام:

- عمر مديد.
- خلو من الأمراض والألم.
- شعور بالصحة الجسديّة والعقليّة والعاطفيّة.

إذا استطعتُ امتلاك هذه الأشياء الثّلاثة، فسأشعر بسعادة غامرة.

سأقوم بقياس تطوري قدر استطاعتي. لا شك في أن الجزء المتعلق بطول العمر يصعب قياسه، مالم أمت خلال مشروعي. وهذا سيكون أمراً محرجاً، لكنه بالتأكيد سيقدم نوعاً من الخاتمة. ولكن، لحسن الحظ، إن القسمين الآخرين قابلان للقياس.

لتحديد مدى سوء حالتي الصّحية في البداية، قمت بزيارة عيادة صحية في مركز روكفيلير تُدعى EHE.

يعرض موقع الشّركة على الشّبكة العنكبوتية بافتخار تاريخها المميز: تمارس الشّركة الطّب الوقائي منذ العام 1913. ومن هو الرّئيس المؤسس لمجلس إدارتها؟ الرّئيس السّابق ويليام هوارد تافت. وهو بصراحة ليس الاسم الأول الذي يخطر في ذهنك عندما تفكر في عيش حياة صحية، لأن هذا الرّجل علق في حوض استحمام البيت الأبيض، وكان لا بد من الاستعانة بأربعة مستخدمين حكوميين من أجل إخراجه منه.

مع ذلك، إن شركة المشاريع الصّحية التّنفيذيّة مؤسسة تعج بأطباء محترمين ذوي سمعة حسنة، وزبائن رفيعي المستوى من شركات قانونية ومصارف. وتقدم الشّركة فحصاً جسدياً شاملاً. ذهبت إلى الشّركة ذات صباح، واستغرق الاختبار ثلاث ساعات، وتطلَّب ست عيّنات من الدّم، و82 اختباراً، و6 ممرضات، و11 دقيقة مرعبة على جهاز المشي الكهربائي.

وإليكم ما وجدوه:

الطول: 180 سم. الوزن: 80 كغ. نسبة الدّهون في الجسم: 18. الكولسترول

الإجمالـي: 134 (كان فـي العـادة يزيد عـن 200، لكننـي أتنـاول ليبيتور منـذ ثلاثة أعـوام). أعاني من قصر النّظر. لدي نسـبة خلايـا دم منخفضة بصـورة غير طبيعية؛ الأمر الذي يفسر شعوري بالإعياء. لدي همهمة قلبية وارتفاع في أنزيمات الكبد.

اتضح أننـي بعيد جداً عـن الكمال، لكنني لسـت في حالة مريعـة. بالإجمال، يجب أن أكون ممتناً لأنني لا أعاني من أي مرض خطير، بل من مجرد علل مرتبطة بالكسل الاعتيادي.

لكن، لا بـد أن أذكـر أن هذا هـو الاختبـار الأول فقط. ففـي الأشـهر التّالية، سـأُخضع نفسـي لاختبارات إضافية وسأكتشـف عدداً مقلقاً من المشاكل الأخرى؛ منها انقطـاع وجيـز للتنفـس خـلال النّـوم، ونقص فـي الحديـد، وحجـاب حاجز منحـرف، ومنخر معقـوف، ووَرَمان جلديان قابلان للتسـرطن، وشـيء آخر محرج بشكل خاص لرجل يعمل في مجلة للرجال: تستوسـتيرون منخفض. لكنني أعمل على معالجة نفسي.

مع اقتراب موعدي الأول، أدركت أن التّمتـع بصحة مثالية يعني التزاماً هائلاً. سيستهلك الأمر جميع ساعات صحوي، وساعات نومي أيضاً.

أنا بحاجة إلى بعض التّنظيم. بالاسـتفادة مـن النّظام الهضمي، قررت تقسـيم مشـروعي إلى أجـزاء صغيـرة، بحجـم اللّقمـات. سأحسِّـن جسـدي جزءاً جزءاً. سـأحاول امتلاك قلب سـليم وعقـل سـليم. ولكـن، بالإضافة إلـى الجلد السّـليم والأنف السّـليم، والأذنين والقدمين واليديـن والرئتين السّـليمة، والغدد والأعضاء التّناسلية السّليمة.

أعلم أن جميع أجزاء الجسـد متصلة ببعضها بطريقة ما، لكننـي أريد أن أولي اهتماماً فردياً لكل جزء منه.

من أين سـأبدأ؟ بما أن الغذاء يمثل جزءاً ضخماً من الصّحـة، اخترت المعدة لتكون نقطة بدايتي. القسـم الأول سـيتمحور حول ما سـألقيه في بطني الذي يشبه بطن الدّمية.

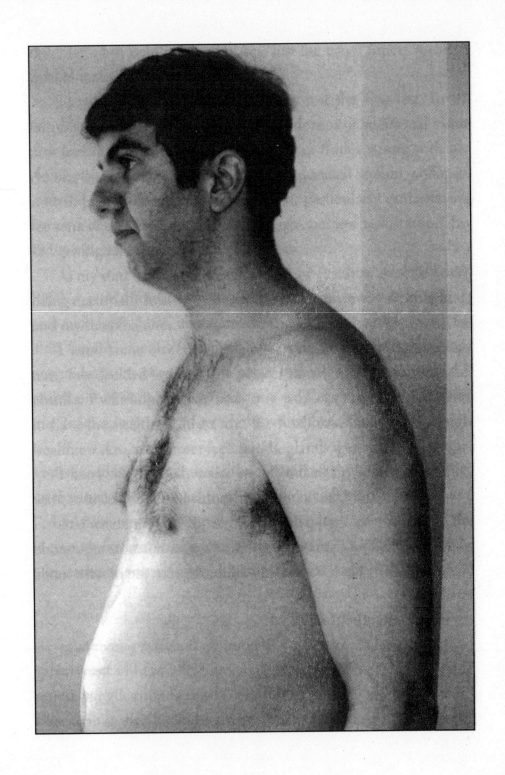

الفصل الأول

المعدة

السعي للأكل بشكل صحيح

وضعت لائحة مكونة من أكثر من مائة نظام غذائي: النّظام الغذائي المتوسطي (نسبة للبحر المتوسط)، والنّظام الغذائي لوزارة الزّراعة الأميركية، ونظام كُلْ ما كان أجدادك يأكلونه المتأثر بمايكل بولان، والنظام الغذائي الموافق لفئة الدّم، والنظام الغذائي البدائي، ونظام أوكيناوا الغذائي، والنظام الغذائي النّباتي، ونظام المأكولات النّيئة. من دون أن أغفل الأنظمة الغذائية الأشد غرابة، مثل حمية الكعك *Cookie Diet*، والنظام الرّاستافاري *Rastafarian diet*، ونظام التّطهير الأساسي.

أريد أن أجرِّبها جميعاً. في الواقع، ربما ليس نظام مطعم تاكو بيل لتقديم الوجبات في السّيارات، ولكن معظم الأنظمة الغذائية الأخرى. غير أن الدّراسات تبيِّن أنك إذا غيَّرت عاداتك بسرعة كبيرة، فإن التّغييرات لن تثبت. لذا، فإن خطتي تتمثل في الانتقال إلى أنظمتي الغذائية الجديدة ببطء.

لهذا السّبب قررت أن أضع في إصلاحاتي الغذائية الأولى مزيداً من الشّوكولاته والقهوة.

"في صحتك". قلت لجولي بينما كنت أصبُّ قهوة ستارباكس جولد كوست في الصّباح الأول.

في تلك اللّيلة، جاء لزيارتنا صديقانا بول وليزا - اللذان كانا يزوران نيويورك

قادمين مـن واشـنطن العاصمـة – اسـتجابةً لدعوتنا لهما علـى عشـاء تايلندي غير رسـمي. قبل الوجبة، بينما كنـا ننتظر قدوم الشّخص الذي يوصل الطّلبات، قمت بتوزيع كؤوس شراب، وأخرجت قطعة شوكولاته من ماركة توبلرون من الثّلاجة.

قال بول: "إذاً، متى يبدأ برنامجك الصّحي؟".

فأجبته وأنا أعرض عليه قطعة مثلثة الشّكل: "لقد بدأت اليوم".

رمقني بول بنظرة مستغربة.

قالت جولي: "تناول أيضاً فنجانين من القهوة هـذا الصّباح. هـذه هي خطته الصّحية الجديدة: الشّوكولاته، والقهوة".

قلت: "كلتاهما مفيدتان".

قال بول: "يبدو وكأنك تلزم نفسك حقاً بهذا المشروع".

ضحكنا جميعاً.

فكرة ذكية، لكن العلم إلى جانبي. فكّروا في ما يلي:

– الشوكولاته السّوداء مليئة بمضادات الأكسدة، وأظهرت قدرةً على تخفيض خطر الإصابة بمرض القلب.

– القهـوة تقلل احتمال حـدوث عدة أنواع مـن السّرطان (المثانـة، الثّدي، البروستات، الكبد) بالإضافة إلى الألزهايمر. لكنها تملك بعض الخصائص السّلبية (احتسـاء أكثر من فنجانين يمكن أن يسبب أَرَقاً ويرفع الكولسترول). وهي ليست صحية بقدر ابن عمّها الشّـاي الأخضـر، لكن منافع القهوة تفوق مخاطرهـا، إذا شُربت باعتدال.

مع ذلك، أنا أفهـم ارتياب بـول وليـزا تماماً. في العمـوم، إن الأطعمة جيدة المذاق غير صحية للجسد. وكما كان جـاك لالان يحب أن يقول: "إذا كان مذاقه جيداً، ابصقه".

في الواقع، هذا وضـع غريب. لقد خاننا التّطور في هذا الجانب. إن الجسـد البشري عبارة عن آلة تعمل بطريقة سيئة، نسـخة بيولوجية عن سـيارة فـورد بينتو طراز 1978.

ينبغي أن يكون مـذاق المأكولات الصّحية لذيـذاً، في حين يجب أن يكون

18

مذاق المأكولات غير الصّحية كريهاً.

لكن المشكلة تكمن في أننا نعيش في عالم عصري، في حين أننا نملك حليمات ذوقية لرجل كهف. عندما كان أجدادنا يجوبون السّهول، كانت تفضيلاتنا منطقية بالفعل؛ فقد كانت أذواقنا منسجمة مع الأطعمة الصّحية. لقد تطوّرنا وأصبحنا نحب السّكر لأنه موجود في الفاكهة، والفاكهة - وهي نادرة في البراري - مليئة بالمواد المغذية والألياف والسعرات الحرارية. وتطوّرْنا فأصبحنا نحب الملح لأن جسدنا بحاجة إلى الملح كي يحتفظ بالماء. كان الملح - وهو نادر أيضاً في البرية - إحدى المواد اللّذيذة المنقذة للحياة في بعض الأحيان.

لكننا بعد ذلك اكتشفنا كيف نستخلص السّكر من النّباتات ونضعه في المعجنات. كما استخرجنا الملح ووضعناه في مختلف أنواع حسائنا. لكن السّكر والملح يضرّان صحتك إذا استُهلكا بكميات كبيرة.

كما أصبحنا نعيش عمراً أطول. لقد نجحنا في شفاء أمراض معدية، لكن هذا أفرز مشكلة جديدة. فالأطعمة التي كانت صحية على المدى القصير - مثل تلك المليئة بالدهون كي تسمح لإنسان الكهف بالبقاء على قيد الحياة حتى الصّيد التّالي - تبيَّن أنها مضرة على المدى الطّويل.

سؤالي هو: هل يمكنني إعادة برمجة نفسي لأحبّ الطّعام الصّحي؟ وهل يمكنني إيجاد طريقة تمكِّنني من تحضير أطعمة صحية ليست كريهة الطّعم وشرائها؟

الجواب نعم، كما تبيَّن لي. نوعاً ما. ولكن، ليس في الوقت الحالي.

في الوقت الحاضر، لا أزال أدلِّل نفسي بالشوكولاته والقهوة؛ وهما مادتان من المواد الغذائية النّادرة التي تتميز بكونها لذيذة الطّعم ومفيدة للصحة في آن واحد.

على الأقل، إنهما صحيّتان إلى حدٍّ ما؛ إذ كلما قمت بالمزيد من البحث ازداد إدراكي لحقيقة أن الوضع معقد. ما هو صحي حقاً هو الشّوكولاته المصنوعة مائة بالمائة من الكاكاو؛ من دون سكر، ولا زبدة.

أنقر على الرابط rawcacao.com وأطلب كيساً. تقول النّبذة المسيِّلة للعاب:

"مادة عضوية مضمونة، غير مطبوخة، قليلة التّخمير، غير مدخَّنة، معايير زراعية صارمة، تدريب ومعدات مؤمّنة، أجور معقولة، خطة إعادة استثمار مربحة، اختبار نقاوة".

يصل كيس حبّات الشّوكولاته العضوية المضمونة، غير المطبوخة، قليلة التّخمير... إلخ، بعد ثلاثة أيام. أتناول حفنة منها وأضعها في فمي. أشعر بمذاق الشّوكولاته الذي أعرفه من أيام أصابع شوكولاته هيرشي، لكنه خفيف ومكبوت، مثل مذياع موضوع تحت كومة من الوسائد. أشعر بطعم مرارة غالب.

"ما هذا؟". تسألني جولي لدى دخولها المطبخ كي تأكل وجبة خفيفة.

فأجيبها: "شوكولاته طبيعية".

تمر ثانية، ثانيتان، ثم يظهر لي التّعبير نفسه الذي أبدته عندما أرانا صديقنا فيديو من شبكة الإنترنت لامرأتين تنتهكان الكثير من المحرمات الثّقافية والصحية.

ترويض الحصة

في بحثي عن الطّعام الصّحي، أعرف أنني سأضطر للالتزام بما هو أفضل من نظامي الغذائي المذكور آنفاً. غير أنني لم ألتزم بالنظام الغذائي النّباتي أو نظام أتكينز حتى الآن. فأنا لا أزال مغموراً بخيارات عديدة.

لكنني ألاحظ أن هناك شيئاً واحداً يتفق عليه تقريباً جميع أخصائيي التّغذية: نحن نأكل الكثير من الأطعمة السّيئة.

لدينا مشكلة تتعلق بالحجم. يمكنكم ملاحظة ذلك في تنامي أحجام الحصص. في العام 1916، كانت سعة زجاجة الكوكاكولا 0.19 ليتر. واليوم تبلغ سعتها 0.6 ليتر. وكانت البرغر في الماضي تحوي 300 سعرة حرارية تقريباً، أما الآن فبوسعكم الاستمتاع بواحدة ثخينة "Hardee's Monster Thickburger" تحوي 1420 سعرة حرارية. (ينبغي على الشّخص العادي أن يتناول 2500 سعرة حرارية في اليوم).

لهذا السّبب، قررت أن أقسِّم إصلاحاتي الغذائية. أولاً، سأتعامل مع الكمية، ومن ثم سأهتم بالنوعية.

كيف أتناول كمية أقل؟ تتمثل إحدى الأفكار في كبح شهيتي. قرأت دراسات شهيرة تقول إن تناول القليل من عصير اللّيمون قبل الوجبة يخفض عدد السّعرات الحرارية التي يستهلكها النّاس. والأمر نفسه ينطبق على الفلفل الحار، وتفاحة، ومقدار قبضة من الجوز، وكأس من الماء. إذاً، هذا هو فطوري لهذا الصّباح: فلفل حار، وعصير ليمون، وتفاحة، وجوز.

سأفقد الإحساس بالجوع لأيام! أو على الأقل حتى العاشرة صباحاً؛ موعد شعوري بالرغبة في تناول الطّعام مجدداً.

سأحتاج إلى مساعدةٍ اختصاصيةٍ. ولهذا السّبب، ذهبت وجولي عصر يوم أحد إلى ويستشيستر.

أنا هنا لمقابلة قادة حركة تقييد السّعرات الحرارية. إنها تُدعى RC، لعلكم سمعتم باسمها. إنها أشد الأنظمة الغذائية تشدداً، وهي ليست اضطراباً نفسياً ولا تنتهك حقوق الإنسان.

تتمثل الفكرة في أنك إذا عشت على حافة الجوع، فإنك ستطيل عمرك بإذن الله. إذا استطعت أن تعيش على سعرات حرارية أقل بنسبة 30 بالمائة في اليوم - لنقل 1,750 بدلاً من 2,500 للذكر البالغ - فإنك ستخفض نشاطك الأيضي وستخلو من الأمراض. يمكنك أن تتجاوز القرن بسهولة، وربما 120 أو أكثر.

إنها ليست فكرة مجنونة. في الحقيقة، إنها ترتكز على كمية لا بأس بها من البيانات العلمية، وترجع إلى دراسة لجامعة كورنيل في العام 1934.

لقد تمكّن الباحثون من مضاعفة عمر الفئران عندما كانوا يطعمونها أغذية فقيرة إلى حدٍّ كبير بالسعرات الحرارية. واكتُشفت نتائج مشابهة بالنسبة إلى الدّيدان والعناكب والقرود.

لا يزال العلماء غير متأكدين 100 بالمائة من السّبب الذي يجعل عمر الحيوانات يطول عند استهلاكها القليل من السّعرات الحرارية. تقول إحدى النّظريات إن الحيوانات الجائعة تنتج عدداً أقل من الجذور الحرة المضرة بالخلايا. فيما تقول أخرى إن أجسادها تشعر بالجوع فتتحول إلى وضع دفاعي بتقليل نشاطها الأيضي.

هل ينجح ذلـك مع الإنسـان؟ الأبحـاث جارية على قـدم وسـاق، ولكن من المبكر معرفـة النّتيجة. غيـر أن إمكانيـة تحقيق ذلـك اجتذبت الآلاف مـن مقيِّدي السّـعرات الحرارية، الذيـن يزنون طعامهـم بموازين رقمية، ويحسـبون السّـعرات الحرارية الثّمينـة ببرامج حسـابية إلكترونيـة، ويأكلـون مرتين في اليـوم، ويعاملون أفواههم مثل ناد حصري للشـخصيات الهامة في منطقة سـوهو حيـث لا يمكن أن تدخل إلا اللّقيمات المستحقة.

يقبع المنزل على قمة هضبة منحدرة تعلو سلسلة من المنعطفات الخطرة التي استنزفت أعصاب جولي التي قالت قبل أن تنزلني ثم تذهب لزيارة بعض الأصدقاء الذين يقطنون في الجوار: "إذا كانوا يريدون أن يعيشوا إلى الأبد، فمن الأفضل لهم الانتقال إلى شارع أكثر سلامةً".

يفتح رجل الباب. إنـه بول ماك - جولوثيـن، مدير البحوث فـي جمعية تقييد السّعرات الحرارية غير الرّبحيّة، ومشارك في تأليف الكتاب الإرشادي طريقة RC.

إنه نحيل، ولكنه ليس نحيلاً مثل أسـرى الحرب كما توقعت. إنـه أقرب إلى نحول مغنٍّ رئيس في فرقة إيمو لموسيقى الرّوك.

يقول لي مرحِّباً: "أهلاً بك. هل ترغب ببعض الشّاي؟".

أوافق على تناول بعض شـاي الهندباء الطّبيعي منخفض السّعرات الحرارية. نحن موجودان فـي غرفة فيها الحد الأدنـى من الدّيكورات ونافـذة كبيرة تطل على غابة من شـجر البلوط. بول، الـذي يعمل مسـؤولاً تنفيذياً عن الإعلان فـي النّهار، يملك كتفين مائلتين قليلاً، لكنه قوي البنية بالنسـبة إلى رجل في السّتين من عمره. عينان زرقاوان ثاقبتان، وصوت عميـق مع لكنة خفيفة من مدينتـه الأصلية كنتاكي، وهو مولع بارتداء الألبسة الرّياضية.

نجلس إلـى طاولة مع زوجته وشـريكته في الكتابة، ميريديث أفريل، نرتشـف شاينا.

"ليسـت الغاية مـن تقييـد السّـعرات الحراريـة إنقاص الـوزن، بـل أن نكون أصحاء ذهنياً وجسـدياً بقدر الإمكان. لكنك سـتفقد الوزن". نزل وزن بول من 73 إلى 61 كغ.

يتناول بول وجبة فطور كبيرة (مثل سلمون، قرنبيط، لفت)، وغداء أقل (مثل حساء الفطر، وفليفلة، وحبوب كاملة)، من دون عشاء.

اضطررت أن أمنع نفسي من قول الفكاهة نفسها التي أعرف أنهما سمعاها ألف مرة. صحيح، قد تعيش فترة أطول، ولكن من دون لازانيا ومعجنات، من الأحمق الذي يريد أن يعيش مثل هذه الحياة؟ (أو الفكاهة الأخرى: قد لا تعيش حياة أطول، لكنك بالتأكيد ستشعر وكأنك عشت قرناً ونصف).

يسد بول الطّريق على الفكاهات السّاخرة قبل أن أصل إليها. إنه يحب حياته الخالية من النّهم. "إنني أشعر بالسعادة حرفياً بهذه الطّريقة. تقييد السّعرات الحرارية يجعلني أشعر على نحو أفضل على جميع المستويات؛ جسدياً وذهنياً".

يسند ذقنه على راحة يده، ومعصمه يشكّل زاوية قائمة. يمكنني رؤية خارطة طريق من الأوردة الزّرقاء على ذراعه.

من بين أشياء أخرى، يقول بول إن الحمية تصفّي ذهنه، فهو يلعب في بطولات للشطرنج مع منافسين في نصف عمره. "لعبت مع شخص – محترف كبير – كان سميناً وقد ابتلع ثلاث قطع من البيتزا. كنت أعرف أنني إن صمدت فإن جسده سينهار. وهذا ما فعلته".

لكنني لا أزال في حيرة من أمري حول كيفية تمكنهم من المحافظة على الحمية في عالم مرتكز بشدة على الطّعام. النّاس ينظمون حياتهم على أساس الوجبات.

تقول ميريديث: "هنالك أسطورة غير معقولة تقول إن الأكل بكثرة طريقة للمتعة. لكنها ليست كذلك. عندما تعاشر أشخاصاً يتبعون طريقة تقييد السّعرات الحرارية، فستجد أنهم في العادة نشيطون وسعداء".

يقول بول إنه في مناسبتي الميلاد والشكر يحب أن يمتنع عن الأكل لا أن يأكل في الولائم. ليست هنالك ضرورة لمشروب eggnog. "إذا كنت تتبع حمية تقييد السّعرات الحرارية، فإنك ستشعر بحالة من السّعادة لأن وضعك الصّحي على ما يرام في الأساس. وستشعر بالرغبة في التّواصل مع النّاس وهذا سيؤدي إلى نقاشات رائعة".

عندما تقـوم بتقييد السّعرات الحرارية، ينبغي عليك أن تحسـب حسـاب كل لقمة، الأمر الذي دفع بول لابتكار شيء يُسـمَّى تأمُّل التّذوق. كنت قد قرأت حول هذه الممارسة في كتابه، فسألته إذا كان باستطاعتنا تجربتها.

يوافق بول، ويجلب طَبَقاً من العنَّاب من الثّلاجة.

نغمض أعيننا، ثم نتنفس بانتظام لبضع دقائـق، مثل "أوراق تطيِّرها الرّيح"، ثم يبدأ بول.

"هل يمكنك أن تتخيل في عين ذهنك أن شخصاً ما ترك لك هدية".

يتحدث بول بهدوء، بنبرة تشبه نبرة مستر روجرز.

"وأن هذه الهدية سـتغذيك وتغذي جسـدك بطرق خاصة جـداً. وبينما أنت تستمتع بالشـهيق والزفير سـتعرف أن هذه الهدية حبَّة عناب. هل يمكنك أن تتخيل أنك تمد يدك إلى الطّبـق وتأخذ حبة عناب واحدة فقط، واحـدة فقط، وترفعها إلى شفتيك. أنت تبدأ بالإحساس بالعناب وتبدأ بشـم رائحة العناب. وكيف هي رائحة العناب؟

هكذا، في عين عقلك، أنت تأخذ حبة العناب هذه وتضعها في فمك... تخيّل كيف تنتقل من شفتيك إلى أسـنانك. ومن دون أن تغرس أسنانك فيها، فقط اتركها على رأس لسانك...".

في هذه اللّحظة جعل بول لعابي يسيل.

"هل يمكنك أن تشـعر بمذاقها على الجزء الخلفي من لسـانك؟ على سقف حلقك؟ هل يمكنك أن تدع شعورك بالطعم يتغلغل في ذهنك، وفمك، وأنفك؟".

أريد حبة العناب تلك.

"والآن، يمكنـك فعليـاً أن تضع حبـة عناب واحدة فـي فمك بحركـة بطيئة؛ تماماً كمـا يفعلون عند إعـادة اللّقطات في المباريـات الرّياضيـة. واتركها هناك من دون أن تعضهـا. ودع ذهنك ولسـانك وسـقف حلقـك ووجنتيك كلها تشـترك في هذه التّجربـة. وعندما تكون جاهزاً، هل يمكنك أن تبدأ بغرس أسـنانك فيها؟ ببطء

شديد. هل يمكنك أن تشعر بقشرتها الرّقيقة وبكيفية انهراس اللّب الطّري؟".

يا اللّه! هل يمكنني فعلاً؟

استمرت هذه العملية عدة دقائق. أقول لكم الصّدق، لم يسبق لي أن استمتعت بطعم العناب كما استمتعت بتلك الحبة. إنه طقس غريب وسخيف - إن لم نقل غير عقلاني - ولكن، إذا لم يكن بوسعك تقدير حبة عناب بعد القيام بتأمل التّذوق لمدة عشرين دقيقة، فلا بد أن لسانك مصنوع من الحجر.

أغادر منزل بول بعد هذا الدّرس. إنني بحاجة إلى أن أكون منتبهاً لما آكله. ربما لست بحاجة إلى تمضية خمس عشرة دقيقة في تأمل حبة عناب. لكن التّركيز على ما أضعه في فمي واحد من مفاتيح الصّحة. ووفقاً لما يقوله أستاذ علم النّفس في جامعة كورنيل، برايان وانسينك، في كتابه أكل طائش: من الأسباب الرّئيسة لوباء البدانة أننا من دون تفكير نحشر الطّعام دوماً في حويصلات مفتوحة دوماً.

نحن نحب أن نقوم بعدة مهام في أثناء تناول الطّعام. تبيِّن الدّراسات أننا نأكل أكثر بنسبة 71 بالمائة عندما نشاهد التّلفزيون. نحن نأكل أكثر عندما نتناول الطّعام خلال قيادة السّيارة، والعمل، والمشي.

الأكل الأشد حرصاً في العالم

أصل إلى المنزل، عازماً على أكون أكثر متناولي الطّعام حرصاً ووعياً في أميركا. غير أن هذا العزم كله تبدّد في الهواء في اليوم التّالي.

كنت مشغولاً بكتابة مقالة لمجلة إسكواير - حيث أعمل ككاتب - وقرابة السّاعة الحادية عشرة صباحاً، لاحظت وعاءً بلاستيكياً فارغاً وملعقة بلاستيكية على مكتبي. يبدو أنني تدبرت أمري، بطريقة ما، والتهمت طبقاً كاملاً من شرائح الدّراق. لم أكن أنا في الواقع، بل نسخة من نفسي، نصف واعية ومولعة بالفركتوز وفاقدة للسيطرة.

أنا بحاجة إلى المساعدة. ما أحتاج إليه هو التعامل مع نفسي مثل فأر تجارب. أنا بحاجة إلى العمل من الخارج إلى الدّاخل. بحاجة إلى تغيير بيئتي

الغذائيـة. أتصـل بعدة علمـاء فـي السّـلوك - بمن فيهم سـام سـوميرز فـي جامعة تافتس، الذي أَلَّف كتاباً بعنوان الظّروف تؤثر - لإيجاد طريقة لتصميم شقة مكافحة للدهون.

ليلة الأربعـاء، أدعو - أو أُرغـم - العائلة للانضمام إلي لتناول عشـاء خاص؛ زوجتي وأنا وأولادي الثّلاثة: جاسـبر، وهو في الخامسـة من عمره، وأخواه التوأم، لوكاس وزين، وهما في الثّالثة.

تقول جولي: "قمت بترتيب جيد هنا".

"شكراً".

تتكون مائدتي من:

- طبـق ابني البلاسـتيكي الصّغير، بمـا أن قطره يبلـغ 23 سـنتمتراً فقط (نحن نأكل عادة كل ما يوجد في أطباقنا، لذا فإن الأطباق الصّغيرة تعني سـعرات حرارية أقل).

- شـوكة قريدس صغيـرة، لأن هـذا سـيجعلني آكل ببـطء أكبر ممـا لو كنت أسـتخدم شـوكة كبيرة (كلما كان أكلك بطيئاً، قلَّت كمية الطّعام التي تبتلعها. وهذا لأن جسدنا، والحمد لله، غبي وبطيء. يستغرق الأمر عشـرين دقيقة لانتقال رسالة أنا شبعت من المعدة إلى الدّماغ).

- مرآة تبـرُّج صغيرة (تُظهر الدّراسـات أنك تأكل أقل إذا كنت تراقب نفسـك وأنت تقوم بذلك).

يتكـون عشـاء اللّيلـة مـن معكرونـة مصنوعة مـن القمـح الكامل مـع صلصة البندورة والجزر. لقد جهّزت طبقي في المطبخ كي لا أتعرَّض للإغراء بوضع كمية إضافية على المائدة.

أسأل الجميع: "هل تعرفون من أين أتى هذا الطّعام؟".

يجيب جاسبر: "من مخزن البقالة".

"في الحقيقة، هذا صحيح. ولكن، قبل هذا قام شخص ما بزراعة البندورة، ثم قطفهـا. وبعد ذلك قام شـخص آخر بوضعها فـي صندوق. ثم جـاء آخر ونقلها بواسطة شاحنة. إن إيصال الطّعام إلى المائدة ليس بالأمر السّهل، ولهذا يجب علينا

أن نقدِّر ذلك".

يصمت الأولاد قليلاً.

يقول جاسبر: "وبعد أن نأكله، سيهضم ويسقط في المرحاض".

بالنسبة إلى مجموعة أولاد من سن الخامسة وما دون، هذه ملاحظة مضحكة جداً، ولهذا فقد ضحكوا ملياً.

يضيف زين: "وبعد المرحاض، يذهب إلى المحيط".

لا أزال أُذهَل من قدرة أولادي على تحويل موضوع حديثي - ليس فقط الطّعام، بل الطّائرات، ولعبة قطع التّركيب، وأستراليا - إلى موضوع يتعلق بالبراز. أعتقد أن هذا أفضل من لا شيء. فالاهتمام بالطعام لا يجب أن يتوقف في المعدة.

أتناول لقمة وأمضغها. وأمضغها أكثر. لقد قرأت في مواقع على الإنترنت تشجع على عملية المضغ. إنها حركة حماسية بصورة تدعو للدهشة. إنهم يقتبسون قولاً لغاندي (امضغ شرابك واشرب طعامك) ويضعون قصائد مؤيدة للمضغ (ستعاقب الطّبيعة أولئك الذين لا يمضغون). ويبيعون أشياء تساعد على المضغ، مثل أقراص مدمجة ترنّ كل دقيقة لإرشادك كي تبتلع. إنهم يبجلون جَدَّ الحركة المؤيدة للمضغ، وهو معلِّم صحي من القرن التّاسع عشر يُدعى هوريس فليتشر، ويعتبر فاندربيلت وكافكا من أتباعه. وهم يقولون إن المضغ يشفي آلام المعدة، ويحسِّن الطّاقة، ويصفِّي الذّهن، ويقلل الغازات، ويقوِّي العظام.

هذه الادعاءات مبالَغ بها بالطبع، لكن المضغ مفيد بالفعل في ناحيتين: إنه يستخلص كمية أكبر من المواد المغذية من طعامك. والأهم من ذلك، المضغ يجعلك أنحف، لأنك تأكل ببطء أكبر.

تريد زوجتي أن تسألني عن شيء ما، لكنني أرفع سبابتي طالباً منها بالإشارة أن تحافظ على فكرتها. أمضغ 30 مرة حتى تتحول المعكرونة إلى سائل في فمي وتنزلق في حلقي.

بعد 15 دقيقة، يغادر الأولاد المائدة. جولي في الغرفة الأخرى تتفقد بريدها الإلكتروني. وأنا ما زلت هنا أمضغ طعامي وأنظر إلى نفسي في المرآة. أكلٌ بطيء وأطفال تحت السّادسة؛ توليفة شائكة.

الأكل من أجل طول العمر

ربما سيكون حظي أفضل إن تناولت وجبة مع جدي. إنه يبلغ من العمر 94 عاماً، لذا فإنني أتصور أنه ربما يملك صبراً أكبر. علاوة على ذلك، يمكنني أن أتعلَّم شيئاً أو شيئين منه حول طول العمر.

يعيش جدي في شقة صغيرة في شارع 61، حيث واظبت على زيارته مرة كل أسبوعين طوال السّنوات العشر الأخيرة. أفتح الباب فأجده أمام شاشة حاسوبه الضّخمة - نظارته جاثمة فوق مقدمة أنفه - منهمكاً في كتابة رسالة إلكترونية. يبدو أن حجم الخط يبلغ 72، أي نحو حرفين في الصّفحة الواحدة. لكن المهم في الأمر هو أنه يقترب من حافة القرن ولا يزال يكتب رسائل إلكترونية.

يحيِّيني بقبضته المرفوعة كالمعتاد. "امنحني ثانية واحدة لأنهي هذه".

جدي رجل مميز. اسمه ثيودور كييل، وهو يملك الطّاقة التي لا تهدأ، والبنية القوية لثيودور روزفلت الذي سُمِّي تيمُّناً به. إذا أردت أن أشعر بانعدام الأمان، فلا أحتاج إلا إلى التّفكير في سيرة حياته.

كان محامياً، لكن هذا لا يقدّم وصفاً دقيقاً لأنشطته. كان جدي وسيطاً للعمال، حيث ساعد على حل مئات الإضرابات التي قام بها عمال نقل، وخبّازون، وموظفو قطارات، لك أن تسمِّي ما شئت من المهن. وساند حركة حقوق الإنسان. وكان يملك وكالة لبيع الخيول القصيرة. في الواقع، هذه الأخيرة لم تعمل بشكل جيد.

لكن الأهم من ذلك كله هو أنه لا يزال مستمراً في الارتباط بعدد غير معقول من المشاريع. إنه يشجع التّعليم في المناطق الرّيفية من خلال محاضرات ينشرها عبر الإنترنت، ويبني فندقاً صديقاً للبيئة في جزر الكاريبي، ويشجع أساليب طهو صديقة للبيئة، ويحارب من أجل تحديد النّسل (رغم أنه أنجب ستة أولاد قبل أن يتحول إلى هذه القضية).

بالطبع، لقد أصبح أقل نشاطاً في السّنوات الأخيرة. لكنه لم يتوقف. في عمر الثّانية والتسعين، بدأ حملة لجعل أنفاق نيويورك وحافلاتها مجانية، قائلاً إن ذلك سيخفف من الاختناق المروري. ونشر مقالات في صفحات الرّأي في الجرائد

وظهر في نشرات الأخبار.

وهو لن يهدأ. وهذا، لا شك، أحد أسرار طول عمره. فقد خلصت دراسة لمؤسسة ماك آرثر - دراسة محترمة دامت ثماني سنوات، وأُجريت على أكثر من 1,000 شخص من سكان نيو إنجلاند - إلى أن المحافظة على النّشاط، والارتباط الاجتماعي، والعلاقات الإنسانية، والنشاط الذّهني من الأسباب الأساسية للشيخوخة النّاجحة. يمكنك أن تتقاعد، ولكن يجب عليك أن تجد شيئاً تهتم به في مرحلة تقاعدك. إنك بحاجة إلى سبب يدعوك للاستيقاظ في الصّباح.

يجرّ جدي قدميه، وينضم إلي بجانب المائدة. لقد انحنى جسده لكن رأسه لا يزال مليئاً بالشعر. وحاجباه كثيفان، مثل قوسين يشيران إلى السّقف.

نأكل وجبتنا على مهل. لقد جلبت معي شوكتي الصّغيرة التي أستخدمها لغرز السَّلَطة. في العادة، عندما يُنهي جدي طعامه يضرب بيده على المائدة. لكنه لم يفعل ذلك بعد، بالرغم من مضي ساعة على شروعنا في تناول الطّعام وتبادل الحديث. سيفخر بنا أولئك الأوروبيون الذين يأكلون ببطء.

نتحدث حول النّقل العام وإرث روبرت موزس الدّاعم للطرق السّريعة (جدي ليس من معجبيه). نتحدث عن الفيلم الذي شاهده في اللّيلة السّابقة: أحد أفلامه المفضلة، "وراثة الرّيح"، المرتكز على قصة حياة محام بارع آخر هو كلارينس دارو.

أسأله: "هل قابلت يوماً كلارينس دارو؟".

يهز جدي رأسه نافياً.

ثم يقول: "لكنني رأيته يتحدث ذات يوم في جامعة سيتي كوليج".

"هل تذكر شيئاً مما قاله؟".

"أجل".

"و؟".

"في الواقع، كان يتحدث حول الاحتمالات البعيدة لوجودنا نفسه. حول الحقيقة الغريبة لالتقاء أمك وأبيك من بين ملايين البشر واتخاذهما قرار الزّواج. ومن بين ملايين الحيوانات المنوية، ينجح ذاك الحيوان المنوي الذي يحمل

جيناتك في الوصول إلى البويضة ويخصِّبها. لن أنسى ذلك أبداً".

إنه لأمر غريب بعض الشّيء أن تسمع جدك البالغ من العمر 94 عاماً وهو يتحدث عن الحيوانات المنوية. ومع ذلك، إنها وجهة نظر عظيمة. يجب أن نكون مذهولين لوجودنا أساساً. يجب أن نكون في حالة ذهول دائم. ربما يجب علينا أن نمضي خمس عشرة دقيقة في تأمل حبة عناب في نهاية المطاف.

الفحص: الشّهر الأول

مضى شهر على بداية مشروعي الصّحي. إليكم النّتائج الحالية: فقدت 1.5 كغ، حيث تتوقف الأرقام الزّرقاء على ميزاني الموجود في الحمام عن الاهتزاز عند الرّقم 76 كغ. وبحسب تقييم جولي، لم أعد أبدو مثل امرأة حامل في الشّهر الرّابع، بل في الشّهر الثّالث والنصف. إن الأكل الواعي يعمل، قليلاً على الأقل.

أصبح الوعي موضوع الشّهر الأبرز. لقد غزا كل جزء في حياتي. فبفضل قراءة أكداس من الكتب حول الصّحة، أصبحت مدركاً، بصورة مؤلمة، لجميع أجزاء جسدي.

عندما أتنفس، أتصور الحويصلات الهوائية الدّقيقة في رئتي تمتلئ بالهواء. وعندما أكتب على لوحة المفاتيح، أتصور العضلات القابضة الشّبيهة بالخيوط تشد على عظام أصابعي. وعندما أتناول الطّعام، أتخيل غدة البنكرياس تفرز عصارتها الحمراء المليئة بالأنزيمات التي تتجمع حول زبدة الفول السّوداني في الأمعاء الدّقيقة.

هذا الوعي نعمة مختلطة، لأنه يجلب معه القلق. الكثير منه.

إنني أدرك جميع الطّرق المرعبة التي يمكن من خلالها أن يصاب جسدي بخلل ما. يعدِّد مركز مراقبة الأمراض بحسب تسلسل الأحرف الأبجدية مئات الأمراض؛ من انتفاخ الأبهر البطني (*abdominal aortic aneurysm*) إلى نوع من الالتهابات الفطرية يُدعى (*Zegomycosis*). شاهدت طبيباً يتحدث في أحد البرامج حول حقيقة أن أجسادنا مكونة من 300 تريليون خلية، وكل واحدة من هذه الخلايا تتناسخ بشكل دائم، ويكفي أن تشذَّ واحدة من هذه العمليات التّناسخية كي يُولَد سرطان ما. حذَّرتني أمي أن هذا يمكن أن يحدث، وأخبرتني قصة - نصف حقيقية

– تقـول إن طـلاب الطّب يُصابـون بالذعر في السّنة الأولـى عندمـا يتعرَّفون على جميع الأمراض. ولا يتعلَّمون العلاجات حتى السّنة الثّانية.

أنـا أدرك عيوب جسـدي الكثيـرة: تقوّس أسفل الظّهـر، تراجع لثـتي، مظهر متسابق ماراثون عند الميل الخامس والعشرين.

وأدرك التّغييـرات الكثيـرة جداً التي ينبغـي علي إجراؤهـا كـي أصبح في حالة صحية مثالية. إن لائحتـي المؤلفة من 53 صفحة والتي تتضمن الأشياء التي يجب فعلها تستحوذ كل اهتمامي.

تتمثل استراتيجيتي العامة في التّركيز على جزء واحد من جسدي في كل مرة. وفي الوقت نفسـه، أتفقد بنود لائحتـي – كلما سـنحت لي الفرصـة – بصرف النّظر عن الجزء الذي أكون مركزاً عليه في ذلك اليوم.

في الأسبوع الماضـي، على سبيل المثـال، مـررت بالقرب مـن محـل لبيع النّباتات، فدخلت لأشـتري نبتة نخيل، وهي مهمة موضوعة في الصّفحة الرّابعة من اللاّئحة. يُفترَض أنها جيدة لتحسين نوعية الهواء. ولكن، لسوء الحظ، ابتلعت سَعَفُها غرفة معيشـتنا بأكملها. حتى إن الأولاد اضطروا لتناول الطّعام بظهر مقوس ليتجنبوا فروعها. أرغمتني جولي على إعادتها. وهناك اسـتبدلتها بخمس نباتات تُعرَف باسـم – شاعري بما يكفي – لسان والدة الزّوجة (سُمّيت كذلك لأن أوراقها حادة). لكن لسان والدة الزّوجة تنظف الهواء بفعالية كبيرة، بحسب دراسة لوكالة ناسا.

لكن، لا تـزال هناك مئـات المهام الأخـرى التي يجب فعلها. يجب أن أبدأ بالنوم لمدة أطول. ويجب أن آكل بشـكل أفضل وأتوقف عن سـرقة أطراف البيتزا وساندويتشـات الجبن المقرمشـة من أطبـاق أولادي. ويجب أن أمـارس التّمارين الرّياضية. بعيداً عن الهرولة لمسـافة ربع ميل في الحديقة بين الحين والآخر – والتي تتركني منهكاً طـوال اليومين التّاليين – فأنا لم أبـدأ بالتعرق حتى الآن. وهذا يجب أن ينتهي. أو يبدأ.

الفصل الثاني

القلب

السعي لجعل دمي يتدفق

لست من هواة النّوادي الرّياضية على الإطلاق. ولم أتمرّن في ناد رياضي طوال حياتي الرّاشدة، وهذه حقيقةٌ تقلق جولي كثيراً. ولدي عدة حجج لتبرير هذا الواقع.

الحجة الأولى: حجة جيم فيكس.

لعلنا نتحدث هنا عن التّبرير الأكثر كلاسيكيةً لعدم القيام بالتمارين الرّياضية، ولعدم عيش حياة صحية بشكل عام. إنني أسمع هذه الحجة كثيراً، وأرددها بالكثرة نفسها. إليكم فحواها:

مات جيم فيكس - الرجل الذي ساعد في إطلاق ثورة الرّشاقة الحديثة، ومؤلف كتاب الجري الكامل في العام 1977 - وهو في الثّانية والخمسين من عمره. انهار إثر جولة الجري اليومية التي كان يقوم بها في فيرمونت. فلماذا كل هذا العناء إذاً؟ إنك لا تعرف أبداً متى سيأتيك الموت.

قدّم الممثل الكوميدي اللاّمع بيل هيكس - مات شاباً أيضاً، في عمر الثّانية والثلاثين - مقطعاً كوميدياً حول جيم فيكس. إنه يتخيّل فيكس في الحياة الأخرى غاضباً لأنه كان يجري كل صباح، ولا يأكل سوى التّوفو، ويسبح خمسمائة دورة في اليوم، ومع ذلك فهو ميت. في حين أن الممثل بول برينر يدخن بإفراط، ويحظى بسيدات شابات يربّتن على رأسه الأصلع مثل كرة البلياردو في كل ليلة

من حياته. وهو ميت أيضاً. وهنا يطلق فيكس المحبط كلمة اللّعنة! بشكل ممطوط.

منذ بعض الوقت، قدَّم لي صديقي بول نسخته الخاصة عن هذه الحجة. في الحقيقة، لقد أخبرني بها هامساً، لأنه لم يشأ أن تسمعنا زوجتانا، فكلتاهما مولعتان بالنوادي الرّياضية. "فكِّر في الأمر. ساعة في اليوم. هذا يعني 3,000 ساعة في 10 سنوات. فكِّر في جميع المحصولات التي يمكن زراعتها في هذا الوقت. فكِّر في جميع الخدمات الاجتماعية التي يمكن تقديمها. وتريد أن تطيل عمرك. لماذا؟ كي تحظى بخمس سنوات إضافية تُريِّل خلالها في دلو؟".

الحجة الثّانية: في النّهاية، ستنقذنا التّطورات الطّبية.

إنّه الرهان الطّويل القديم. إنها حجة أخرى مفضلة لدي. يعبِّر صديقي وزميلي السّابق في التّدريب، كيفين - الذي يملك تأثيراً سيئاً مثل بول - عن هذه الحجة على النّحو التّالي: "أنا لا أدخن، لكنني قد أفكر في البدء بالتدخين لأن الأمر يستغرق، ماذا؟ أيستغرق ثلاثين عاماً لتصاب بسرطان الرّئة. بحلول الوقت الذي أصاب فيه بالسرطان سيعطونني قرص دواء جيني على شكل روبوت بالغ الدّقة يعالج المشكلة في خمس دقائق".

أفكر في هذه النّقطة غالباً، لأن الطّب يتقدم بسرعات هائلة، فبحلول الزّمن الذي سأصبح فيه بديناً على نحو مرضي، لعلهم سيملكون قرصاً يتحكم بالوزن أو مخفوقاً بطعم الأناناس لمعالجة هذه العلة. وبحلول الوقت الذي ستصبح فيه أسناني صفراء متعفنة، سأصبح قادراً على إنماء قواطع جديدة من دون أي عيوب.

في العام 2010، قام مختبر في جامعة هارفارد برئاسة الدّكتور رونالد ديبينهو عملياً بعكس عملية التّقدم في العمر عند الفئران. فعلوا ذلك بواسطة أنزيم يُدعى تولميريس، الذي يعمل كسدادات حماية صغيرة في نهايات الكروموزومات. تمنع هذه السّدادات الكروموزومات من الاهتراء؛ وهذا أحد الأسباب الأساسية للتقدم في العمر. بعد عشر سنوات، من يدري؟ قد يملكون نسخة بشرية منه.

الحجة الثّالثة: النّوادي الرّياضية تنقل الأمراض وهي مشبّعة بالجراثيم.

بصفتي أعاني قليلاً من اعتلال وسواسي قهري، فأنا أنجذب للحجة الميكروبية. هل أريد أن ألتقط ثقلاً أمسكت به ألف يد متعرقة قبلي؟ تتحدث الرّابطة الوطنية للمدربين الرّياضيين عن هذه النّقطة في ورقة مثيرة للاشمئزاز نوعاً ما. تفيد الورقة أن الالتهابات الجلدية التي تتسبب بها النّوادي الرّياضية والألعاب الرّياضية شائعة، وتمثل نصف الأمراض الالتهابية التي يعاني منها الرّياضيون. وتتضمن هذه الأشياء غير السّارة المكوِّرات العنقودية المقاومة للصادات الحيوية (MRSA)، قَدَم الرّياضي، الحكاك الرّياضي، الدّمامل، الحصف، داء السّعفة، والحلأ البسيط. ولهذا السّبب، حذَّرت صحيفة نيويورك تايمز ذات يوم في عنوان رأسي يقول: "تأكّد من أن التّمرين هو كل ما تحصل عليه في النّادي".

إذاً، هذه هي أعذاري الثّقيلة التي أحملها على كتفي. وهي إلى حدٍّ ما حجج ملزمة.

لكنني سأضطر لتجاهل هذا التّفكير في هذه السّنة، أو أن أقتل الحجج في رأسي. وهذا أمر يمكنني فعله. ففي نهاية المطاف، إن جيم فيكس مجرد نقطة بيانات واحدة، صحيح؟ والتمارين الرّياضية تطيل العمر بشكل عام، وتمتُّع المرء بمظهر لائق أمر مفرح بحدّ ذاته. وعلى هذا الأساس، إذا أكلت ألواح شوكولا مارس وانتظرت التّقدم الطّبي، فإنني سأحرم نفسي من الشّعور بالسعادة والرضا. كما أن التّمارين الرّياضية تعزز فعالية الإنسان في الحياة اليومية، أي إنني سأكون أكثر قدرة على زراعة المزيد من المزروعات، والتفكير بوضوح أكبر، والقيام بالمزيد من الخدمات الاجتماعية.

بالإضافة إلى ما تقدم. إن جميع المصادر المحترمة توصي بإجراء تمارين رياضية منتظمة. تمرين، تمرين، تمرين. قرأت ذلك آلاف المرات. إن التّمرين يقلل من احتمال الإصابة بمرض القلب والسرطان. إنه يخفف التّوتر ويحسِّن التّركيز. إنه يعادل أدوية بروزاك وليبيتور وأديرال مجتمعة. ولكن، من المثير للدهشة أنه لا يفيد كثيراً - حسبما يبدو - في إنقاص الوزن، ربما لأن التّمرين يجعلنا نحس بالجوع، فينتهي بنا الأمر بأن نأكل بشراهة.

وماذا عن الفوائد الأخرى؟ إنها موثقة بشكل جيد.

يكمن الجدل الأكبر في كيفية التّمرين ونوع التّمارين التي نجريها. ويبدو أن هذا الجدل حام بالفعل.

يوصي المعهد الطّبي – فرع للأكاديمية الوطنية للعلوم مخصص للطب المرتكز على الأدلة – "بإجراء 60 دقيقة من النّشاط البدني اليومي معتدل الشّدة (مثل المشي أو الهرولة بسرعة ثلاثة إلى أربعة أميال في السّاعة) أو فترات أقصر من التّمارين الرّياضية الأشد قوةً (مثل الجري لمدة 30 دقيقة بسرعة 5.5 أميال في السّاعة).

في كتابه أنت: دليل المالك، يتيح لنا الدّكتور أوز طريقة أسهل: من أجل البقاء شاباً، إنه يقترح 20 دقيقة من التّمارين الهوائية ثلاث مرات في الأسبوع، إضافة إلى القليل من رفع الأثقال. هذا النّوع من التّمرين – يقول الدّكتور أوز في كتابه – يطيل عمرك، لأنه لا يستهلك الجسد. عشرون دقيقة، ثلاث مرات في الأسبوع. لهذا السّبب، أحب الدّكتور أوز.

هناك دراسات تؤيد الجري لمسافات طويلة، وهناك دراسات أخرى تقول إن الجري لمسافات طويلة يؤثر على القلب.

هناك أيضاً عدد متنامٍ من الباحثين الذين ينصحون بإجراء تمارين رياضية على مراحل؛ الكثير من المشي تتخلله فترات ركض سريع. وبالمقابل، هناك باحثون آخرون يرفضون التّمارين الهوائية ويقولون إن علينا التّركيز بصورة حصرية على التّمرين بواسطة الأثقال إلى أن نشعر بفشل عضلي مؤلم. لكنني سأصل إلى هذه النّقطة لاحقاً.

بالنسبة إلى المبتدئين، سأجرِّب نظام التّمرين اليومي الذي أوصى به المعهد الطّبي، مازجاً بين التّمارين الهوائية والأثقال. وسأواجه أوهامي ومخاوفي وأنضم إلى 45 مليون أميركي منتسبين لناد رياضي.

فقدان عذريتي المتعلقة بالنوادي الرّياضية

اخترت مكاناً يُدعى نادي كرانش. إنه يبعد مسافة كتلتين من الأبنية عن شقتي. الكسل؛ ذهنية غير صحية، أعرف.

إنه نادٍ بسيط يمتلك الأشياء الأساسية فقط. يُعهَد بي إلى مدرِّب يُدعى توني ويلجينج، وهو رجل ضخم حليق الرّأس، مع وشم على ذراعه. ويرتدي تي شيرت أسود ضيقاً يبرز صدره.

أخبره بأنني أؤلف كتاباً حول التّمتُّع بصحة مثالية، وأحتاج إلى مساعدة. أريد عضلات صدر تملأ حمَّالة صدر بحجم B.

فيجيب توني: "يمكنني فعل ذلك، لكن هذا لا يعني بالضرورة صحة جيدة". يخبرني أن الصّحة لا تتعلق بالحجم، بل بالحالة الجسدية ككل.

فأقول: "المهم، إنني أريد صوراً قبل التمارين وبعدها. مثل تلك التي تراها في إعلانات شراب البروتين".

"دعني أخبرك شيئاً. تلك الصّور ليست واقعية على الإطلاق".

عندئذ يطلعني توني على أحد أسرار صناعة اللّياقة البدنية. أغلب تلك الصّور اللاّمعة لا تُصوَّر بفاصل أشهر، أو أسابيع، بل في اليوم نفسه. احلق شعر الصّدر، وادهن زيتاً على عضلات الصّدر، وابلع البطن، وتا – دا – تا، يصبح لديك جسد جديد. لست بحاجة حتى إلى برنامج فوتوشوب. أكثر من ذلك، تقوم شركة الإعلان بالبحث في النّوادي المحلية إلى أن تجد أفضل جسد رياضي فيها، وتُلتقط له صورة. ثم يُدفع له 10,000 دولار كي يصبح بديناً. وبعد شهر يلتقطون له صورة أخرى. وعندما ينشرون الإعلان، يقومون ببساطة بوضع صورتي قبل وبعد بشكل معكوس. تكمن الفكرة في أن إفساد شكل الجسد أسهل بكثير من بنائه.

هذه معلومة جيدة. إنها تزيل الضّغط. فإذا فشل كل شيء آخر، يمكنني أن أحلق شعر صدري وأستحم بزيت السّمسم.

نظرياً، يبدو توني واحداً من أولئك المدربين المخيفين الذين يشبهون مدربي المجندين في الجيش. فهو يوحي لك أن باستطاعته تحطيم زجاج السّيارة الأمامي من دون أي عناء. كان يعمل في السّابق ضابط دورية مختصاً في البحث عن المجرمين والمغتصبين. لكنه ليس مخيفاً في الواقع، بل على العكس تماماً. إنه لطيف ومرح – على الأقل معنا؛ نحن النّاس العاديين لا المجرمين والمغتصبين – ويفضِّل التّحدث عن الأدب الواقعي أكثر من المسكات الخانقة.

"هلاّ تصعد على جهاز المشي من أجل الإحماء لبضع دقائق؟". يسألني توني بطريقة أقرب إلى الاعتذار.

آه! جهاز المشي. لطالما كرهته. في الأصل، في القرن التّاسع عشر، كانت أجهزة المشي تُستخدَم من قبل الخيول والسجناء من أجل طحن الحبوب (لهذا السّبب نجد كلمة mill – مطحنة – في treadmill؛ جهاز المشي). كما أنه يسمح باستخدامه مجازاً للتعبير عن جهد متعب وعبثي. وهكذا، هناك الكثير مما يمكن أن تكرهه في جهاز المشي هذا.

غير أنني أصعد عليه، على أي حال، وأبدأ المشي. إنه يسير بسرعة ثلاثة أميال في السّاعة فقط. ومع ذلك، بعد نحو مائة خطوة فقط، أشرع باللهاث.

أُمضي بقية جلستي التّدريبية في التّدرب على الآلات الخاصة بالصدر ورفع الأثقال التي تُحمَل بيد واحدة. لحسن الحظ، يعتقد توني أنني أعلى مرتبة من استخدام الأثقال البنفسجية، ولكن ليس بكثير، فقد حصلت على الأثقال التي تزن خمسة كيلوغرامات. في هذه الأثناء، لا أستطع إبعاد ناظري عن رجل ضخم يتدرب على يساري بواسطة ثقلين يزن الواحد منهما ثلاثين كيلوغراماً كما لو كانا أنبوبي معجون أسنان.

يقول لي توني: "لا تقلق بشأنه. إنك تقوم بعمل ممتاز".

أغادر النّادي شاعراً بمزيج من الإحراج والفخر. تعرَّقت قليلاً؛ ليس كثيراً. وهذا ليس سيئاً، أليس كذلك؟ أشعر بذراعيَّ وكأنهما طافيتان بعد رفع الأوزان. أحب هذا الشّعور.

عندما أصل إلى المنزل، تعانقني جولي وتقدم لي هدية بمناسبة أول يوم لي في النّادي. ألواح الطّاقة PowerBar مع شمعة وردية مغروسة فيها.

تقول جولي: "منذ سنوات وأنا أنتظر هذا اليوم".

جولي مولعة بالرياضة، وتشجع النّاس على القيام بذلك. خلال العقد الماضي، كانت أمنية رأس السّنة بالنسبة إليها أن أنضم إلى أحد النّوادي. ولهذا السّبب، بالنسبة إليها، إن تمريني الأول واحد من النّقاط المضيئة في زواجنا.

في اليوم التّالي، لم أشعر بأي ألم. قلت لنفسي إنها إشارة حسنة. ولكن ما

لم أكن أعرفـه هو أن الألـم - غالباً - لا يبـدأ في اليـوم التّالي، بل بعـد يومين (إنه يُدعى ألم العضلات الأولي المتأخر، وهو يحدث بسبب تمزقات دقيقة في الألياف العضلية، لاسيما بالنسبة إلى أولئك الذين يفتقدون للياقة البدنية). وقد بدأ بالفعل. كنت أمشـي بسـاقين مسـتقيمتين وجسـد منحنٍ إلى الأمـام. تطلّب مني الجلوس على مقعـد المرحاض دقيقة كاملـة. لكنني راضٍ بالألـم. لا بد أنني أنجز شـيئاً ما، صحيح؟

العيش مثل إنسان الكهف

أتردد علـى النّادي بضـع مرات في الأسـبوع - وبـدأ ذلك يصبح أقـل إبهاجاً - لكنني أريـد أن أختبـر الأنظمة الأخـرى أيضـاً. أنا بحاجـة إلى أن أجـرِّب أنواع التّماريـن الرّياضية هذه السّـنة. لذا، قـررت أن أختبر نقيـض التّمريـن الدّاخلي في النّـوادي الرّياضية. سـأجرّب تمرين إنسـان الكهـف، وهـذا يتعلق فقط بـأن تكون طبيعياً وجامحاً وفي البرية. وبالنسبة إليّ، تلك البرية هي حديقة سنترال بارك.

سـأنضم هذا الأحد إلى خمسـة رجال آخرين لنقـوم بقذف الحجـارة الكبيرة والركض بأقدام عارية في المحمية الطّبيعية في مانهاتن.

لا تزال حركة إنسان الكهف - أو حركة الإنسان القديم كما يفضِّلون تسميتها - غير مألوفة إلى حدٍّ ما، لكنها تتطور. تطورت أجسـادنا عبر ملايين السّنوات كي نأكل ونتمرن بطريقة معينة. وبعد ذلك، في تاريخ حديث نسبياً، تغير كل شيء. منذ عشرة آلاف سنة، بدأ الإنسـان بزراعة المحاصيل. ومنذ مئتي سـنة، بدأنا بالجلوس أمام مكاتبنا طوال اليوم. ولكي نحصل على صحة مثالية - يقول المؤيدون - نحن بحاجة إلى العودة للأسـاليب القديمـة؛ أي أن نتمرَّن في الطّبيعة ونأكل مثل إنسـان الكهف.

من السّـهولة بمكان النّزوع إلى السّـخرية. وهذا ما يفعله أصدقائي باستمرار. "هل جَزُّ النّساء من شعرهن جزء من التّمرين؟". "ما هو المعدل العمري لإنسان الكهـف؟". "حظاً سـعيداً في هـذا الجانـب". (في الحقيقـة، ثمة جـدل حول عمر إنسان الكهف).

أنا متشكك حيال الكثير من معتقدات حركة إنسان الكهف؛ لا سيما ما يتعلق بالغذاء المشبع باللحوم. سأتناول هذا الموضوع لاحقاً. ولكن لا يجب، من وجهة نظري، تجاهل رجال الكهف. لديهم أفكار جيدة أيضاً. من الواضح أن أجسادنا بُنيت لزمن آخر. ولهذا السّبب، أريد أن أمنح فرصة لهذا النّوع من التّمرين.

إن الشّخص الذي يقف وراء فكرة تمرين إنسان الكهف فرنسي في التّاسعة والثلاثين من العمر يُدعى إيروان لي كور، ويملك شركة باسم *MovNat*، وهو اختصار لكلمتي "*Move Naturally*"؛ تحرَّك بشكل طبيعي.

لديه فروع في أماكن مختلفة من العالم - من فيرجينيا الغربية إلى تايلند - واليوم، إنه موجود في نيويورك. نلتقي في شارع 108 بجانب أحد مداخل حديقة سنتراك بارك.

يدنو مني إيروان بخطوات سريعة نشطة مرتدياً سروالاً قصيراً أسود وسترة رياضية ذات سحّاب. إنه وسيم بطريقة مضحكة، مثل بطل في أحد أفلام شركة أم جي أم في الخمسينيات: وجه حليق، تسريحة شعر مثالية، شعر مائل إلى الأشقر، عضلات محددة بوضوح؛ ولكن من دون منشطات.

"هذا مكان رائع". يقول لي بلكنة فرنسية واضحة، بينما يمسح المكان بناظريه. "طبيعي جداً. بدائي جداً". يركض متسلقاً التّلة ليستكشف أفضل رقعة من الأشجار والصخور.

أنتظره عند الزّاوية برفقة رجلي كهف آخرين:

أحدهما جون ديورانت، 26 عاماً، متخرج من هارفارد، ذو شعر أسود يصل إلى كتفيه وسروال قصير أزرق. والآخر يُدعى فلاد أفيربوخ، 29 عاماً، وهو ذو شعر أحمر قصير ولحية حمراء قصيرة ويتحدث بلكنة بلده الأصلي أوزبكستان.

جون وفلاد يعرفان بعضهما جيداً، وقد ظهرا معاً في مقالة نُشرت في صحيفة نيويورك تايمز حول حركة رجل الكهف.

يتبادلان حديثاً ودياً لبضع دقائق. ثم يبدأ فلاد بالضغط على جون بخصوص خلافات فكرية. يعتقد فلاد أن الإنسان القديم كان يأكل لحماً نيئاً. في حين يعتقد جون أن النّار كانت قد اكتُشفت قبل وقت طويل في ذلك الحين، وأنه لا بأس في

طهو اللّحم.

يسأله فلاد: "ما هي مصادرك؟".

يتنهد جون ثم يقول: "لا أريد أن أخوض هذا الجدال الآن".

يبدو على فلاد الانزعاج، فيمشي مبتعداً. ينتابني شعور بأن فلاد هو رجل الكهف الأصولي، وجون رجل الكهف الإصلاحي.

إيروان مستعد الآن. نترك قمصاننا مكوّمة فوق بعضها بالقرب من إحدى الصّخور. إنه يوم بارد، ويبدو أن الشّمس تريد بعض الخصوصية، لأنها ترفض الخروج من خلف بعض الغيوم. أعانق نفسي آملاً اكتساب بعض الدّفء.

يقول إيروان: "البرد جيد للحركة. لماذا نسير بصدور عارية؟ لأن ذلك أفضل بالنسبة إلينا. ذلك يقوي أجسادنا، وبالتالي يقوّينا ذهنياً. إن ذلك يساعدنا على التّأقلم".

نحن نتكون من خمسة أشخاص بشكل إجمالي، فمعنا رجل كهف أميركي - أفريقي يُدعى روشي. ولا ينتظرنا على الجانبين فريق واحد بل فريقان لبرنامجين تلفزيونيين أجنبيين يصوِّران حلقتين حول إيروان. برنامج ألماني، وبرنامج فرنسي، والأخير، بالطبع، تنتجه امرأة متشحة بالسواد لا تفارق شفتيها سيجارة مشتعلة.

نهرول في المكان للبقاء دافئين.

يميل فلاد نحوي ويقول: "أنا مسرور لأنك هنا. لأنني من دونك سأكون الأضعف بنية بين الجميع".

ينظر إلى صدري مجدداً ليتأكد.

"آه، شكراً".

"لم أقصد بذلك الإهانة. إنني أذكر وقائع وحسب".

كتبت ذات مرة عن حركة تُدعى الصّدق الرّاديكالي، حيث يزيل الممارسون الفلتر الفاصل بين العقل والفم. كانت المقالة بعنوان "أعتقد أنك بدين". كانت تجربة بشعة إلى حد كبير. أتساءل إن كان فلاد عضواً في تلك المجموعة أيضاً.

يعطينا إيروان محاضرة قبل التّمرين حول أهمية إجراء التّمرين في الطّبيعة.

"لاحظوا تضاريس الأرض وتكيّفوا معها. إنه أمر غني بصورة مدهشة. لن

تحصلوا على ذلك في أي ناد رياضي لأنكم هناك تمرِّنون عضلة ثم تنتقلون إلى عضلة أخرى".

يقلِّد تمرين العضلة ذات الرّأسين.

"إنه ليس فقط غير فعّال، بل إنه ممل أيضاً".

يشير إلى الصّخور والتلال والأراضي غير المستوية، ثم يقول: "هذا أفضل من أي ناد رياضي. إنه قابل للتأقلم مع أجسادنا وعقولنا. لعل ذكاءنا في الأصل كان مبنياً على الحركة".

ينظر إيروان نحوي. إنني أدوِّن ملاحظات على دفتر صغير.

"هل تكتب ملاحظات دائماً؟".

أهز رأسي دلالة الموافقة.

"لأنني أعتقد أنك ستفقد الفرصة للقيام بالتمرين. أعلم أن أسلوبك عقلاني، لكنني أظن أنه ينبغي عليك ألا تكثر من تدوين الملاحظات".

أضع دفتر ملاحظاتي على صخرة.

سيكون الجري أول تمرين لنا. نركض في رتل واحد فوق الأرض المفروشة بأوراق الأشجار، متحاشين الزجاجات المكسورة والصخور النّاتئة.

نركض بحسب توجيهات إيروان. أو نحاول، على الأقل. يُفترَض بنا الرّكض برشاقة، مثل الحيوانات. نُبقي العضلات مسترخية، ونميل إلى الأمام، وندع الجاذبية تدفعنا قُدُماً. لا تدوسوا الأرض بقوة، اركضوا بخطوات قصيرة وانزلوا على الأرض بخفة على أصابع أقدامكم. لا تؤرجحوا أذرعكم، اتركوها تتدلى بشكل طبيعي على الجانبين.

هذا يبدو مناقضاً تماماً للوضع الطّبيعي بالنسبة إلي، فأنا معتاد على أرجحة الذّراعين، والدوس بقوة على الأرض عند الجري. ولكن، ربما سيصبح هذا طبيعياً لاحقاً.

عند الالتفاف حول إحدى الأشجار، أخطو فوق شظية زجاج فأكبت صرخة كادت أن تخرج مني. لا أخبر أحداً بذلك، لأنني لا أريد أن أكون المتذمر في المجموعة. عندما نكمل دورة كاملة، نتوقف لالتقاط أنفاسنا.

يسأل فلاد إيروان: "كم تركض يومياً؟".

"أنا لا أعتقد بالبرامج المجدولة أو بحساب معدل نبضات قلبي. إنني لا أفعل أياً من هذه الأشياء. أنا أقوم بما أشعر أنه طبيعي وبدائي. قد أركض في أحد الأيام لخمس دقائق، وفي يوم آخر قد أركض ثلاث ساعات من دون توقف".

في تمريننا التّالي، نصبح أكثر بدائية. ننزل على أطرافنا الأربعة ونزحف على جذع شجرة ساقط بطول 40 قدماً. تكمن الفكرة في التّحرك مثل قط أو نمر يلحق بفريسة.

يقول إيروان: "هذا يشبه تقريباً السّباحة فوق الجذع. حافظوا على جميع عضلاتكم مسترخية".

يقفز إيروان فوق الجذع محافظاً على استقامة ظهره ثم يبدأ الزّحف.

ونتبعه بدورنا. إنه تمرين صعب. قدماي تنزلقان، وأشعر بثقل على كتفيَّ. أحاول الزّحف مثل قطّ فإذا بي أتحرك بسرعة مثل قرد.

يقول إيروان بلطف: "ليست هناك طريقة مثالية للقيام بذلك. أي شيء يشعركم بأنه طبيعي".

ننزل عن الجذع، ويعطينا إيروان حديثاً منشطاً آخر. "في اليوغا، يقولون إن العقل والجسد مرتبطان. وهذا صحيح، لكنه ليس كافياً. أنتم بحاجة إلى رابط بين العقل والجسد والطبيعة".

هنا يرغب المنتجان التّلفزيونيان بأخذ لقطة لجون وإيروان وهما يتفاعلان مع الطّبيعة من خلال تسلُّق شجرة. وهكذا نحصل أنا وفلاد وروشي على بعض الوقت لتبادل الأحاديث.

يقول فلاد: "ما نسبة الشّحوم في جسدك؟ أظن أنها 18 بالمائة".

أخبره أنني لم أحلّله منذ فترة من الوقت.

"لديك الكثير من الشّحوم في الدّم، وشحوم بين العضلات. لو كنت بقرة، لاستخرجت الكثير من الشّحم منك".

"آه - هه".

أعرف أنني يجب أن أكون غاضباً، فقد أهان فلاد جسدي مرتين خلال نصف

ساعة فقط. ولكن، هنالك شيء جذاب - وربما رائع - بخصوص افتقاره الكامل للمجاملة الاجتماعية. إنه يشبهني عندما كنت في سن الخامسة.

يتحوَّل الحديث إلى الغذاء، كما يحصل غالباً في دوائر رجال الكهف. يمدح فلاد فضائل لحم الأبقار المغذّاة على الحشائش النيء.

"لدي مزوِّد رائع بأدمغة البقر".

يبدي روشي اهتمامه. "هل بإمكانك أن ترسل لي رسالة إلكترونية بالمعلومات؟".

يسأله المنتج الألماني: "ألم تمرض من الطّعام النيء؟".

"لا، ليس بعد. ليست هناك ديدان. إضافة إلى ذلك، في فرنسا، تُستخدَم الطّفيليات في الطّب أحياناً. لذا، ربما هناك علاقة تعايش بيننا وبينها".

يقول فلاد إنه هرس مجموعة من الحشرات في الصّيف وتناولها كوجبة طعام. "الكثير من البروتينات".

لعلكم تتخيلون أن فلاد لا يستطيع الصّبر على النّباتيين. لقد واعد اثنتين من النساء النباتيات في حياته. "حوَّلت واحدة منهما إلى امرأة كهف في الموعد الأول، لكن العلاقة لم تنجح".

إن غياب النّساء في حركة الإنسان القديم مصدر دائم للإحباط. يخبرنا فلاد أنه دعا صديقة كان يواعدها إلى شقته لكنها غادرت لأن الحمام كان قذراً. وفلاد يخالفها الرّأي.

للمرة الأولى، أشعر بشيء من الاستياء حيال فلاد. أريد أن أقول له إن مواعيده مع النّساء ربما كانت ستكون أسهل لو أنه كان أكثر مرونة بالنسبة إلى قاعدته المتعلقة بعدم استخدام المنتجات المنظِّفة. إنه لا يستخدم أي نوع من العطور أو معجون الأسنان. "سأنظف أسناني بواسطة الخيط لأن قرود الشّمبانزي تفعل ذلك".

بعد عدة لقطات، ينتهي جون وإيروان من تسجيل مقطع تسلق الأشجار. وهذا يعني أن بوسعنا التّحول إلى التّمرين التّالي. يقترح أحدهم رفع صخرة، لكننا لا نجد الصّخرة المناسبة. يعتقد إيروان أنه من الأفضل بالنسبة إلينا جميعاً أن

نحمل جذع شجرة على أكتافنا.

تتحدث المنتجة الفرنسية بسرعة وباهتمام واضح مع إيروان. لا يمكنني أن أفهم ما تقوله، لكنني أسمع كلمة "dangereux" أي خطِر.

يهز إيروان رأسه ثم يقول: "C'est pas dangereux" أي ليس خطراً.

همم. هذا لا يبدو جيداً. نقف في صف واحد، وعند العدد حتى الرقم ثلاثة، نرفع جذع شجرة على أكتافنا. إنه بثخانة عمود هاتف. ترتجف ركبتاي قليلاً قبل أن أستعيد توازني.

بعد أن نمشي عدة خطوات مترنحة، يصرخ إيروان بأن الوقت قد حان لرميه إلى الأرض. نصرخ جميعنا ثم نقذف الجذع إلى الأرض.

يقترب فلاد من إيروان.

يشير فلاد إلى كتفه قائلاً: "ماذا يمكنني أن أفعل بهذا؟". لقد خدش كتفه عندما كان يحمل الجذع.

يرفع إيروان كتفيه من دون مبالاة. ضع ربما قليلاً من البصاق عليه. يقترح آخر خلاصة الصّبّار.

يقول جون: "استخدم دم أعدائك".

نضحك جميعاً، باستثناء فلاد. أشعر أن القبيلة تتفكك. وأنا قلق على فلاد. أريده أن يردع نفسه ويعود إلى الجانب الجيد من الذّكور المسيطرين، لكنني لا أعرف إن كان بوسعه فعل ذلك.

يرفع إيروان قدمه ويشير إلى ظفر دامٍ أُصيب عندما كان يتسلق الشّجرة.

ثم يقول: "الجروح والخدوش مفيدة لنا. إنها تساعد على تجديد أجسادنا". الجري بسرعة تمريننا الأخير. في العصر الحجري، لم يكن هناك الكثير من الرّكض، حسبما تفيد النّظريات. كان الإنسان القديم يمشي كثيراً أو يركض بأقصى سرعته لمسافة قصيرة، إما هرباً من نمر جائع، أو من أجل اصطياد ظبي. وهدفنا تخيُّل أنفسنا ونحن نهرب من وحش مفترس.

نبدأ على طريق مخصص لراكبي الدّراجات الهوائية. يعطينا إيروان الإشارة فنركض عابرين الشّارع بأقصى سرعتنا، متفادين راكبي الدّراجات والمتزلجين، ثم

45

نقفز فوق سياج خشبي قصير على الجانب الآخر من الطّريق.

يرسم إيروان ابتسامة عريضة ثم يقول: "هل تشعرون بالنشاط؟ هذا هو التّمرين. لا إحماء. ركض سريع فقط!".

أتعرفون؟ إنني أشعر بالنشاط فعلاً. كان ذلك رائعاً. محرر للطاقة. يمكنني الشّعور بقلبي يتمدد وينقبض. أشعر بوخز في جلدي.

تقترب امرأة ذات شعر أشيب منا وتسألنا عن سبب ركضنا عبر الحديقة عراة الصّدر. نشرح لها السّبب، فتقول: "اعتقدت أنكم كنتم تسرقون شخصاً ما". ثم تذهب.

نعود مرة أخرى عبر الشّارع لنستعد لجولة أخرى.

يقول فلاد: "هل يمكننا الجري في طريق أكثر نعومة؟ إنه يؤلم قدميّ".

يجيبه إيروان ببرودة: "اسمعْ، تخوشن".

يضحك الجميع، باستثناء فلاد.

يرد عليه فلاد: "بالنسبة إلى شخص يسلق لحمه، هذا الحديث قاس جداً".

ثم يتحوَّل إلى جون: "ويمكنني أن أقول لك شذِّب شعر صدرك".

يسود صمت مطبق لوهلة قبل أن يقطعه جون قائلاً: "لا أعرف لماذا أنت مهتم جداً بشعر صدري".

نركض عبر راكبي الدّراجات الهوائية مرى أخرى، ونقفز فوق السّياج القصير. إيروان وجون في المقدمة. وأنا أسبق فلاد بنحو نصف متر. وهذه حقيقةٌ يتجاهلها فلاد، لأنه يقول لي: "أنا سعيد لوجودك معنا لأنك بطيء مثلي، وأنا لم أكن أريد أن أكون الشّخص الأبطأ".

إنه يصعِّب عليّ الإشفاق عليه.

يكفي إلى هذا الحدّ. ثلاث ساعات من الرّكض واللهاث في غابة نيويورك. إنني أشعر بالبرد والتعب وينبغي عليّ الاهتمام بصغار الكهف؛ أبنائي.

بينما نحن نودِّع بعضنا، يسألني إيروان مجدداً حول موضوع كتابي.

"إنه يتحدث عن محاولة أن أكون الرّجل الأكثر صحةً في العالم".

يجيب إيروان مع ابتسامة: "إنني لا أقصد تثبيط همتك، لكنني لا أحاول أن

أكون الرّجل الأكثر صحة، بل أعيش هذه الحقيقة".

عندما أصل إلى البيت، أمضي عشرين دقيقة في إخراج شظية الزّجاج من إصبع قدمي بينما أخبر زوجتي عن فلاد وإهاناته.

"إذاً، هل ستركض نصف عارٍ بعد الآن؟".

لا. ربما لا. ولكن، يجب عدم رفض تمرين رجل الكهف كلياً. فعلى الأقل، لا بد أن أتفق مع إيروان بخصوص التّمرُّن تحت السّماء.

لطالما كنت أفضِّل الحياة داخل البيوت - دعوني أقتبس قولاً لوودي الن: إنني أتعارض مع الطّبيعة - لكن هذا لا ينفع هذه السّنة. تبيِّن الدّراسات الحديثة أن مجرد التّواجد خارج المنزل يحسِّن الصّحة. على الأقل بالنسبة إلى أولئك الذين لا يعانون من حمى قش موهنة. كما أظهرت دراسة أجرتها جامعة ويسكنسن أن المشي لمدة ساعتين في الغابة تَسبَّبَ بزيادة عدد الخلايا القاتلة بنسبة 50 بالمائة.

في دراسة أُجريت في اليابان عام 2010، طُلب من 280 شخصاً القيام بنزهات في الحديقة والمدينة. بعد النّزهات في الطّبيعة، أظهر المشتركون "تركيزات أقل في هرمون التّوتر كورتيزول، ومعدلات نبض أقل، وضغط دم أدنى". يبدو أن المشي في الحدائق هواية رائجة في اليابان، وينسجم تماماً مع الاسم الشّاعري - والمثير إلى حدٍّ ما - الذي يُطلَق على هذا النّشاط؛ "الاستحمام في الغابة".

ما هو الشّيء العظيم في النّزهات الطّبيعية؟ تقول إحدى النّظريات إن النّباتات تطلق مادة كيميائية تُدعى فيتونسايدس، وتستخدمها النّباتات لوقاية نفسها من التّحلل، ولكن يبدو أنها تفيد الإنسان أيضاً.

قد يكون الأمر أبسط من ذلك. فمجرد منظر الطّبيعة يهدئنا. هناك دراسة شهيرة أجرتها جامعة ميتشغين في العام 1982 وُضع فيها مرضى يتعافون من جراحة مرارة في غرف مختلفة في المستشفى. بعض الغرف كانت تطل على حقل أخضر، وبعضها كانت تطل على جدار. لقد تعافى المرضى الذين كانوا ينزلون في الغرف التي تطل على المنظر الطّبيعي بسرعة أكبر، وتطلّبوا عدداً أقل من المسكّنات.

التمرين والسنُّ المتقدّمة

بعد بضعة أيام، ركضت عبر حديقة سنترال بارك لزيارة جدي. اضطررت للتوقف بضع مرات لالتقاط أنفاسي، لكنني نجحت في قطع مسافة الميل والنصف من دون أن أنهار، وهذا تحسُّن بحدّ ذاته.

عندما وصلت إلى شقته، سألني جدي حول بحثي المتعلق بالصحة، فأخبرته عن رجال الكهف فضحك.

كان يجلس على كرسيه القابل للإرجاع إلى الخلف والمزوَّد بمسند للقدمين، حيث يجلس معظم يومه. قدماه مرفوعتان ومتورمتان من ضعف الدّورة الدّموية. المشي صعب عليه لأنه يعاني من ديسك منزلق. إن رؤيته في هذه الحالة تبعث على الاستغراب، لأن جدي - بعكسي - كان رياضياً في معظم مراحل حياته: تنس، جري، ركوب دراجات هوائية، وممارسة لعبة الفريسبي (رمي قرص بلاستيكي من شخص لآخر). وهو الشّخص الوحيد من بين كل معارفي الذي كان يملك آلة للرياضة في منزله.

حتى عندما كان في ثمانينياته، كان يسبح في أمواج المحيط القاسية. كان يشق المحيط بذراعيه فتضربه موجة، فيتعثر قليلاً، لكنه يبدأ من جديد، قبل أن يُضرَب مجدداً، وهكذا دواليك.

عندما كنت طفلاً، كان يمارس تنس الطّاولة، ولكي تكون اللّعبة عادلة، كان جدي يجثو على ركبتيه عندما كنت ألعب معه. وكان يأخذني معه في جولات على دراجته الهوائية البرتقالية التي اعتاد عليها لعقود، وكانت من نوع كابوكي وتتميز بعشر سرعات. كان يقود الدّراجة بظهر مستقيم في أغلب الأحيان، واضعاً يديه خلف ظهره. ليست الوضعية الآمنة النّموذجية، لكنني كنت أحبها.

كانت جدتي المتوفاة مولعة بممارسة التّمارين الرّياضية أيضاً.

أقول لجدي: "فكّرت في جدتي منذ بضعة أيام. كانت تخبرني دائماً أن عازفي الأوركسترا يعيشون حياة طويلة لأنهم يحركون أذرعهم كثيراً. والكتاب الذي أقرأه يقول إن ذلك قد يكون صحيحاً".

يقول جدي: "كانت امرأة حكيمة".

توفيت جدتي منذ ست سنوات، قبل وقت قصير من ذكرى زواجهما الثّامنة والستين. كان زواجاً جيداً. ليس مثالياً، لكنه جيد بالتأكيد.

كان يحب المزاح معها. على مائدة الطّعام، عندما يتم الحديث عن دعوة لحضور احتفال بزواج وشيك لشخص ما، كان يذهب إلى مكتبه ويجلب كتاب اقتباسات بارتليت، ثم يفتحه عند اقتباس لجورج برنارد شو ويقرأه على المائدة:

"عندما يكون شخصان واقعين تحت تأثير أقصى حدود العواطف العابرة والعنيفة والمجنونة والمضللة، يجب عليهما أن يُقسما على البقاء في هذه الحالة المثارة وغير الطّبيعية والمنهكة إلى أن يفرقهما الموت".

عندئذ كان يضحك ملء شدقيه.

كانت جدتي تقول له ضاحكةً: "كفى تيد". وفي النّهاية كانت تمزق الورقة وتنتهي تلك القراءات.

في مرة أخرى، كنا جالسين إلى المائدة في مطعم إيطالي قريب من شقتهما. خلال فترة صمت قصيرة، التفت جدي إلي وسألني: "كيف ستصوغه نيويورك بوست باعتقادك؟".

"تصوغ ماذا؟".

"كيف ستصوغ الخبر عندما تعرف أن جدتك حامل؟".

ثم ضحك حتى ارتجف جسده.

فقالت جدتي: "كفى تيد".

لكنه كان يحبها، حتى عندما كان يضايقها. كان لا يزال يحتفظ على الأقل ببعض تلك العواطف المجنونة والمضللة التي غمرته عندما التقيا خلال دراستهما في جامعة كورنيل عام 1932 (لقد تسلّق أحد جوانب المبنى الذي كانت تسكن فيه لأنه لم يكن الدخول إلى مهاجع النّساء مسموحاً للرجال). وحتى آخر أيامهما معاً، ظل يمسك بيدها عندما كانا يمشيان، أو في بعض الأحيان، كان يقرصها من فخذها ("كفى تيد").

قال لي بينما كنا نتناول العشاء بعد بضعة أسابيع من وفاتها: "كانت أروع امرأة عرفتها". واغرورقت عيناه بالدموع.

كان زواجهما يعادل أهمية نشاطه البدني بالنسبة إلى طول عمره. حيث أظهرت الدّراسات أن الزّواج النّاجح يعزز الصّحة. ورُبط ذلك بانخفاض معدلات النّوبات القلبية، وكذلك التهاب الرّئة والسرطان والخرف.

إنني أجد العلاقة بين الزّواج والصحة غير عادلة إلى حدٍّ كبير. ولكن، ينبغي عليّ أن أجري تعديلاً على ذلك. كما تقول تارا باركر بوب في كتابها من أجل الأفضل، علم زواج ناجح، "إن الاستمرار في زواج سيئ ضار جداً للصحة". تقول بوب: "تشير دراسة حديثة إلى أن الزّواج المرهق قد يكون ضاراً بالقلب بقدر عادة التدخين بانتظام".

لكن، لماذا الزّيجات النّاجحة مفيدة؟ تقدم بوب بضع نظريات مألوفة أخرى:

- المتزوجون أقل ميلاً للانغماس في تصرفات غير صحية مثل الشّرب المفرط والسهر لأوقات متأخرة.

- الروابط العائلية والاجتماعية في الزّواج تخفض الضّغوط النّفسية.

- الرجال المتزوجون أكثر ميلاً لزيارة الأطباء، بفضل إلحاح زوجاتهم.

هذه الأخيرة ليست نقطة تافهة. أستغرب إن كان جدي – بصفته رجلاً صبوراً وصلباً – قد ذهب يوماً إلى الطّبيب من دون حث من جدتي. لا بل إنها ترعاه، حتى الآن، بطريقة ما. فعندما كانت في المستشفى تحتضر، ناشدت أولادها كي يهتموا بأبيهم وببعضهم.

ودّعتُ جدي بعد ساعة من تبادل الأحاديث معه. كنت أخطط للعودة جرياً عبر سنترال بارك، لكن سيارة أجرة فارغة توقفت أمامي تماماً وعند إشارة حمراء. ماذا يسعني أن أقول؟ إنني رجل ضعيف.

خداع نفسي

أتمنى لو أنني كنت أستمتع بالتمرن أكثر. زوجتي – التي لا تزال تحافظ على وزنها نفسه الذي كانت عليه يوم زفافنا – تعشق النّادي الرّياضي. إنها تتطلع للذهاب إليه بالطريقة نفسها التي أتطلع أنا فيها للقراءة على الأريكة عندما تكون في النّادي.

50

في الكتاب الذي تصدَّر لائحة الكتب الأكثر مبيعاً، وُلدت كي أركض، يكتب كريستوفر ماكدوغال حول متعة الرّكض الفطرية عند الإنسان. في الحقيقة، إنني لا أشعر بمتعة الرّكض أبداً، ولكن مع استثناءات نادرة (مثلما حدث بعد الجري السّريع عبر الحديقة خلال تمرين رجل الكهف). لكنني أشعر بمتعة الاستلقاء بكسل. لعلي سأنمّي حباً لبذل الجهد البدني مع الوقت، كما في الزّيجات المدبَّرة حيث يتعلَّم الأزواج أن يعشقوا بعضهم. أما بالنسبة إلى الوقت الحاضر، فأنا والمشي لا نتحادث إلا نادراً.

إذاً، يجب أن أتصرَّف بذكاء. تكمن فرصتي الوحيدة في خداع نفسي كي أتمرن. ومن التّكتيكات المفيدة لهذا الغرض ترك ملابسي الرّياضية وحذائي الرّياضي بجانب الباب في اللّيل. تُظهر الدّراسات أنك ستتمرّن أكثر إذا منحت نفسك دوافع بصرية، كهذا الدّافع. (لقد وجدت ذلك مساعداً، إلا عندما تُبعد جولي ملابسي الرّياضية معتقدةً أنني تركتها لأنني فوضوي وحسب).

أما بالنسبة إلى تكتيكي المفضل، فهو أسلوب غير تقليدي خطر لي بعد القراءة حول "علم اقتصاد الأنا".

علم اقتصاد الأنا نظرية للعالم الاقتصادي والحائز على جائزة نوبل توماس شيلينغ الذي يقول إننا نملك ذاتين وليس ذاتاً واحدة. وهاتان الذّاتان متناقضتان في أغلب الأحيان. هناك الأنا الحالية التي تريد تلك الفطيرة المحلاة المحشوة بالتفاح المثلج، والأنا المستقبلية التي تندم على تناول الفطيرة المحلاة المحشوة بالتفاح المثلج.

إذا أردت أن تتخذ قرارات صحية، فعليك احترام أناك المستقبلية. قدِّرها، أو قدِّريها. عاملها - أو عامليها - كما لو أنك تعامل صديقاً أو حبيباً.

لكنني وجدت أن الأنا المستقبلية فكرة مجردة جداً. ماذا لو أنني جعلت أناي المستقبلية ملموسة أكثر؟ لهذا السّبب قمت بتنصيب برنامج "HourFace" على هاتفي الخلوي، وهذا البرنامج يمكنه أن يهرم صورتك. طبَّقت ذلك على صورة لي، وفي الحقيقة، كانت النّتيجة مقلقة.

طبعت الصّورة وألصقتها على جداري، بجانب قول كارل ساجان حول

الانفتاح الذّهني المتشكك. وهل تعرف ماذا حصل؟ لقد نجحت الفكرة. عندما أكون متردداً بشأن انتعال حذائي الرّياضي، أنظر إلى أ. ج. جاكوبس العجوز. احترمْ كبيرك رغم منظره المقلق، فهذا التّمرين من أجله هو.

ذاتي المستقبلية يجب أن تكون معلومة لأولادي. إنهم يستحقون أن يعرفوها.

اعتقدت أن جولي سترفض اتباعي علم اقتصاد الأنا، لكنها وجدت ذلك مثيراً للفضول.

قالت لي: "هل يمكنك أن تهرمني؟". وعندما أريتها صورتها، انفجرت ضاحكةً وقالت إنها تبدو مثل داستن هوفمان، ثم أردفت قائلةً إن هذا أمر ملهم. ففي الأوقات النّادرة التي لا تشعر فيها برغبة في التّمرين، ستتمرن من أجل داستن.

الفحص: الشّهر الثّاني

الوزن: 75 كغ.

ساعات النّوم في اللّيل: 6 (ليست جيدة).

زياراتي إلى النّادي الرّياضي: 12 (يجب أن تكون أكثر).

تمرين رفع الأثقال في وضعية الاستلقاء على الظّهر: 25 كغ، 15 مرة.

فقدت نصف كيلوغرام فقط هذا الشّهر، لكن هذا يرجع إلى أنني أكتسب وزناً عضلياً، أو على الأقل هذا ما أقوله لنفسي عندما أشد عضلاتي أمام مرآة الحمام باحثاً عن أي تغييرات ميكروسكوبية على عضلاتي ثنائية الرّأس وصدري.

لا أزال أفعل ما بوسعي للتحكم بالحصص. لا أزال أستخدم صحون أولادي البلاستيكية في المنزل. وفي المطاعم، أنقل نصف وجبتي إلى صحن أصغر، وأضع النّصف الثّاني في كيس كي آخذه معي إلى البيت. نسبة مضغ اللّقمة تبلغ 10 إلى واحد، وهي جيدة، إن لم نقل عظيمة. أحمل شوكة القريدس الصّغيرة الزّرقاء والبيضاء معي في جيبي الخلفي حيثما أذهب؛ الأمر الذي تسبَّب في إحداث ثقوب صغيرة في بنطالي الجينز، بالإضافة إلى ارتسام علامات الحيرة على وجوه عدة نُدل أعادوا الشّوكة إلي بعد أن نسيتها بالصدفة على الطّبق.

إذاً، إن حجم الحصة محترم. ولكن، ماذا يجب أن أضع في تلك الحصص؟ لا أزال أحاول التّغلب على مشكلة تحديد لائحة الطّعام الصّحية. في هذا الشّهر، تعهَّدت بأن أخفض استهلاكي للسكر، بما أن الجميع تقريباً يتفقون على أنه سمي إذا استُهلك بكميات كبيرة. لكن هذه المادة متغلغلة في الكثير من المنتجات. على سبيل المثال، كنت في مطار نيووارك - في طريقي إلى لوس أنجلوس من أجل مقالة للمجلة التي أعمل فيها - فرأيت كشكاً صغيراً يُدعى حديقة صحية. قلت لنفسي إن هذا يبشِّر بالخير. وعندما ذهبت إليه، وجدت مخلوط تشيكس عالي التّمليح، وكعك "جدتي" الممزوج برقائق الشّوكولاته (افترضت ذلك من مكوِّناته لأن جدتي كانت تملك شهادة دكتوراه في الكيمياء من معهد كاليفورنيا للتكنولوجيا)، ومزيجاً صحيًّا من الفواكه والمكسرات. يحوي المزيج الصّحي مواد جيدة، مثل الجوز واللوز، لكنه يحوي أيضاً رقائق الموز التي تتضمن سكر قصب مكرّراً، وزيت جوز الهند، والأهم من ذلك؛ نكهة الموز. عندما تحتاج إلى إضافة نكهة الموز إلى الموز فهذا شيء منحرف في عالم الغذاء.

لكن، بعيداً عن محنتي مع السّكر، فأنا أشعر بالفعل أن صحتي أفضل بقليل. فأنا أقل كسلاً وأكثر نشاطاً. كما لو أن جسدي قد اعتاد أن يكون غائماً وضبابياً (مثل بكين) والآن أصبح ملوثاً باعتدال (ربما مثل هيوستن). أحب تسلُّق مجموعة درجات سلَّم من دون أن يدق قلبي مثل قلب حيوان عاشق في فيلم كرتوني.

لكن، هل هذا الشّعور يستحق كل السّاعات التي أمضيها في النّادي والقيود الغذائية والاستحمامات الإضافية؟ لست مقتنعاً. لعلي بحاجة إلى استراحة. لاحقاً، سأقوم بشيء لا يتطلب تعرُّقاً إضافياً وآلام الجوع.

الفصل الثّالث

الأذنان

السعي للهدوء

أخذنا أولادنا الثّلاثة إلى بينيهانا لتناول العشاء هذا المساء. إنه مطعمهم المفضل، وذلك بفضل توليفة لا تضاهى مكوَّنة من طعام محمول جواً وسكاكين كبيرة وثقيلة.

لكنه ليس صحياً.

أولاً، هناك الكثير من الملح والدهن في الطّعام. ثانياً، هناك دخان الشّوايات الذي يملأ المطعم بكثافة بحيث يجعلك تفرك عينيك كي تميِّز ما تراه. أتخيل غرفة انتظار في مطار شارل ديغول في العام 1965.

لكن، ما ألاحظه اللّيلة هو الضّجيج؛ هسيس صلصة الصّويا على الشّواية، ثرثرة الموجودين المتصاعدة، وصخب أولادي. إن اللّه يحبهم، لكن أولادي صاخبون بطريقة غير معقولة (عندما أطلب من ابني زين أن يلتزم الهدوء لأن أمه غافية، فإنه يجول في الغرفة صائحاً "تيب تو! تيب تو!").

في هذه اللّيلة، كل واحد منهم يحمل بوقاً بلاستيكياً صغيراً حصل عليه من حفلة صديق لهم. اختيار مثير للاهتمام كهدية في حفلة. ماذا لو أعطوا أولادي علبة مارلبورو وبعض شفرات الحلاقة؟ ربما كنت سأفضِّل هذا.

إنهم يزمِّرون في أبواقهم منذ مغادرتنا حفلة صديقهم، ولهذا أشعر وكأنني أرافق مجموعة خاصة من مشجعي كرة القدم في أفريقيا الجنوبية. قبل أن تصل

المقبلات بقليل، ننجح أخيراً في انتزاع هذه الأشياء المزعجة من أيديهم.

يا الله! إنه عالم صاخب. لقد بدأت أعي هذا الأمر أكثر فأكثر خلال مشروعي الصّحي. ما عليك إلا أن تمضي ساعة واحدة في حالة إصغاء. سقسقة الرّسائل النّصية، هدير الطّائرات، ضجيج الشّاحنات، صخب النّقاد في البرامج التّلفزيونية، همهمة الحواسيب المحمولة.

بفضل اطلاعي، أعرف أن الضّجيج ليس مجرد مصدر إزعاج ثانوي. لا، إن الضّجيج أحد المخاطر العظيمة غير المقدَّرة حق قدرها في زمننا، لأنّه لا يضر سمعنا فقط، وإنما دماغنا وقلبنا أيضاً. إنه التّدخين السّلبي بالنسبة إلى أذنينا. حتى إن البعض يقولون إنه غاز الخردل الخاص بالأذن.

إن التّلوث الضّجيجي لا يحظى باهتمام قائمة الأمراض الأساسية. ليست هناك استعراضات أو عصائب ملونة أو مشاهير يتحدثون حول هذا الموضوع، ولكن هناك حفنة من الأشخاص الشّجعان - غير التّقليديين نوعاً ما - الذين ينددون بكثافة الضّجيج. توافق واحدة منهم - وهي آرلين برونزافت أستاذة علم النّفس في جامعة نيويورك (الأم جونز بالنسبة إلى الحركة) - على السّماح لي بزيارتها في شقتها في إيست سايد.

تعيش برونزافت، وهي امرأة ضئيلة الحجم ذات شعر بني، في شقة محمية من معظم الضّجيج المروري. وهي مليئة بصور لأميركييها المحبوبين ولحفيدها الحبيب أيضاً الذي امتلك مؤخراً فرقة مكونة من خمسة أفراد في مقصفه ميتزفا. أخبرتني برونزافت: "قالت ابنتي للموسيقيين: إذا عزفتم بصوت عالٍ جداً، فإن أمي ستحرمني من الميراث".

نجلس في مطبخها ونتحدث حول الضّجيج.

ما هي مشكلة هذا العالم شديد الصّخب؟

تقول برونزافت: "إن المشكلة الأكثر وضوحاً هي فقدان السّمع".

يمشي قرابة 26 مليون راشد فاقدي السّمع بسبب الضّجيج. وسيرتفع هذا الرّقم بوجود سماعات الأذنين الدّائم معنا.

حتى من دون سماعات الأذنين، نحن نفقد السّمع بشكل طبيعي كلما تقدَّمنا

في العمر، مع تآكل الخلايا الشّعرية الحسية داخل حلزون الأذن. يسـمع الأطفال 40,000 ذبذبة في الثّانية، في حين يسمع البالغون 20,000 ذبذبة في الثّانية. وتذهب قدرتنا على سـماع الأصوات العاليـة أولاً، أي إن أصوات النّسـاء والأطفال تصبح مكتومة في وقت باكر.

مـع أن فقدان السّـمع سيئ بمـا يكفـي، إلا أنـه ليـس المشـكلة الكبـرى، إذ للضجيج تأثير كبير بصورة تدعو للاسـتغراب على مسـتوى التّوتر النّفسي، والنظام القلبي الوعائي، والتركيز. لنعد إلـى أجدادنا القدماء لدقيقة واحـدة فقط. في عصر إنسـان الكهف، كان الصّوت العالي يمثل تهديداً ربما يعـادل خطر حيوان ماموث. إذاً، الضجيـج ينشِّـط رد الفعل سـيئ السّـمعة، قاتـلْ أو اهـربْ: أدرينالـين مرتفع، ضغط دم مرتفع. والآن، نحن نتعرض لقصف من مصادر ضجيج عالية طوال اليوم تقريباً، ما أدى إلى تعطيل غريـزة قاتلْ أو اهربْ فينا. وجدت إحدى الدّراسـات أن الأشخاص الذين كانوا يؤدون أعمالاً صاخبة عانوا من مشاكل قلبية أكثر من أولئك الذين يعملون في مواقع هادئة بثلاث مرات. وفي كتابه بحثاً عن الصّمت، يستشهد جورج بروتشـنيك بمسـؤول سـابق في منظمة الصّحة يقـدِّر أن "45,000 نوبة قلبية مميتة في العام يمكن إرجاع سببها إلى توتر قلبي وعائي ذي صلة بالضجيج".

شيء ما يبدأ بالأزيز في مطبخ برونزافت.

أسألها: "ما هذا الصّوت؟".

"إنها الثّلاجة. عندما اكتشفت أنها تصدر هذا الصّوت صُدمت".

الضجيج يؤذي الأذنين والقلب لكنه يضر بالدماغ أيضاً.

كان آباؤنا المؤسسون الحكماء (هنا نتحدث عن الولايات المتحدة الأميركية) يعرفون هذا منذ القرن السّابع عشـر. تقـول برونزافـت: "عندما كتبوا الدّسـتور في قاعة الاستقلال في فيلادلفيا، أدركوا أن الضّجيج سـيعرقلهم بسبب ارتطام الخيول والعربات بالحصى، فعمدوا إلى فرش التّراب على الحصى من أجل تقليل ضجيج الحركة المرورية العابرة".

هذا صحيح. الضّجة غير وطنية. (وربما تكون فاشـية. قرأت اقتباساً عن هتلر يقول إنه "لم يكن باستطاعته الفوز بألمانيا بدون مكبِّر صوت").

كانت برونزافت واحدة من أوائل الذين بيَّنوا علمياً أن الضّجيج يعبث بالعقل. في العام 1970، كانت تعمل كمستشارة مواصلات لعمدة نيويورك، حيث ساعدت على تصميم خارطة قطار الأنفاق. وفي ذلك الحين، لم تكن حتى مهتمة بالتلوث الضّجيجي (وهي تقول - مما يدعو للاستغراب - إنها ليست حساسة جداً للضجيج، فهي أصبحت مهتمة به كمشكلة صحية عامة).

أجرت برونزافت دراسة هامة في مدرسة عامة في حي واشنطن هايتس في مانهاتن. كانت بعض الصّفوف تواجه مباشرةً خط قطار نفقي مرتفع، وكان الطّلاب يسمعون ضجيج قطار عابر كل خمس دقائق. في حين كانت الصّفوف الأخرى الموجودة على الجانب المقابل من المبنى بعيدة عن الضّجيج. فما هو الفرق؟ كان أطفال الصّف السّادس الموجودون في غرف التّدريس الهادئة أفضل في مادة القراءة بمعدل سنة دراسية.

منذ ذلك الحين، دُعمت استنتاجاتها بواسطة كومة من الدّراسات الأخرى، حول الطّلاب والبالغين معاً. فبحسب جورج بروتشنيك، حتى "الضجيج المعتدل الصّادر عن أجهزة الضّجيج الأبيض (white-noise machines)، ومكيِّفات الهواء والتلفاز، على سبيل المثال، يمكن أن يضعف قدرة الأطفال على اكتساب اللّغة".

عندما بدأت برونزافت، كانت الحركة المناهضة للضجيج لا تزال في بدايتها. لكنها في هذه الأيام تتقدّم تدريجياً مقتربةً أكثر فأكثر من القيم السّائدة. هناك المزيد من الأسقف المقللة للضجيج، ونماذج الطّيران المعدّلة، واللصاقات التّحذيرية على المنتجات. وهناك أنشطة في سائر أنحاء البلد تهاجم التّوربينات الهوائية ومضامير سباقات الدّراجات النّارية وماكينات تنظيف الحدائق. تقول برونزافت: "هذه ليست مشكلة مدينة كبيرة فقط".

مضت ساعتان تقريباً. قد تكون برونزافت مناهضة للضجيج، لكنها ليست من النّوع الخجول والمتحفظ.

تخبرني برونزافت عن موضوع روايتها غير المنشورة التي تتحدث عن سيدة عجوز قُتلت بواسطة جيرانها الصّاخبين. وهي بعنوان من أجل الموت بصخب.

أقاطع برونزافت لأخبرها أنني مضطر لأخذ أولادي من المدرسة. أودِّعها

وأستقل الباص، وأعود إلى المنزل محاولاً تجاهل ضجيج وزعيق حركة المرور.

الإصغاء بانتباه

في ذلك المساء، أتعهد بأن أخفض الأصوات في حياتي. وأبدأ من غرفة أولادي. أُخرج كل ألعابهم الإلكترونية الصّافرة والزاعقة والمطنطنة، وأمضي نصف ساعة في وضع شريط لاصق حاجب على سماعاتهم البلاستيكية.

يقول زين: "ماذا تفعل يا بابا؟".

"أصلح الألعاب المعطلة فقط". أكذب نصف كذبة.

كان ذلك نجاحاً باهراً، من وجهة نظري على الأقل. لا يزال بإمكانكم سماع لعبة إلمو الدّجاجة الرّاقصة تطالبنا بأن "نرفرف بأجنحتنا"، لكنها تبدو كما لو أنها غارقة في حوض استحمام، وهذا ما أود فعله بها فعلاً.

الأمر التّالي، حماية الأذن. طلبت سدادتيْ أذن مطاطيتين برتقاليتين من نوع سايلنت - إير من مخزن إير بلاغ. أدت السّماعتان وظيفتهما لمدة أسبوع تقريباً، لكنني لم أستسغ الشّعور بوجود شيء ما يخترق فتحتي أذني، فقمت بطلب سمّاعتي رأس كاتمتين للصوت من نوع بوز. إنهما تكلِّفان مبلغاً يسبب اكتئاباً؛ 300 دولار.

جرَّبتهما على متن طائرة متوجهة إلى أتلانتا، حيث سأعطي محاضرة حول كتابي. أضعهما على أذني وأنقر على مفتاح التّشغيل و... في الواقع، لم يصمت العالم. لا يزال بوسعي سماع إشارة حزام المقعد ترن. لكنهما تخفضان مستوى الصّوت من 10 إلى 7.

في الأسابيع القليلة التّالية أبدأ بوضع سماعتيَّ أكثر فأكثر. إنهما على أذني الآن، هاتان الكاتمتان الملونتان بالفضي والأسود. أبدو مثل المسؤول عن وضع الحقائب في الطّائرة على مدرج مطار جون كينيدي.

أنا أضعهما في أثناء العمل، وعندما أقلُّ أولادي من المدرسة، وخلال تنظيف أسناني بالفرشاة. يسألني النّاس عن ما أسمعه، فأقول لهم: أصوات الصّمت الجميلة.

أصبحت جولي تدعوني ليونل ريتشي، لأنني أبدو وكأنني خارج لتوّي من استوديو تسجيل أغنية "We Are the world". على الأقل، أنا واثق بنسبة 95 بالمائة أنها تدعوني كذلك. لقد أصبحت أفوِّت كلمة هنا أو هناك، مثل اتصال سيئ مع الإكوادور عبر برنامج سكايب. وأغطّي ذلك عادةً بهزات رأس وابتسامات. لا تقلِّلْ أبداً من قوة تأثير هزة الرّأس والابتسامة.

لكن هذا لا ينجح دائماً. لقد وضعتهما مؤخراً في شقة صديقي جون خلال موعد اتفقنا عليه كي يلعب الأطفال معاً.

قالت جولي بينما كنا ننتظر المصعد: "انزعهما رجاءً".

"لماذا؟".

"إنهما بشعتان".

"إنهما تشبهان النّظارة الشّمسية. إنهما تحميان أذنيّ، والنظارة الشّمسية تحمي عينيّ. الفكرة ذاتها. إنهما تحجبان محفزات ضارة. لماذا النّظارة الشّمسية جميلة وسمّاعتا الأذنين بشعتان؟".

"انزعهما من فضلك".

فوافقت.

لكن هذا حثّني على إثبات كم حياتنا صاخبة إلى حدّ الخطر لجولي، ولهذا السّبب طلبت مقياس ديسيبل (وحدة قياس الصّوت) عبر الإنترنت. إنه يبدو مثل مقياس حرارة أسطواني الشّكل. أحمله معي أينما ذهبت، وأخرجه سراً لأفحص الهواء كلما سنحت لي الفرصة.

إليكم عيِّنة من اكتشافاتي. وتذكَّروا، إن مستويات الدّيسيبل التي تزيد عن 85 في الشّقة - قريبة من صوت ماكينة تنظيف الحدائق - يمكن أن تسبب فقدان السمع.

- مطعم ديف آند باسترز/ صالة ألعاب الفيديو في ساحة تايمز سكوير: 102 ديسيبل.

- القطار النّفقي خط C في نيويورك في أثناء دخوله المحطة: 110 ديسيبل.

- نوبة غضب زين بسبب تخلفه خمس دقائق عن برنامج بابل جوبيز: 91

ديسيبل.

- جولي في جدال حول ما إذا كنت قد وضعت، أم لم أضع، مجلتها تايم في غير مكانها: غير معلومة.

إذ كلما وضعت مقياس الدّيسيبل بالقرب من فمها، رفضت التّحدث. مفعول هايسنبيرغ يتجسد عملياً.

الفحص: الشّهر الثّالث

الوزن: 75.5 كغ.

تمرين الضّغط حتى الإنهاك: 34.

نزهات المشي في الحديقة: 8 مرات.

ضغط الدّم: 75/115.

بحسب دراسة لجامعة مانشستر، قد تساعد سماعتا أذني على تحسين تذوقي للطعام. لقد وجدت الدّراسة أن الضّجيج المحيط بنا يقتل حليماتنا الذّوقية، وهذا يفسر جزئياً سبب كون مذاق معظم اللاّزانيا المقدمة في الطّائرات رهيباً.

هذا الاكتشاف جيد، بما أنني أحتاج إلى المزيد من الدّوافع كي أتناول أطعمة صحية. أحاول أن آكل بشكل صحيح، لكنني لا أنجح إلا بشكل متقطع.

أقوم بتنزيل لائحة من الأطعمة الممتازة من موقع الدّكتور أوز على الإنترنت، وأبدأ بالتهامها. أحاول كسر رقمي الشّخصي المتعلق بأكل أطعمة ممتازة مختلفة في جلسة واحدة. رقمي حتى الآن 8. البارحة، أمضيت نصف ساعة في إعداد سَلَطة غداء مكونة من المانغو (يساعد الفيتامين سي على منع مرض دواعم الأسنان) والفينيل (مضاد التهاب) والعنّاب (مضاد أكسدة، بالطبع) والأفوكادو (دهن مشبع أحادي) وبذور الرّمّان (حمض الإيلاجيك الذي يحافظ على الكولاجين في الجلد) وشرائح الشّوكولاته القاتمة وعشب البحر الأرضي والعدس (مصدر جيد للزنك). أحب فكرة المنافسة كدافع لتناول أطعمة صحية، رغم أنها منافسة لكسر رقمي الشّخصي فقط. لعل المنافسة هي الطّريقة المناسبة

لتغيير عاداتكم. وربما بوسع دائرة الأكل التّنافسي استبدال عشب البحر بالنقانق.

إضافة إلى ذلك، أحاول إجراء التّمارين الرّياضية بشكل يومي، لكنني لا أنجح إلا في إجرائها أربع مرات في الأسبوع. ولهذا السّبب، قررت شراء جهاز مشي من مخزن كريغسيست مقابل 300 دولار.

سألتني جولي: "أين سنضعه؟".

"في غرفة النّوم".

صمتت لبرهة قبل أن تجيب: "في العادة، أنا ضد الآلات الكبيرة في الشّقة. ولكن، إذا كان الجهاز سيساعدك على الوصول إلى جسد رشيق...".

وقد ساعدني الجهاز بالفعل لفترة من الوقت. كنت أركض ثلاثة أو أربعة أميال بسرعة ستة أميال في السّاعة كل يوم. وبعد ذلك تلقينا اتصالاً من جارنا في الأسفل لويد. كان واضحاً أن جميع القاطنين في الطّابق الرّابع غاضبون، فالاهتزازات الصّادرة عن جهاز المشي تتردد من جانب المبنى إلى الجانب الآخر. وأحد الجيران يريد أن يعرف لماذا تتراقص لوحاته على الجدران كل مساء.

لو كنت موجوداً في رواية برونزافت، لكنت قُتلت خلال نومي. وهكذا اضطررت لهجر جهاز المشي. وهو يقبع الآن في غرفة نومي، مذكِّرٌ صامتٌ بضياع 300 دولار.

إذاً، إلى النّادي. لا يمكنني القول إنني أتلهف للذهاب إليه، لكنني لا أخاف منه كما كنت أفعل في السّابق.

ثمة جوانب أجدها مريحة في طقوس النّادي. أحب هز رأسي لزملائي الذين يأتون بانتظام إلى النّادي، مثل الشّخص الذي يقوم بتمرين العضلات ثنائية الرّأس وبعد ذلك يدق على صدره مثل طرزان، أو الشّخص الذي تجعله ثيابه يبدو وكأنه آتٍ من فيلم perfect لجيمي لي كورتيس في العام 1985؛ جاربان مطاطيان وعصابة رأس بيضاء.

إنني أحمد اللّه لوجود توني. إنه مساند رائع، فهو يقول لي دائماً إنني أتحسّن كثيراً، رغم أنني بقيت ثلاثة أسابيع وأنا أمرِّن عضلاتي ثنائية الرّأس بوزن 7.5 كغ. وهو مدرب متفهِّم ويعطيني بكل سرور نصائح حول آداب السّلوك في النّوادي.

"لا يمكنك أن تترك الأوزان تسقط على الأرض، لأن ذلك يعطي انطباعاً سلبياً، إذ يعتقد النّاس أنك ضعيف. ومن الجهة الأخرى، إذا بذلت جهداً كبيراً ثم تركتها تسقط، فلا بأس في ذلك. ولكن، عليك أن تخطط لهذا".

بصورة إجمالية، أشعر بأنني أفضل حالاً. لعله أفضل شعور أحسست به منذ المدرسة الثّانوية.

لكن، في كل مرة أبدأ بالتقدم نحو الشّعور بالرضا، اقرأ شيئاً يجعلني أكتئب. آخر دراسة تشغل بالي تفيد أن تمرين ساعة في اليوم قد لا يعطي أي نتيجة. فإذا كنتُ أجلس طوال ساعات الاستيقاظ الست عشرة، فإنني لا أزال في حالة غير صحية؛ كما كنت دائماً.

الفصل الرّابع

المؤخرة

السعي لتجنب الحياة المعتمدة على الجلوس

في الشّهر الرّابع، أقرر أن الوقت قد حان لإعلان الحرب على حياتي المعتمدة على الجلوس. رغم أنني لا أريد خوضها، فأنا ليس لدي أي شيء ضد الحياة المعتمدة على الجلوس لأنها تناسبني تماماً. فقبل مشروع الصّحة، كنت أجلس بسعادة عشر ساعات أو اثنتي عشرة ساعة في اليوم. إن كرسيَّ ومؤخرتي صديقان حميمان. أذكر أنني اشتكيت لجولي ذات مرة من فكرة التّصفيق وقوفاً. هل هو ضروري فعلاً؟ ألا يمكننا التّعبير عن استحساننا في وضعية الجلوس؟ ربما يمكننا رفع أذرعنا أو حني رؤوسنا أو الطّرْق بأقدامنا.

لكن، كلما قرأت أكثر، ازداد إدراكي لحقيقة مرَّة، وهي أن الجلوس والتحديق إلى الشّاشات طوال اليوم أمر سيئ بالنسبة إليك؛ سيئ حقاً، مثل سوء تدخين المنثولات غير المفلترة، والصراخ على زوجتك. ميشيل أوباما على حق. نحن بحاجة إلى الحركة. الكراسي هي العدو. إن الجلوس يعرِّضكم لخطر مرض القلب، وداء السّكر، والبدانة، وبعض أنواع السّرطان، بما فيها سرطان القولون والمستقيم وسرطان المبيض.

إننا لم نُخلَق كي نجلس. ولم يسبق أن كنا قليلي الحركة إلى هذه الدّرجة في التّاريخ. بحسب البروفيسور في جامعة هارفارد جون راتي، كان أسلافنا في العصر الحجري يسيرون ثمانية إلى عشرة أميال في اليوم. وكان أجدادنا ينفقون

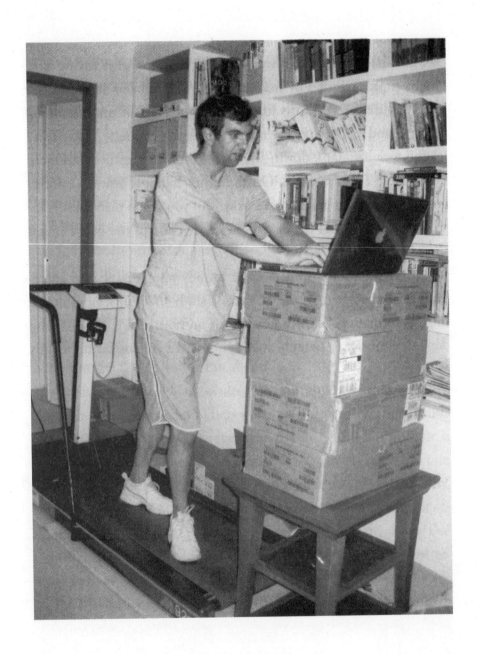

نحـو 3,000 سـعرة حرارية في اليوم فـي حين نصـرف اليوم 2000 سـعرة حرارية. ووفقاً لكتاب المناطق الزّرقاء، إن سـكان الحضارات التي تتمتع بأطول الأعمار - مثل أوكيناوا وسـردينيا - يتحركون طوال اليوم، حيث ينقلـون الطّعام عبر هضاب شـديدة الانحدار. (أتمنى لو كان في نيويورك هضاب أكثر. لكنها مسطحة بصورة خطرة).

تكمن مشـكلتنا نحـن الأميركيين في أننـا نذهب إلـى النّادي لمدة سـاعة (إذا كنا ملتزميـن بمواعيدنا) ومن ثـم نجلس بقيـة اليوم. عندمـا كنت في الثّانية عشـرة من عمـري، كان لدي حلـم غريب بعـزل جميع أنشـطة الحياة وجمعهـا معاً. كنت أتمنى لو كان باسـتطاعتي تنظيف أسـناني لمدة شـهر فأنتهي من هذه المهمة طوال حياتي، والذهاب إلى الحمام لمدة سنتين. نحن نعيش في نسخة أقل تطرفاً من هذا السّيناريو.

نحن نجلس ونجلس ونجلـس، ثم نتبع ذلك بفورة حركة. والدراسـات تُظهر أنه حتى التّردد المنتظم على النّادي الرّياضي لا يمكنه إبطال ضرر الجلوس بصورة كلية.

لهذا السّـبب، سـأحطم الجدار الفاصل بين التّمرين والحياة. لقد بدأت القيام بما أدعوه تمرين الفدائيين؛ أو ما يدعوه صديقي التّمرين الدّائم، حيث أؤدي نشاطاً بدنياً في كل أوقات يومي.

أصبحـت أصعـد إلى شـقتي جرياً على السّـلَّم، فـي حيـن تقول لـي جولي، "ألاقيك فوق"، قبل دخولها المصعد. وبين الحين والآخر أسـبقها إلى باب المنزل وأنتظرها هناك، وأنا أنقر على سـاعتي، مُبدياً فقدان الصّبر، ومحـاولاً عدم اللّهاث بقوة. فتقول لي وهي تمر بجانبي: "محاولة جيدة".

أتجنب وسـائل نقل الأشـخاص في المطارات. أجل، أنا أنقل نفسي. بل إنني أجرُّ حقيبتي على الأرض الثّابتة أيضاً. أعرف! هذا أمر بطولي.

قرأت مقالاً صحياً ينصح بإجراء تمرين رفع الجسد باليدين بواسطة إشارة "لا

تمشِ" في أثناء الانتظار عند زاوية الشّارع. حاولت ذلك، ولكن ابني ذا السنوات الخمس أحسَّ بالحرج بسببي، فتوقفت عن فعل ذلك.

لكن التّغيير الأهـم يتمثل في أنني بـدأت أقـوم بمهامي الخاصـة جرياً وليس مشيـاً أو بالسـيارة. فأنا أذهب إلى الصّيدلية وأشتري معجون أسنان وأعود إلى المنزل ركضاً. وأركض إلى مخزن البقالة والحلاق، وإلى المدرسـة لجلب أولادي أيضاً.

لكن، لهذا الأمر سلبياته. فعلى سبيل المثال. لقد تبلَّل قميصي بالعرق في طريقي لحضور اجتماع في المجلة (إنني أحمل الآن علبة إضافية من مزيل الرّائحة في حقيبتي). كمـا أن تنفيذ مثـل هذه المهمـات قد يتطلب وقتاً أطـول مما يمكن أن يتطلبه تنفيذها باستخدام السّيارة أو الباص. ولكن، ليس دائماً، لا سيما عندما تكون المهمة على بعد بضعة شوارع فقط.

إضافة إلى ذلك، هذا الأمر يخيف النّـاس، إذ لا يُفترَض بأشخاص بالغين يرتدون ملابس عادية أن يركضوا في الشّـوارع. منذ فترة، كنت أركض في الشّارع مرتدياً سـروال جينـز ومعطفـاً منتفخـاً كبيـراً، فـإذا بامرأة تدفع عربة فيها طفلها تتوقف وتصرخ: "هل كل شـيء على ما يرام؟". بدت وكأنها ظنّت أن قنبلة ما قد انفجرت.

إن تنفيذ المهمات الصّغيرة جرياً على الأقدام يتطلب إرادة. فأنا أضطر لإرغام سـاقيَّ العنيدتين على البـدء بالجري بالعـد التّنازلي من 10 حتى 1. ولكن، هنالك جوانب إيجابيـة أيضاً. مثـلاً، إنّ الجري يريحني من الإحسـاس بالذنـب إذا تغيَّبت عن النّـادي الرّياضـي ذات يوم، حيث أقـول لنفسي إن العالم هو نـاديَّ الرّياضي، وأكياس حبوب الفطور وعصير البرتقال ومعجون الأسنان هي أوزاني. وهناك أيضاً الإحسـاس الرّائـع بالفعالية، إذ إنني أقـوم بعدة مهـام في وقت واحد، بشكل مفيد ومن دون وسائل تكنولوجية ترهق ذهني أو تتسبب بحادث مروري. كما أن الجري يحرق سعرات حرارية أكثر من قطع المسافة نفسها مشياً (ركض ميل واحد يحرق

68

124 سعرة حرارية بالنسبة إلى الرّجال، في حين أن مشي ميل واحد يحرق 88 فقط. هذا ما تقوله الدّراسات).

وحتى إن لم أكن أركض، فإنني أحاول تجنُّب الجلوس. غير أن هذه التّجربة المعادية للجلوس تترك أثراً مزعجاً في نفسيتي. حيث لم يعد بإمكاني الإحساس بالراحة. وكلما طال جلوسي، ازداد شعوري بالذنب. بعد نصف ساعة من الجلوس، ينتابني الشعور بالقلق نفسه الذي أحس به بعد التهام نصف صندوق من البسكويت.

إن المشكلة مع الجلوس - كما تقول العالمة البيولوجية والمؤلفة أوليفيا جدسون - مضاعفة. الجزء الأول واضح، وهو أننا نحرق سعرات حرارية أقل عندما نكون جالسين. أما الجزء الثّاني فهو أكثر دقة، وربما أكبر تأثيراً، إذ إن الجلوس لفترات طويلة يغير أيْضَنا. هنالك أنزيم، يُدعى ليبيز، ضروري جداً لمساعدة عضلاتنا على امتصاص الدّهون، ونحن لا ننتج اللّيبيز عندما نجلس، ممّا يسمح للدهون بفعل أشياء شريرة مثل ترسيب نفسها في الجسم أو سد الشّرايين.

هناك دراسات كثيرة حول أنزيم اللّيبيز. لنأخذ واحدة فقط. قامت جامعة كارولينا الجنوبية ومركز البحث الطّبي البيولوجي في بيننغتون بمقارنة مشكلات قلبية عند رجال أمضوا أكثر من 23 ساعة في الأسبوع جلوساً، وبين رجال جلسوا أقل من 11 ساعة. ازداد احتمال الإصابة بمرض قلبي قاتل بنسبة 63 بالمائة عند الجالسين أكثر. لكن الخبر السّيئ لا ينتهي هنا، فأولئك الجالسون لم يكونوا كسالى، إذ إن الكثيرين منهم كانوا يترددون على النّوادي الرّياضية، غير أن تمرينهم لم يتغلَّب كلياً على الضّرر النّاجم عن جلوسهم.

لهذا، إنني أحاول الوقوف عندما لا أكون متحركاً. تقول جدسون: "بالمقارنة مع الجلوس، فإن الوقوف عمل شاق. فلكي تقف يجب عليك أن تشد عضلات ساقيك وتشرك في العملية عضلات ظهرك وكتفيك، لأنك تبدِّل بين ساقيك غالباً.

وكل هذا يحرق طاقة".

ذهبت وجولي لرؤية فيلم فيكتوريا الشّابة، وبعد أربعين دقيقة، اعتذرتُ منها لأقف في الجزء الخلفي من الصّالة.

شعرت بأنني رجل صالح. أأجلس في أثناء الاستمتاع؟ هذا للضعفاء فقط. أقنعت نفسي بأنني سليل أولئك الأشداء الذين كانوا يدفعون بنساً للوقوف في المكان التّرابي في الجزء الخلفي من مسرح شكسبير الكروي.

همس لي مرشد المقاعد: "يوجد الكثير من المقاعد".

"شكراً، أنا مرتاح".

بقيت هناك وأنا أستمع لخرخرة جهاز العرض المهدِّئة، في حين ظل المرشد يرمقني بنظرات حذرة ومرتابة.

كتابة السّرعة

لكن، هناك المكتب. المكتب هو المكان الذي تحدث فيه معظم جرائم السّلوك الجلوسي المفرط.

لا بد من فعل شيء ما. لمدة أسبوع، تحوّلت للعمل وقوفاً. رفعت حاسبي المحمول بوضع ثلاثة صناديق كرتونية فوق طاولة مكتبي وبدأت أكتب رسائلي الإلكترونية وقوفاً. سمعت ذات مرة أن نابوكوف كان يكتب رواياته وهو في وضعية الوقوف، لذا أملت أن تحمل رسائلي الإلكترونية نوعية رواية نار شاحبة التي ألفها نابوكوف.

لم يجرِ الأمر بشكل سيئ. كنت أغيِّر وضعية الوقوف كثيراً. كنت أحتفظ بموسوعتين تحت قدميَّ كي أتمكَّن من إراحة قدم واحدة في كل مرة، وهذه وسيلة ناجعة لوقوف طويل ومريح.

لكن الخرق الحقيقي تمثَّل في الجمع بين المكتب والحركة.

ظللت أتذكَّر طاولة المكتب القابلة للاستخدام كمكان للتمرين (*The Execusiser*) في فيلم *Bananas* للمخرج والممثل وودي الن. كانت ابتكاراً ذكياً.

كانت سماعة الهاتف مربوطة بشرائط مرنة بحيث يصبح الرّد على الهاتف بمثابة تمرين للعضلة ثنائية الرّأس.

لم أستطع إيجاد أي جهاز *Execusiser* حقيقي على الإنترنت، لكنني وجدت ما يليه في المرتبة من حيث الابتكار، وهو من بنات أفكار الدّكتور جيمس ليفاين، الباحث في مايو كلينك. يعتقد ليفاين أنه ينبغي لنا جميعاً أن نضع طاولات مكاتبنا أمام أجهزة المشي. ينبغي لنا جميعاً أن نمشي خلال العمل. صحيح أن ليفاين اكتسب عدداً صغيراً من التّابعين، لكنهم تابعون مخلصون.

يمكنكم شراء طاولات مكاتب مع أجهزة مشي محترفة الصّنع مقابل 400 دولار، أو يمكنكم صناعة بديل عنها بأنفسكم. وأنا اخترت الطّريقة الثّانية.

لقد فعلت ذلك لأنني أملك مسبقاً جهاز مشي - ذاك الذي يقبع من دون أي فائدة بسبب شكاوى جيراني في الطّابق السّفلي - إذا مشيت على جهازي فلن يعترض أحد. إنه أمر متحضِّر جداً، وهادئ جداً. وهكذا بدأت بالمشي عليه بسرعة تقارب الميل في السّاعة.

وازنت حاسوبي المحمول فوق صندوق خشبي، وعلَّقت عموداً طويلاً بشكل متعامد مع جهاز المشي كي أريح مرفقيَّ عليه. بالمناسبة، وجدت هذه الطّريقة بعد نصف دزينة من الطّرق الفاشلة التي استخدمت فيها قواميس وخزانة أضابير وشريطاً لاصقاً. لكنها نجحت في النّهاية.

وأنا على جهاز المشي الآن. استغرقت في كتابة هذا الفصل قرابة 1.5 ميل. أريد أن يكون هذا الكتاب أول كتاب يُكتَب معظمه على جهاز مشي.

لكن، هناك بعض المشككين مثل عمتي مارتي التي وبَّختني قائلة إنني لست في حالتي الطّبيعية. في حين سألتني جولي: "أليس أمراً مشتّتاً للتركيز أن تكتب وأنت تمشي؟".

لكنني بشكل عام بدأت أحبه. في البداية، كان غريباً بعض الشّيء. يتوجب عليك تخطِّي العقبة الأولية؛ نداء الكرسي المغري. بيد أنني الآن أجد أن المشي

خلال العمل يساعدني على شحذ تركيزي. فعندما كنت أعمل جالساً، كنت أتململ كثيراً في مكاني، وكنت أرغب في الوقوف وتناول وجبة خفيفة، أو استخدام المرحاض، أو سقاية النّباتات؛ أي القيام بأي شيء لتفادي العمل. أما مع مكتبي الموصول بجهاز المشي، فقد تخلصت من جميع هذه النّوازع. علاوة على ذلك، عندما تمشي، فإنك لا تستطيع أن تنام. وهذا ليس أمراً ثانوياً.

أتساءل إذا كان المكتب - الحركي قد غيَّر أسلوب كتابتي؟ هل أصبحت جملي أكثر حيوية؟ لا أعرف. ما أعرفه هو أنني أشعر بثقة وإيجابية أكبر عندما أمشي، وأميل للرد على رسائل إلكترونية بجمل قاطعة مثل، "نعم! أحب أن أتسلّق الجبال على دراجتي الهوائية في كونيتيكيت، رغم توقّع حدوث عواصف رعدية". ولهذا، يجب أن أكون حذراً.

الوقوف في حضرة كبار السّن

أمضيت اليوم بعض الوقت واقفاً في شقة جدي. بدا عدم الجلوس أمراً طبيعياً بالنسبة إليّ. اليوم يوم مشاهدة الأفلام، وقد جاء أحد زملاء جدي السّابقين لزيارته، وهو يريد مشاهدة فيلم وثائقي ظهر فيه جدي. تضع عمتي جين - وهي محامية تزور جدي من ميريلاند - قرص الدّي في دي وتضغط على زر التّشغيل. يتحدث الفيلم الوثائقي عن الفنان كريستو وبواباته في حديقة سنترال بارك. تألّفت هذه البوابات - كما تذكرون ربما - من غابة من الأعمدة المعدنية المغطاة بقماش برتقالي اللّون، وقد ظهرت في الحديقة في العام 2005. وكان جدي محامي كريستو.

رغم أنني رأيت الفيلم من قبل، إلا أنّ مشاهدته معه أمر ممتع. يبدأ الفيلم بأول لقاء جمع بين جدي وكريستو منذ أكثر من ثلاثين عاماً. يمكنكم سماع الطّقطقة المضحكة للآلات الكاتبة، ومشاهدة كريستو وزوجته جان - كلود وهما يدخلان مكتب جدي. إنه يتحدث على الهاتف بطريقة توحي بأن الأمر هام ("جيد"، "حسناً"، "لنتأكد من أن التّسجيل صحيح") ثم يومئ لهما برأسه محيِّياً بينما يجلسان.

أخيراً، ينهي المكالمة، ويضع سبابته على صدغه ويصغي لهذا البلغاري غريب الأطوار ذي الشّعر الخفيف والطويل ولزوجته الفرنسية وهما يخبرانه بخططهما غير المألوفة. إنهما يريدان نصب 18,000 بوابة في سنترال بارك.

جدي في العام 1979 يبدو مستغرباً تماماً. في حين أن جدي في العام 2010 الذي يشاهد الفيلم وهو جالس على كرسيه القابل للإرجاع للخلف، يضحك ثم يقول: "لم أقابلهما قبل ذلك مطلقاً. بالكاد سمعت بهما. اعتقدت أنهما مجنونان".

عند نهاية الاجتماع يوافق جدي على أن يكون محاميهما. يقول لهما إن الخطوة التّالية تقديم طلب لإدارة الحدائق. "يجب أن تفكرا مثل إدارة الحدائق. إنهم يفكرون بما يمكن أن يحدث. ماذا سيقول الأفارقة؟ ماذا سيقول الإيرلنديون؟ ماذا سيقول البولنديون؟".

عمل جدي مع كريستو وزوجته لمدة 26 عاماً، ورآهما خلال هذه الفترة مئات المرات في سياق اجتماعات، وتقديم مذكرات قانونية، وانعقاد لجان، وحفلات جمع تبرعات. وكان دائماً يقول لهما: "أنا متأكد بأن هذا سيتحقق ذات يوم". وهذا ما حدث بالفعل أخيراً. بحر غريب – ولكن جميل – من القماش البرتقالي في حديقة سنترال بارك.

ينتهي الفيلم الوثائقي بإزاحة السّتار عن البوابات في العام 2006. بوسعكم رؤية جدي جالساً بين آل كريستو على المقعد الخلفي للسيارة خلال تجوالهم في الحديقة. يبدو جدي في العام 2006 أكثر انحناءً منه في العام 1979، وأقل انحناءً من نسخة 2010، لكنه لا يزال يملك ذاك الاندهاش الطّفولي، حيث تجدونه يقول باستمرار في أثناء مرورهم بجانب البوابات: "واو، واو، واو".

يحب جدي أن يقول: "لقد استغرق فقط 26 عاماً". إنه درس حقيقي في التّصميم والتفاؤل والمثابرة. لقد نجح مشروع الفن التّصوري الصّغير ذاك.

لطالما تساءلت إن كان تصميم جدي الذي لا يلين وتفاؤله مفتاح عمره المديد. بعض الدّراسات تشير إلى أن الإجابة أجل. لقد وجدت دراسة لجامعة

دوك دامت 15 سنة أن فرصة نجاة المتفائلين من مرضى القلب كانت أكبر بنسبة 30 بالمائة من غير المتفائلين منهم. وخلصت دراسة أخرى - دامت ثماني سنوات - لما يقرب من 100,000 امرأة إلى أن المتفائلات منهن كنَّ أقل عرضة لمرض القلب التّاجي. في حين تفيد دراسات أخرى بأنه ليس هناك أي فرق. أما بالنسبة إلى العلاقة بين التّفاؤل والشفاء من السّرطان فالأدلة ضعيفة جداً في هذا الخصوص. وبالرغم من ادعاءات علماء النّفس الشّعبيين وكتب مثل السّرّ، فإنكم غير قادرين على التّخلص من السّرطان بمجرد اتخاذ موقف إيجابي (سنتحدث حول هذه النّقطة بتفصيل أكبر لاحقاً).

بالقدر نفسه من الأهمية، قد تكون المغالاة في التّفاؤل مضرة أيضاً. يجب أن تتحلوا بما يكفي من الواقعية والإحساس بالقلق بحيث تقومون بفحوصات منتظمة وتأخذون أدويتكم. وأنتم بحاجة أيضاً إلى ما يكفي من العزم للاهتمام بالتفاصيل. خلصت دراسة قام بها هوارد فريدمان، أستاذ علم النّفس في جامعة كاليفورنيا - ريفرسايد، إلى أن التّحلي بمستوىً متدنٍّ ولكن مثابر من القلق في ما يتعلق بصحتكم مرتبط بطول العمر.

هذا ما سأتبناه: تفاؤل معتدل مع قدر ضئيل من القلق. يمكنني تدبَّر هذا الأمر.

عندما أهمُّ بالمغادرة، يضع جدي يديه على ذراعي كرسيه ويرفع نفسه، رغم اعتراضاتي. يمسك بعمتي جين كي يوازن نفسه ثم يحني نفسه حتى يشكل عموده الفقري زاوية 45 درجة مع الأرض، فتترنح ساقاه، ثم يقول: "هل سنراك قريباً؟".

"بالتأكيد".

الفحص: الشّهر الرّابع

الوزن: 74.5 كغ.

الأميال التي قطعتها في كتابة هذا الكتاب حتى الآن: 85 (هدفي هو تحقيق كتاب في ألف ميل).

عدد الجوزات التي أكلتها هذا الشّهر: 790.

الثقل الذي رفعته من وضعية القرفصاء (3 مجموعات، 15 مرة): 20 كغ.
عدد كؤوس حليب الماعز المشروبة: 10 (الكثير من الشّعوب التي تتمتع بأعمار طويلة تشرب حليب الماعز، بحسب "المناطق الزّرقاء").

الصحة الإجمالية: ليست جيدة. لقد أُصبت بنزلة برد. فرغم معظم ساعات المشي التي أمضيها كي أكون بصحة جيدة، أُصبت بنزلة برد.

يورد كتاب جينيفر آكرمان آه - تشوو (وهو تاريخ لنزلات البرد) عبارة حول البرودة للشاعر تشارلز لامب من القرن التّاسع عشر. "إذا أخبرتني أن العالم سينتهي غداً، فسأقول لك فقط: صحيح؟... إن جمجمتي سقيفة مليئة بالأدب للتأجير".

وجمجمتي تشبه السّقيفة بالتأكيد. لا يمكنني إيجاد أي أفكار متناسقة فيها. لكنني بعكس لامب، أحس بالانزعاج أكثر من اللامبالاة. كيف يمكن لجسدي أن يخونني؟

ربما يجب ألا أكون مندهشاً، إذ لطالما كان جهازي المناعي مرحِّباً بالجراثيم بشكل مبالَغ به. إنه شديد التّهذيب؛ النظير البيولوجي لمضيفة جنوبية تدعو جميع الميكروبات اللّطيفة للبقاء لبعض الوقت وتناول بعض مرق الأرضي شوكي. إنني أُصاب بالرشح ست مرات في السنة. أما جولي، فهي نادراً ما تقع فريسة المرض. ويجب أن يشكرني أولادي على الزّواج بها.

بالنسبة إلى هذا الرّشح، فقد جرَّبت كل العلاجات والطرق التي تدعمها أدلة علمية نصف موثوقة. مكمّلات الزّنك، الغرغرة بالماء المالح، النّوم، واستخدام إبريق نيتي (neti pot). (كل العلاجات الأخرى - أعشاب، أقراص إيربوِرن، فيتامين سي، زجاجات ماء ساخن على الرّأس - تملك القليل من السّند العلمي، للأسف).

إبريق نيتي هو الذي أدهشني أكثر من جميع العلاجات الأخرى. في حال لم تره من قبل، فإنه يبدو مثل إبريق الشّاي. ولكن، بدلاً من صب الشّاي فإنكم

تصبّون ماءً مالحاً في منخركم. يندفع الماء المالح في التّجويف، ويتناثر القليل منه حولكم، ثم يخرج من التّجويف الثّاني. والغاية منه هي ترطيب الأنف من أجل تمييع المخاط وبالتالي تسهيل خروجه.

إنه شعور غير طبيعي إلى حدٍّ بعيد؛ تدفُّق هذا النّهر المتعرِّج داخل جمجمتك. لقد سعلت، وبصقت، وكبتُّ رعبي. أَمَلْتُ رأسي بزاوية غير سليمة من النّاحية التّشريحية. ولكن، في النّهاية، كانت النّتيجة أفضل بكثير مما توقعت. لقد فتحت هذه الطّريقة منخريَّ وأخرجت المخاط. وأصبح رأسي من الدّاخل كبيراً وصافياً، نسخة بحجم جمجمة من مونتانا. أخطط لاستخدام إبريق نيتي يومياً.

وجولي استخدمته أيضاً في صباح اليوم التّالي، ولكن، كوعاء لسلق بيضة لابني لوكاس. كنت مرعوباً، لكنها لم تهتم. وهذا يقودني إلى...

76

الفصل الخامس

جهاز المناعة

السعي للقضاء على الجراثيم

بفضل إصابتي بالرشح، قررت تكريس هذا الشّهر للجراثيم. وهو موضوع قريب من المنزل.

ظللت لسنوات متابعاً دؤوباً لأخبار الجراثيم. لعلك تعرف ما أقصده. إنني أتحدث عن تلك التّقارير الإخبارية التي تحذِّرك من أن الجراثيم الموجودة على جهاز التّحكم عن بعد لديك أكثر من الجراثيم الموجودة على غطاء مرحاضك، وأن إسفنجتك منطقة حمراء، وأنه يجب تطبيق الحجر الصّحي على هاتفك الخلوي!

تتخلل الأخبار لقطة ليدين غير مغسولتين تحت ضوء غير مرئي (أشعة فوق بنفسجية أو تحت حمراء) حيث تظهر بقع جراثيم بنفسجية متوهجة.

أحب التّعابير المجازية المتقنة التي يستخدمونها لإبلاغنا بعدد الجراثيم المذهل. إن عدد الجراثيم الموجودة الآن في أحشائك أكبر من عدد البشر منذ أن وُجدوا على الأرض (هذا صحيح). إذا تحولت الجراثيم الموجودة على يدك إلى قطرات ماء، فإنها ستملأ حوض سباحة أولمبيًّا (صحيح أيضاً!). وإذا تحولت الجراثيم على مقبض بابك إلى أحرف طباعية، فستكون الوثيقة النّاتجة أطول من مجموع أعمال جويس كارول أوتيس، وهذا يشمل رواياتها الخيالية ومقالاتها حول الملاكمة في شبابها (ربما كان الأمر صحيحاً).

قد لا تناسبني أخبار الجراثيم، لكنها تحقق لي نوعاً من المتعة المازوشية

(masochistic) المنحرفة. إنها تغذي رهاب الجراثيم لدي - حالة عانيت منها لسنوات - قبل أن يصبح مصطلحاً مألوفاً لدى المحققين التّلفزيونيين بوقت طويل. دعوني أقدّم لكم مثالاً على ذلك: إنني أفضّل التّحية الهوائية على المصافحة بالأيدي.

لا تحب جولي أن أشاهد تقارير الجراثيم. تقول إننا مجتمع مهووس بالنظافة، وإننا نتحول إلى مختشين مولعين بعلم المناعة. كما تقول للأولاد، هيا اذهبوا والعبوا بالرمل، رغم ما يقوله أبوكم حول بقايا المادة البرازية. اشربوا من الصّنبور. منذ بضعة أشهر، كان زين يأكل مخروط آيس كريم من المتجر التّنوعي في الحي حيث نقطن، والذي يبيع آيس كريم غالية جداً. بعد ذلك وقع المخروط على الرّصيف. المدهش في الأمر أنه لم يغضب، بل نزل على أطرافه الأربعة وبدأ يلعق الآيس كريم من الرّصيف مثل كلب صيد ماهر. شهقت امرأة كانت تمشي خلفه، ولكن ماذا بالنسبة إلى ردّ فعل جولي؟ لم تكن لديها أي مشكلة في هذا الأمر. نيويورك طبق عشاء كبير.

لهذا السّبب، إنها غير سعيدة بخصوص الزّيارة التي سأقوم بها بعد فترة قصيرة. سأقابل الدّكتور فيليب تيرنو، مدير علم الميكروبات وعلم المناعة العيادي في مركز لانغون الطّبي التّابع لجامعة نيويورك، والمعروف أيضاً باسم الدّكتور جرثومة. لعلكم تعرفون الدّكتور تيرنو من الحلقة التي تحدّث فيها عن الوسائد في برنامج "ذي توداي شو". أظهرت هذه الحلقة الملايين من القمل الغباري الآكل للجلد الميت، وجعلتني أفقد القدرة على النّوم لمدة لا تقل عن الأسبوع. إنه خبير الخبراء.

تقول جولي: "إنه يساعد على تعزيز الهوس". قد تكون محقة في هذه النّقطة.

لكن، إذا كانت غايتي تتمثل في أن أصبح أكثر البشر صحة، فينبغي عليّ أن أعرف الطّريقة المثلى للقضاء على هذه الجراثيم.

أصل إلى مختبر تيرنو الواقع في وسط المدينة فأجده يتفحص شريحة بكتيريا. إنه أصلع الرّأس مع لحية بيضاء مشذبة ونظارة ذات إطار معدني دائري. يمد يده ليصافحني.

ماذا؟ الدّكتور جرثومة يريد المصافحة؟ هذا غير منطقي على الإطلاق. أرد بإمالة مرفقي من أجل نقرة مرفق.

"آه، هـذا الرّجل يعـرف مـاذا يفعـل". يقول تيرنـو، فيشـرق وجهي بابتسـامة عريضة. نعود إلـى مكتبه الفوضوي الذي يوجد فيه مجهر، وشـرائح اختبار، وكتب في علم الأحياء، و11 زجاجة سائل تنظيف. وتُسمَع في الغرفة معزوفة لباخ.

أولاً، يريدني تيرنـو أن أعرف أن الجراثيم تعاني من حملة دعائية سيئة، إذ إن معظم البكتيريا غيـر مؤذية. في الواقع، إن الإنسـان يتكون في معظمـه من جراثيم. نحن نمشـي حاملين معنا 90 بالمائة خلايـا بكتيرية، و10 بالمائة خلايا بشـرية. إنها موجودة في أحشائنا، وفي أفواهنا، وفي حواجبنا.

ونحن جئنا من بكتيريا. إن أقـدم دليل على الحياة علـى الأرض خلية بكتيرية متحجرة وُجدت في أستراليا من 3.5 مليارات سنة.

"هنـاك 60,000 نـوع مـن الجراثيـم، ولكـن 1 أو 2 بالمائـة منها فقط تسـبب الأمراض. وهذا يعني 600 أو 1,200، أي إن هذا رقم صغير جداً".

لكنك لن ترغب بتواجد تلك الجراثيـم البالغ عددها 600 إلـى 1,200 في أي مكان قريب منـك. تذكّروا ذلـك المرض المعدي الذي لا يزال السّـبب الأساسـي للوفـاة فـي العالـم. إليكم رقـم مقلق: فـي كل سـنة يمـوت 100,000 شـخص في العالم بسبب حالات عدوى يُصابون بها في المستشـفيات. رقم مقلق آخر: في كل سـنة، تتسـبب جراثيم موجودة في الأطعمة بمرض 76 مليون إنسـان فـي الولايات المتحدة، بحسب مراكز مراقبة الأمراض.

بدأ الدّكتور تيرنـو طريقه نحـو الجراثيم عندمـا كان في عمر الثّامنـة حين قرأ سـيرة حياة جوزف ليسـتر. بالمناسـبة، إنه بطلي أيضاً: الجراح البريطاني الذي كان أول من طوّر فكرة الجراحة المعقمة.

"سـيميلويس كان بطلاً أعظم". يقول تيرنو، قاصداً الطّبيـب الهنغاري إغناز سـيميلويس. "اعتاد أن يغسـل يديه بعد التّعامل مع النّسـاء الحوامـل، في حين كان معظم الأطباء النّسائيين الآخرين يمسـحون أيديهم بجلابيبهم فقط، ويتسببون بقتل النّساء عبر نقل العدوى من امرأة إلى أخرى".

والدكتـور تيرنـو مولع بغسـل اليدين. إنـه يعتقد أن أميـركا بحاجـة إلى حملة تثقيف عامة حول هـذا الموضوع، إلى جانـب تركيزنا الدّعائـي المكافح للتدخين.

"إنه أهم شيء يمكنك فعله لصحتك". لعله محق في ذلك.

يكمن السّر في فعل ذلك بشكل صحيح، الأمر الذي لا يطبقه إلا القليلون منا. معظمنا ليسوا أفضل من الأرستقراطيين الفرنسيين في بلاط الملك لويس الرّابع عشر. ففي ذلك الزّمن - يقول تيرنو - نصح الأطباء بغسل أطراف الأصابع فقط، خشية أن ينقل الماء المرض إليهم.

يأخذني تيرنو - الذي يقول إنه لم يُصَب بالرشح منذ أربع سنوات - إلى الحمام ليريني عيِّنة لغسل اليدين. يعصر الصّابون السّائل في يديه ثم يفركهما لمدة 45 ثانية حتى قبل أن يضعهما تحت الماء.

"بين الأصابع. بين الأظفار".

يفرك ويزلق يديه معاً ويحفر تحت أظفاره بواسطة ظفر إبهامه ثم يلوي رسغه. يا له من أداء بارع! مثل يو - يو ما وهو يعزف التّشيلو أو آل باتشينو وهو يصرخ بألفاظ بذيئة. إنه بعيد تماماً عن أداء الإنسان العادي الذي يغسل يديه لمدة خمس ثوان.

عندما نرجع إلى مكتبه، أمطره بالأسئلة التي يتلقاها حتماً من كل شخص يعاني من رهاب الجراثيم:

- "هل بيوريل والمعقمات الأخرى نافعة؟".

"أجل. يجب أن تتأكد من أنك تستخدم القدر الكافي منها. حجم ملعقة كبيرة". تُظهر الدّراسات أنها تقلل خطر الإصابة بنزلات البرد بنسبة 40 بالمائة.

أقول له: "أحبه، لكن زوجتي تكره رائحته".

يشم الدّكتور تيرنو يديه ثم يقول: "وماذا تكره في رائحته؟".

بالصدفة، لقد أمضيت بعض الوقت في تصفح موقع بيوريل على الإنترنت، حيث يمكنكم أن تجدوا لائحة بأسماء 99 مكاناً تكمن فيه الجراثيم (المجلات في الطّائرات، بطاقات السّينما، لوحة الأرقام في محطات الوقود، أجهزة تحكم المكيفات في غرف الفنادق... إلخ). إنها لائحة مسلية ومرعبة. والمكان الوحيد الذي لا يذكرونه هو ماكينات توزيع بيوريل نفسها. أنتم تعلمون أنها مليئة بالجراثيم. إنها واحدة من أقسى معضلات الصّحة.

- "هل ينتج بيوريل والصابونة المضادة للبكتيريا سوبر جراثيم؟ مثل الجراثيم

المقاوِمة؟".

"لا. الجراثيم لا تطوِّر مقاومةً للكحول والصوابين المضادة للبكتيريا. إنها تطوِّر مقاومةً للمضادات الحيوية". ينصح تيرنو بعدم تناول المضادات الحيوية كلما أصبتم بالرشح. لكن بيوريل والصوابين المضادة للبكتيريا لا تنتج سوبر جراثيم.

- "هل ينبغي علي استخدام صابونة مضادة للبكتيريا؟".

"في الحالة العادية، لست بحاجة إليها. يمكنك الاعتماد على الصّابونة العادية والماء الفاتر". إلا في حالة طهو الطّعام، لا سيما اللّحوم. وهنا، هو يفضِّل صابون "ديال كومبليت".

"ماذا عن كمامات الوجه؟".

إنه يضعها في الطّائرات. "ذات مرة، كنت ذاهباً إلى فرنسا، وكانت هناك امرأة تسعل خلفي. طلبت من المضيفة أن تنقلها إلى مقعد آخر لأنها كانت مريضة جداً، فقالت المضيفة إن الطّائرة ممتلئة، ولا يمكنها فعل ذلك. لم أكن أحمل معي كمامة، وأُصبت بالرشح بعد ثلاثة أيام". هذا لن يحدث مجدداً.

فرضية النّظافة

لكي أكون منصفاً، أقرر إلقاء نظرة على جانب جولي من سياج الجراثيم. هناك الكثير من العلماء الذين يتفقون معها.

إنهم يسمّون نظريتهم فرضية النّظافة، ويقولون إن الأطفال في دول العالم الأول العصري لا يتعرَّضون لما يكفي من الجراثيم، الأمر الذي يعرقل تطور نظامهم المناعي. إن خلايانا المناعية لا تحصل على الفرصة لتمييز الجراثيم الشريرة وقتلها. قد يكون عالمنا المعقَّم بصورة زائدة عن الحد مسؤولاً عن الارتفاع الدّراماتيكي في أمراض الحساسية والربو.

أتصل بأخصائية في النّظام المناعي تُدعى ماري روبيش، وهي مؤلفة كتاب لماذا الأوساخ نافعة؟ المؤيد لفرضية النّظافة.

تقول الدّكتورة روبيش: "لقد تحرَّك البندول. في الألفيات القليلة الأولى من

تطور الإنســان، لم تكن هناك أي فكرة عن النّظافة. وبعد ذلك، عندما أدركنا وجود رابط بين النّظافة والمرض، وسقطنا عن السّفينة".

مثل تيرنو، إنهـا تدَّعي صحة ممتـازة. "لا أتذكر أنني أُصبت برشـح أو عانيت من صداع، وليس لدي أي معايير للنظافة من أي نوع كانت".

أكبت رغبة بإخبارها أنني سعيد لأنها مقابلة هاتفية.

"معياري لغسـل اليدين هو التّالـي: إذا كانتا تبدوان قذرتيـن أو تفوح منهما رائحة كريهة، فعندها أغسلهما".

ومثل تيرنو أيضاً، لديها قصتها المرعبة الخاصة حول رحلة بالطائرة.

"كنت أجلس بالقرب من صبي في الثّامنة من عمره كان يسـافر وحده. قام الصّبي بمسح المقعد والمسندين والصينية قبل أن يجلس. كنت مرعوبة".

أخبرها عـن كيفيّة لعـق ابني الآيـس كريم عن الرّصيـف، فتقـول: "ممتاز. إنه سيتمتع بصحة جيدة عندما يصبح راشداً".

بعد إنهاء المكالمة، أخبر جولي بنظرية روبيش، فتقول: "إنها امرأة حكيمة".

في وقت لاحق مـن تلك اللّيلة، تسـقط شـريحة خيـار من يد جولـي فتنحني وتنتشلها عن الأرض، ثم تضعها في طبق زين.

وتقول بفرح: "فرضية النّظافة!". إنها لازمتها الجديدة.

أقرر تمضية أسـبوع في تطبيق خطة تيرنو لمحاربة الجراثيم على نفسي. وأعد جولي بأنني سأتركها هي والأولاد خارج هذه المسألة.

في كتابه الحياة السّـرية للجراثيـم، يعطي تيرنو لائحة اقتراحـات تتعلق بعيش حياة معقَّمة، فنقلتها إلى حاسـوبي، وبدأت بتطبيقها صباح يوم أربعاء. وإليكم عينة صغيرة:

- امسحْ الهواتف وأجهزة التّحكم أسبوعياً. (هل يؤدي مسحها بمنديل ورقي رطب إلى إبعاد الجراثيم؟ أتمنى لو أنني أستطيع أن أغلي معداتي الإلكترونية).

- انقعْ جميـع المنتجات لمدة خمس إلى عشـر دقائق في محلـول يتكوّن من الماء وبيروكسيد الهيدروجين والخل. ("بيروكسيد الهيدروجين!؟". تسألني جليسة

أولادنـا، عندما كنـت أصبُّ بعضـاً من المحلـول في طبـق يحوي تفاحـاً. "هل هو آمن؟ كنت أعتقد أنه يُستخدَم لصبغ الشّعر". فأقول لها إنه موجود في الكتاب).

- اغسلْ الألبسة الدّاخلية وحدها لمنع نقل الفضلات البرازية.

- جفِّفْ الغسـيل في الشّـمس، لأن الأشـعة فوق البنفسـجية تقتل الجراثيم (لا يفيد حبل الغسيل في نيويورك، لذا أضع قمصاني على الجزء الخارجي من المكيِّف).

- انزعْ رأس الدّوش ونظِّفه بفرشاة معدنية من أجل اسـتئصال بكتيريا الفيلقية المستروحة (*Legionella*)، التي تسـبب داء الفيالق (*Legionnaire's disease*). (لم أفعل ذلك حتى الآن).

- نظِّفْ السّتائر والمفروشات باستخدام المكنسة الكهربائية بانتظام.

- عقِّم الإسفنجات الرّطبة في المايكروويف لمدة دقيقة أو دقيقتين.

- ضعْ شراشـف وأغطية وسـائد لا تسـبب الحساسية على فراشـك للحيلولة دون تغذِّي القمل الغباري على جلدك الميت، لأن القمل الغباري يمكن أن يسـبب الحساسية. (الشراشـف وأغطية الوسائد التي اشـتريتها زلقة نوعاً ما، لكنها تجعلني أشعر بشكل أفضل. تيرنو نفسه يأخذ شراشفه المضادة للجراثيم معه عندما يقيم في فندق ما. أضع ذلك على لائحتي).

يمضي نصـف نهـار مـن دون أن أقتـرب حتى مـن الانتهـاء من لائحتـي. إن المعركة مع الجراثيم تتطلب عملاً بدوام كامل. لكنني ألاحظ شـيئاً غريباً. فبصرف النّظر عن كوني مشغولاً، ثمة شعور آخر: إنني أقوم بعمل صائب.

لعلها مخيلتي، لكنني أرغب بوضع نظام لكل جزء من حياتي. أصبحت أشعر بانزعاج أكبر حيـن تتأخر جولي عن الغـداء، وبقلق أكثر عندما يمضي ابني جاسـبر وقته مع عناصر غير منضبطة في صفه.

هل لاهتمامي بقواعد السّلوك علاقة بهوسـي بالجراثيم؟ ربما لا. لكن الدّماغ مكان غريب ويُحتمَل أن يكون رهاب الجراثيم قد أثَّر على وجهة نظري الأخلاقية. أقرأ مقالة مذهلة في صحيفة نيويورك تايمز لعالمين يقولان إنك كلما أصبحت أكثر هوساً بالجراثيم، أصبحت أكثر محافظةً من النّاحية السّياسية.

لقد أجريا تجربة سألا فيها المشتركين حول مواقفهم "الأخلاقية والاجتماعية

والمالية". يقول العالمان: "إن مجرد الوقوف بجانب ماكينة توزيع معقِّمات لليدين جعل الأشخاص يعبِّرون عن معتقدات سياسية أشد محافظةً. من الواضح أن أقل إشارة إلى إمكانية وجود الجراثيم كافية لتغيير المواقف السّياسية نحو اليمين".

يقدم البروفيسوران - بول ليبرمان من جامعة كوينز، وديفيد بيزارو من كورنيل - تفسيراً يقول إن البشر القدماء كانوا غالباً يتصلون مع قبائل تحمل جراثيم خطيرة. ولهذا السّبب أصبح البشر في سياق تطورهم يحملون شعوراً بالقرف من الآخرين، الأمر الذي ساعد على إبقاء العلاقات المتبادلة في حدودها الدّنيا. هذا الشّعور بالقرف مرتبط بشكل تلازمي بنظرة عالمية محافظة وأكثر حذراً من الغرباء.

عندما أخبرت أحد أصدقائي المحافظين بهذه النّظرية، قال إنها سخيفة. لكنه أضاف قائلاً إنها على الأقل تعطيه رخصة لتسمية اللّيبراليين بالقذرين.

الفحص: الشّهر الخامس

الوزن: 74 كغ.

عدد مرات تمرين الضّغط حتى الإنهاك: 26.

الدولارات المصروفة على مكمّلات لا تمتلك سنداً علمياً موثوقاً (مثل أكاي بيري وريسفيراترول): 127 دولاراً.

عدد ثمرات الأفوكادو المستهلكة: 1.5 في اليوم.

الخبر الجديد الكبير بالنسبة إلى هذا الشّهر: إن تماريني في النّادي تغيّر شكل جسدي. أصبح لصدري انحناءة صغيرة، مثل انحدار ناعم جداً حول حفرة جولف. عندما ذهبت للجري منذ بضعة أيام، أحسست بأن عضلات صدري تقفز معي. وهذه التّجربة جديدة ومفرحة، لدرجة أنني أمضي وقتاً محرجاً كل ليلة في تفحص جسدي في المرآة، محاولاً تمييز التّطور. أتخيل أنني أركض نحو فلاد رجل الكهف وأسمعه يقول: "أنا آسف بشأن تلك التّعليقات حول صدرك. كم كنت مخطئاً!".

الآن، أدركت لماذا يتجول كل نجوم البرامج الواقعية من دون قمصان. إذا كنت تمضي وقتاً طويلاً في نحت جسدك، فإنك تود أن تعرض نتيجة عملك الفني. وإلا فإن ذلك يشبه الاحتفاظ بلوحة لغوجان مغطاة بشرشف في المرأب.

بدأت ألاحظ أجساد الرّجال الآخرين أيضاً، وأبحث عن العروق في أذرعهم وأقارنها بعروقي. لم أكترث من قبل قطّ لامتلاك أوردة دموية واضحة.

أو لعلي كنت أكترث. لا أعتقد أنني اعترفت لنفسي كم كنت خجلاً من صدري المقعَّر لسنوات. كنت أتظاهر بأنّني لا أكترث، وأنني فوق هذه الاهتمامات. لكنني في الوقت نفسه كنت أكره تغيير ملابسي في غرفة تغيير الملابس، وكنت أبقى مرتدياً قميصي قصير الكمّين على الشّاطئ.

وأنا أعمل على زيادة حجمي، حيث أتناول جرعات يومية من المكمِّل الغذائي كرياتين عملاً بنصيحة صديقي تيم فيريس الذي أوشك على إنهاء كتاب سيصدر قريباً بعنوان جسد في أربع ساعات.

لكنني في الوقت نفسه، أدرك أن هذا الولع بالحجم سخيف. ثمة رابط بسيط بين ما نعتبره صحياً وفقاً للشكل وما يكون صحياً فعلياً، وخاصة في ما يتعلق بتعريف العضلة. هل يملك سكان أوكيناوا في اليابان - أطول النّاس عمراً على الأرض - ستة صفوف من عضلات المعدة؟ أشك في ذلك. ليس في الصّور التي رأيتها.

على جبهة الغذاء، لا أزال أعمل على التّحكم بحصصي الغذائية، وأمارس طريقة المضغ. وبما أنني مدمن على تناول المانجو المجفف الشّيطاني، فقد أصبحت - بناءً على نصيحة من الأخصائي السّلوكي سام سومرز من جامعة تولين - أضع كل شريحة مانجو في كيس صغير. هذه الطّريقة ناجحة في الواقع. إذ يعتقد عقلي أنني أحصل على حصة كاملة، حتى لو كانت الحصة مجرد شريحة واحدة. بكلمات أخرى، إنّ عقلي غبي.

لكن، بالرغم من انتصاراتي المحدودة في مسألة التّحكم بالحصص، أجد نفسي أعود دائماً إلى السّؤال الجوهري: ماذا يجب أن أضع في هذه الحصص؟ ماذا ينبغي عليّ أن آكل؟ إلى أي خبير من الخبراء عشرة الآلاف في أميركا ينبغي عليّ أن أستمع؟ أتعهد بأن أجعل هذا الأمر مهمة الشّهر التّالي.

الفصل السّادس

المعدة، إعادة نظر

البحث عن الوجبة المثالية

منذ بضعة أيام، وقعْت على وجهة نظر بدت لي مثيرة للاهتمام؛ فقد اكتشف طبيب في كولورادو يُدعى ستيفين براتمان ما يدعوه اضطراب أكل جديد: "*orthorexia nervosa*". وهو يعرِّف كلمة "*orthorexia*" بأنها تعني هوساً غير صحي بالأطعمة الصّحية.

تتمثل الفكرة في أنك إذا كنت تركز بشكل مفرط على تناول المأكولات الصّحية، فإنك ستقع فريسة الإجهاد النّفسي، لدرجة أن الضّرر النّاجم عن الإجهاد يفوق أي فوائد ممكنة من المأكولات الصّحية. إنها فكرة مثيرة حقاً. لذا أرسلت بريداً إلكترونيًّا للدكتور براتمان طالباً إجراء مقابلة معه.

يوافق قائلاً إن لديه عدداً من الملاحظات المالحة.

مالحة! اختيار مثير للاهتمام. إنه يستخدم أسماء المأكولات غير الصّحية كصفات.

في المقابلة، يقول الدّكتور براتمان إن الهوس بالمأكولات الصّحية أمر غبي. ومن يتبعون هذه الطّريقة مليئون بالهواء السّاخن. وفي النّهاية، يقول إن التّركيز المفرط على غذائك مضر لأنك "لا تملك توازناً في حياتك".

ذات يوم، كان براتمان نفسه مولعاً بالأطعمة الصّحية. في السّبعينيات، كان براتمان مزارعاً عضوياً وطباخاً ضمن جماعة تشاركه الأفكار نفسها في شمال

نيويورك. كان يمضي أيامه في طهي البطاطا على البخار ومناقشة ما إذا كانت القدور المصنوعة من الألمنيوم سامة أم لا. إلى أن وصل إلى مفترق طرق، عندما "حاول زائر متحمس جداً إقناعي بأن تقطيع حبة خضروات إلى شرائح سيدمر حقل طاقتها". أحسَّ براتمان بالانزعاج لدرجة أنه حمل ساطوراً صينياً مسطحاً ولحق بذلك الرّجل حتى أخرجه من الشّقة.

بعد تلك التّجربة، ابتكر براتمان مصطلح orthorexia. وortho مشتقة من الإغريقية وتعني صحيح، وrexia تعني شهية، وعلى هذا الأساس، فإن orthorexia تعني الهوس بالغذاء الصّحيح. وبالرغم من أن هذه الحالة المرضية لم تنجح في الوصول إلى الدّليل التّشخيصي والإحصائي للاضطرابات العقلية، إلا أنها اكتسبت بعض المؤيدين بين المعالجين النّفسيين والباحثين. وقد ألّف براتمان كتاباً حول هذه الحالة بعنوان تفاهات الغذاء الصّحي.

وأعراضها تتضمن:

– عندما تبتعد عن الأكل الصّحي، فإنك تمتلئ بالشعور بالذنب وكره الذّات.

– أنت منعزل لأنه من الصّعب تناول الطّعام على المائدة نفسها مع أصدقاء أقل اهتماماً منك.

– أصبح الغذاء الصّحي المعتقد الـذي تعتنقه؛ حيـث يجعلك تشعـر أنك شخص مستقيم. إنك تنظر باشمئزاز إلى الشّرهين.

إذاً، فالولـع بالطعام الصّحي، وفقاً لبراتمان، سـيضرني. يا لهـا من فكرة مثيرة للاهتمام! ولكـن، حتى لو كان ذلك صحيحاً، فأنـا بحاجة إلى بعض الإرشـادات الأساسية حول ما يجب أن آكله كـي أكـون أكثـر النّاس صحة على وجه الأرض. فبماذا نصحني؟

"لا تصبح بديناً وتناول فيتاميناتك".

فقط؟ هذه هي نصيحته حول الصّحة؟ أضغط عليه كي يعطيني المزيد.

براتمان يقاوم. لكن المشكلة هي أن الجميع يريدون أسراراً: السّيلينيوم يمنع سرطان المثانة، إذاً فلتأكل الجوز البرازيلي! الفلافونويدات تمنع مرض القلب،

89

لذا عليك بالأناناس! لكن العلم لم يصل إلى هذا بعد. ويخبرني براتمان أن كل النّصائح الصّحية يمكن تلخيصها في فقرة واحدة:

"تناول الفواكه والخضروات أمر منطقي نوعاً ما. نمْ جيداً. لا تعش في أكثر المناطق تلوثاً في العالم. لا تدخن. لا تقم بأشياء غير آمنة مثل التّزلج والطيران بطائرة مُطفأة المحرك (*hanggliding*)، وهما أكثر خطراً بما لا يُقاس من أكل أطعمة غير صحية. التّمرين جيد جداً بالنسبة إليك".

من وجهة نظر براتمان، كل الدّعاية حول مضادات الأكسدة والمؤشرات الغلايسمية (*glycemic indices*) غير مثبتة. إن علم التّغذية بالكاد أكثر اعتماداً على الأدلة العلمية من علم معرفة الشّخصية من انتفاخات الجمجمة (*phrenology*). أو بحسب تعبير براتمان: "بالكاد أفضل من سخافات الجامعة".

لا أعتقد أن براتمان أحمق، رغم أنني لا أتفق معه. صحيح أن استنتاجاته راديكالية جداً بالنسبة إليّ، لكنني أعتقد أنه يقدِّم رأياً منذراً هاماً. لأنني كلما ازددت معرفةً، ازداد إدراكي لحقيقة أننا نعرف حول التّغذية أقل بكثير مما تدفعنا عناوين الصّحف إلى تصديقه. إن الغذاء أمر معقد بصورة تدعو إلى الإحباط. إنه لا يقبل التّبسيط. نقرأ، على سبيل المثال، حول ما نعتقد أنه مكوِّن صحي وسري: يحوي الجزر بيتا كاروتين، ولهذا السّبب فهو يقاوم السّرطان. إذاً، سنقدم لكم مكمِّلات بيتا كاروتين، ومن ثم نكتشف أن الأمر ليس بهذه البساطة. فقد وجدت دراسة ضخمة في فنلندا أن مكملات بيتا كاروتين زادت حالات السّرطان.

إن الجزر الذي تتناولونه يومياً مليء بالكثير من المواد المغذية الدّقيقة، ولا نعلم حتى الآن كيف تتفاعل مع بعضها. يحب مايكل بولان، مؤلف كتاب معضلة آكلي كل شيء، أن يقول: "يمكن تشبيه موقع علم التّغذية اليوم بما كانت عليه الجراحة في القرن السّادس عشر. إنها مثيرة للاهتمام. ولكن هل تريد حقاً أن تُجرى لك؟". أفضل ما يمكننا فعله - وفقاً لبولان - هو أن نأكل الأغذية الطّبيعية غير المعالَجة، وأن تكون النّباتات الجزء الغالب فيها، وأن لا نأكل كثيراً.

أما الطّبيب بين جولداكر، مؤلف كتاب علم رديء، فهو أكثر قساوة، حيث يدعو أخصائيي التّغذية بالمحتالين.

لكن المشكلة تكمن في صعوبة إجراء دراسات عشوائية على البشر وغذائهم. إذا كان باستطاعتكم حجز 10,000 شخص في غرف متطابقة لمدة ثمانين سنة وإطعام نصفهم مأكولات نباتية فقط والنصف الآخر اللّحوم والبيض فقط، وإبقاء كل ما عدا ذلك متشابهاً، فعندئذ سيكون بوسعكم الحصول على نتائج حقيقية. ولكن، مالم يقرر شرير ما السّعي للحصول على دكتوراه في علم التّغذية، فإن هذا لن يحصل.

إن الكثير من معرفتنا الغذائية يأتي من مصدرين اثنين. أولهما الدّراسات الحيوانية التي يمكن أن تكون مرشدة، لكنها لا تنطبق دائماً على البشر.

والمصدر الثّاني هو دراسات علم الوبائيات الذي - إنني أبسّط كثيراً هنا - يقوم العلماء فيه بتحليل إحصائيات تتعلق بمجموعة سكانية ما من أجل تحديد سبب انتشار مرض ما. إنها وسيلة مفيدة إلى حدٍّ كبير. فقد ساعد علم الوبائيات في الرّبط بين التّبغ وسرطان الرّئة، وبين الكوليرا والماء القذر. لكنه أيضاً يعاني من بعض القيود، وخصوصاً في ما يتعلق بشيء معقد مثل الأكل والشرب، إذ هناك مئات العوامل المشوِّشة التي تعيق التّوصل إلى نتائج قاطعة.

كتب الصّحفي العلمي جاري توبيس مقالة عظيمة في مجلة نيويورك تايمز حول هذه المشكلة، ولخَّصها على النّحو التّالي: إننا غالباً نخلط بين الارتباط والسبب. على سبيل المثال، إن معدلات داء السّكر أقل بكثير في المناطق التي يملك فيها النّاس جوازات سفر. وعلى هذا الأساس، يمكنكم أن تستنتجوا أن امتلاك جواز سفر يقي من داء السّكر. صحيح؟ خطأ. لكن الأرجح هو أن ممتلكي جوزات السّفر أكثر ثراءً، والأثرياء قادرون على تناول أغذية صحية.

هذه التّعقيدات تجعلني أشعر بالرضا والإحباط معاً. أشعر بالرضا لأنني الآن أدرك لماذا تناقض عناوين الأخبار الغذائية بعضها كل أسبوع (الطعام الفلاني سيقتلك! الطّعام الفلاني ليس سيئاً إلى هذا الحد!). ليس الأمر دائماً إما غباء أو مؤامرة. ففي بعض الأحيان، يعود السّبب إلى أن هذه المسألة معقدة جداً.

لكن التّعقيد محبط أيضاً بسبب عدم وجود - في الوقت الحالي على الأقل - أجوبة بيضاء وسوداء.

المعركة على الطَّبَق

مع ذلك، لا يمكنني الاستسلام. فأنا لا أزال أريد أن أعرف بعض الإرشادات الأساسية المتعلقة بالمأكولات التي يجب عليّ تناولها.

أولاً، دعوني أبدأ بما يتفق عليه الجميع تقريباً، من دون حساب براتمان. الكثير من الدّراسات تنصحنا بأكل المزيد من الأطعمة غير المعالَجة، وبالامتناع عن الأطعمة المعالَجة؛ أي القرنبيط بدلاً من البطاطا المقلية. نحن نستهلك الكثير من السّكر في غذائنا، والكثير من الملح؛ وإن بنسبة أقل من السّكر. وكما ذكرت سابقاً، نحن نأكل الكثير من الطّعام السّيئ.

الجميع تقريباً يتفقون على أن استهلاك أمتنا اليومي للأطعمة المليئة بالسكر والمقالي أمر كارثي. تصف عمتي مارتي هذه الحالة بمصطلح SAD، وهو اختصار لثلاث كلمات، Standard American Diet، وتعني غذاء أميركيًّا نموذجيًّا.

إذاً، هناك الكثير مما نتفق عليه. ولكن، هناك أيضاً حيز كبير للاختلاف. يشبه حقل التّغذية الكونغرس. هناك مجموعتان متحاربتان، وغالبية النّاس يتوزعون عليهما. على أقصى اليسار، يوجد الكثيرون ممن يؤيدون النّظام الغذائي المعتمد عن العناصر النّباتية. وعلى أقصى اليمين، هناك الكثيرون ممن يدافعون عن النّظام الغذائي عالي البروتين ومنخفض الكربوهيدرات.

في الوقت الحالي، يمتلك مؤيدو الغذاء النّباتي الأغلبية. والكتاب الأهم بالنسبة إلى مناصريهم المتشـددين هو الكتاب الذي حقق أفضل المبيعات في العام 2005، دراسة الصّين، للعلاّمة في الكيمياء الحيوية الغذائية في جامعة كورنيل، ت. كولين كومبيل. إنه كتاب محترم يستند إلى دراسة ضخمة دامت 20 عاماً وشملت 880 مليون إنسان في الصّين. والنتيجة؟ تناول المنتجات الحيوانية يسبب عدداً هائلاً من المشاكل الصّحية، منها مرض القلب، وداء السّكر، وسرطان الثّدي، وسرطان الأمعاء، وهشاشة العظام، وغير ذلك من الأمراض. والغذاء الصّحي هو ذاك الـذي لا يحتـوي أي منتجات حيوانية على الإطلاق، فهو الغـذاء الذي لا يحتوي على لحم بقر ولا دجاج ولا بيض ولا سمك ولا حليب. لا يحب كومبيل أن يدعو هذا النّظام الغذائي بأنه نباتي، لأن الاسـم يحمل صبغة سياسية. لكنه نظام

92

غذائي نباتي على أية حال. إذاً، هذا جانب.

أما الجانب الآخر فخير من يمثله آنف الذّكر جاري توبيس، وهو صحفي لامع ألّف الكتب الثّلاثة التّالية، سعرات حرارية جيدة، وسعرات حرارية سيئة، ولماذا نسمن؟ ومن أهم نظرياته تلك التي تفيد أن الغذاء الفقير بالدهون زائف، لأنه يستند إلى علم خاطئ. في الواقع، لقد تبنّت أميركا النّظام الغذائي الفقير بالدهون في السّبعينيات، وهي الحقبة نفسها التي بدأ فيها وباء البدانة.

لكن المذنب الحقيقي ليس الدّهن، بل الكربوهيدرات، وخاصة المكررة منها. يقول توبيس: "يقوم الإنسولين بوضع الدّهن في خلايا دهنية. هذا ما يفعله. ومستويات الإنسولين لدينا تتحدد - في معظمها - بواسطة المواد الكربوهيدراتية في غذائنا؛ أي وفق كمية ونوعية المواد الكربوهيدراتية المستهلَكة". كلما كان السّكر أكثر تركيزاً في المواد الكربوهيدراتية التي نستهلكها، كلما كانت هذه المواد الكربوهيدراتية أشد خطراً.

ينصح توبيس ومعسكره بالحد من استهلاك الكربوهيدرات قدر الإمكان، وخصوصاً المواد الكربوهيدراتية المعالَجة والمواد الكربوهيدراتية التي ترفع المؤشرات الغلايسمية (مثل الموز) والمواد الكربوهيدراتية النّشوية (مثل البطاطا). وبدلاً من ذلك، ينصحون بالمزيد من البروتين والدهون الجيدة. إنهم يأكلون الكثير من لحم البقر قليل الدّهن والبيض والسمك وبعض الخضروات (الأفوكادو والسبانخ، على سبيل المثال). لكنهم يقللون الحبوب.

سأخبركم أين كنت أقف خلال العقد الماضي: كنت ميالاً أكثر نحو جانب دراسة الصّين. لست نباتياً تماماً، لأنني لا أزال آكل البيض والسلمون، لكنني لا آكل لحم البقر أو الغنم. إنني معتاد على تسمية نفسي شبه نباتي. والآن، أفضّل اسماً عصرياً أكثر؛ ألا وهو نباتي مرن.

هناك سببان لهذا الموقف.

أولاً، لأنني متحيز. فعمتي مارتي العزيزة وغير التّقليدية تحشر في عقلي معلومات معادية للحوم منذ أن كنت طفلاً.

لقد أرتني أفلاماً عن أهوال المسالخ. وأخبرتني عن كل مادة مسرطنة مزعومة

اكتُشفت في اللّحوم. إنها تجعل منتجات اللّحوم تبدو غير شهية إلى حدٍّ كبير. وإذا أكلت آيس كريم أمامها، كانت تقول لي: "هل أنت تستمتع بأكل مخاطك؟ لأن هذه هي حقيقة الآيس كريم. إنها مخاط مُجمَّد".

يصعب نسيان شغفها. ما زلت أذكر إحدى وجبات الغداء في منزل جدي. كانت العائلة بأكملها هناك، لكن مارتي رفضت أن تأكل على المائدة نفسها التي كان يُقدَّم فيها اللّحم. نصف العائلة لم يكن لديه مشكلة مع هذا الأمر، لكن النّصف الثّاني كان يريد تناول الدّجاج. والحل؟ اضطررنا إلى وضع مائدتين منفصلتين في غرفة الطّعام؛ مائدة للّحوم، ومائدة خالية من اللّحوم. وبما أن والديّ الدّبلوماسيين لم يكونا يريدان الوقوف إلى جانب جهة من دون الأخرى، فقد قررا الجلوس حول مائدة ثالثة في الوسط؛ أي منطقة غذائية منزوعة السّلاح.

والسبب الثّاني لتفضيلي الغذاء ذا الأساس النّباتي يرجع إلى حقيقة أنني أميل - في المسائل التّقنية - إلى قبول معتقدات معظم العلماء.

هذا القبول نصف الأعمى نتيجة يُؤسف لها، وذلك بسبب زيادة غموض المعرفة العلمية. لو كنت أعيش في القرن التّاسع عشر، لكان باستطاعتي أن أحكم بنفسي على ما إذا كانت دراسة مينديل حول البازلاء منطقية أم لا. ولكن، هل يمكنني أن أحكم إذا كان البروتين المتفاعل - C أفضل متوقع بمرض القلب من مستويات الشّحوم منخفضة الكثافة (LDL)؟ ليس من دون تكريس عدة سنوات من حياتي لهذا السّؤال المفرد. لهذا السّبب، أنا ممن يثقون بظاهرة ارتفاع حرارة الأرض. إذا كان 99 بالمائة من علماء الأكاديمية الوطنية للعلوم يصدقون ذلك، فأنا أشعر أنّه من الحكمة أن أقبل رأيهم.

لكن، لهذا الموقف جوانب سلبية. فالعلم ليس كاملاً، ويعاني من تحيزات وبدع. غير أن الجوانب الإيجابية أكبر بكثير من السّلبية.

في الوقت الرّاهن، غالبية العلماء يؤيدون النّظام الغذائي المكوّن من الكثير من النّباتات والقليل من البروتينات والدهون الحيوانية. حتى إنّ الإرشادات الغذائية الصّادرة عن وزارة الزّراعة الأميركية في العام 2011 تميل إلى جانب الغذاء المرتكز على المنتجات النّباتية. في الماضي، انتقد بعض أخصائيي التّغذية الهرم

الغذائي لـوزارة الزّراعة الأميركية بسـبب تأثـره الشّـديد باللوبي الزّراعـي المناصر للحوم. لكن النّسخة الأخيرة منه تنصح بتخفيض البروتين الحيواني. بوسعكم رؤية ذلك في دليـل *MyPlate* للعام 2011، حيث يشـكل البروتيـن 20 بالمائة من الوجبة المثالية، مع التّشديد على الفاصولياء.

تسوُّق الحدود

لمساعدة نفسـي على اكتشـاف النّظام الغذائي الأكثر صحة، أقرر أنني بحاجة إلى جولة موجَّهة في متجر لبيع الأطعمة. أتصل بماريون نيسـيل، وهي بروفيسـورة في جامعة نيويـورك ومؤلفة كتـاب ماذا نـأكل؟ مفكـرة محترمة في جميع الأشـياء الغذائية. قابلتني في مجمع هول فوودس في وسط مدينة نيويورك.

اخترت هول فوودس ليس لأنه يحوي الكثير مـن المواد الغذائية الصّحية، بل لأنه يحوي أيضاً الكثير من الأغذية غير الصّحية المقنَّعة بشكل أغذية صحية. سكر ودهون في ثياب مضاد للأكسدة. وأنا ضعيف أمام الأغذية الصّحية المزيفة.

لقد شـكَّلت هذه الأغذية جزءاً هاماً من نظامي الغذائي خلال العقد الماضي. إليكم هـذا الاعتراف المحـرج: اعتدت أن أشـرب مشـروب فايتاميـن ووتر. كنت أقول لنفسي: انظر إلى هذا، إنه يحوي خلاصة الشّاي الأخضر! يبدو رائعاً!

أنا أعـرف أن مشـروب فايتاميـن ووتر عبـارة عن مـاء محلّى بالسـكر ومعلَّب بزجاجة جذابة؛ تحوي الزّجاجة 23.5 غراماً من السّكر، تقريباً مثل علبة الكوكاكولا الكلاسـيكية التي تحوي 39 غراماً من السّـكر. لكنني لا أزال أحب أن آكل وأشرب من هذه الأغذية الصّحية المزيفة. إن كلمة صحي مكتوبة على غلافها.

أقابل نيسيل أسفل السّلَّم المتحرّك. إنها برفقة صديقها مال نيشيم، وهو أستاذ تغذية لامع - نشأ في مزرعة - في جامعة كورنيل.

تريد نيسـيل أن توضِّح لـي أنها من مؤيـدي هول فـودز، بالرغم مـن عيوبه. وهي تأسـف لذكر لقبه "راتب كامل" في كتابها، قائلـة: "كان ذلك مبتذلاً". صحيح أنـه قادر علـى التهـام حسـابك المصرفـي بأكملـه، ولكـنْ يجـب ألا نشـوِّه حقيقة أن الأغذيـة الصّحية تكلّـف أكثر مـن الأطعمـة المخثِّرة للدم فـي الشـرايين بعبارة

ضحلة. فالمسألة معقدة. (ينفق الأميركيون أقل بكثير من رواتبهم على الأغذية من الأوروبيين. تُقدَّر النّسبة بحوالى 10 بالمائة للأميركيين و30 بالمائة للأوروبيين. ربما ينبغي علينا تغيير أولوياتنا).

أطلب منها أن تريني أقل الأطعمة صحيةً في هول فوودز، فتقول: "لنذهب لنلقي نظرة على حبوب الفطور. إنها دائماً الأكثر إمتاعاً".

نمشي نحو الممر رقم 8. وهناك نجد علبة بعد علبة من حبوب الفطور التي تحمل صوراً لمنازل ريفية وحقول قمح. تلتقط علبة ثم تزلق نظارتها من رأسها إلى أنفها، وتدقق في بطاقة المكونات الغذائية. لقد أنفقت نيسيل على قراءات بطاقات المكونات الغذائية وقتاً أطول مما أنفقه معظم الأميركيين على قراءة الرّوايات. وهي تعرف كيف تفك أسرارها.

تقرأ بصوت مسموع: "عصير قصب مبخَّر. التّرجمة: سكر". حقاً؟ إنه يبدو طبيعياً.

تتابع القراءة: "دبس. التّرجمة: سكر. إنه يحوي بعض المواد المغذية، ولكن ليس بما يكفي لإحداث فرق. السّكر سكر".

وماذا عن خلاصة نبات الصّبّار؟ هذا سكر صحي، صحيح؟

"لا".

بعض أنواع السّكر أفضل من غيرها، لكنك إذا أكلت الكثير منه فإن كل هذا سيتحول إلى دهون ويمكن أن يؤدي إلى اضطراب أيضي وداء السّكر وأمراض فظيعة أخرى.

على بعد مسافة قصيرة في الممر نفسه نجد ألواح البروتين الصّحية المزيفة. "أوه! انظر، إنها عضوية!". تقول نيسيل بسخرية واضحة. "يوجد بحث يبيِّن أن النّاس عندما يرون كلمة عضوي يعتقدون أن المنتج يحوي سعرات حرارية أقل".

إذاً، إذا كانت حبوب الفطور الغنية بعصير القصب هي الأقل صحية، فما هي الأغذية الأكثر صحيةً؟ تقودني ماريون إلى قسم الخضار والفواكه.

"هنا. أي شيء موجود هنا".

أقول: "عنّاب؟ إنه الطعام الأمثل".

"أجل، إنه صحي. لكنني لا أثق بالمأكولات المثلى".

انتظر لحظة. ما هذا؟

تعتقد نيسيل أننا نملك هوساً غير طبيعي بتصنيف خضارنا وفواكهنا. وحجتها تشبه، نوعاً ما، حجة براتمان. إن منطقنا تبسيطي إلى حدٍّ كبير. على سبيل المثال: الخضار والفواكه مفيدة لكم. الخضار والفواكه تحوي مضادات أكسدة. إذاً، إن مضادات الأكسدة في الخضار والفواكه هي المفيدة.

هذا النّوع من التّفكير يقودنا إلى الاعتقاد بأن الفاكهة التي تحوي مضادات أكسدة أكثر هي الفضلى. وهذا يجعلنا نتجاهل أنواعاً أخرى مثل التّفاح والبرتقال، وهي صحية بصورة مثالية. إن مضادات الأكسدة مجرد مادة من عشرات المواد الكيميائية المفيدة في الأطعمة.

تقول نيسيل إن الولع بالعنّاب يمكن إرجاعه، جزئياً، إلى الجهود التّسويقية الذّكية لزارعي العنّاب البري في ولاية مين. منذ عشر سنوات، كانت صناعة العناب في مين واقعة في ورطة. وقبل ذلك بعدة سنوات، جرّبوا عدة استراتيجيات منها على سبيل المثال تسويق العناب كحلوى. والأغرب من ذلك قيامهم بحملة تروِّج للعناب كنوع من أنواع التّوابل من أجل وضعه على البرغر. لم تنجح كل هذه المحاولات. ولكن، عندما أفادت دراسة أجرتها جامعة تافتس أن العناب البري يحوي مستوى عالياً من مضادات الأكسدة، استند المزارعون على هذه النّتيجة وأصبح العناب الغذاء الصّحي النّموذجي.

أنهينا مغامرتنا في هول وودز وذهبنا لتناول الغداء في مطعم قريب. طلبتُ سَلَطة الخس مع وضع التتبيلة جانباً.

نظرت النّادلة إلى ماريون ومال لتعرف طلبيهما، فسألتها ماريون: "هل كرات الكريما مع الشّوكولاته جيدة؟".

أجابت النّادلة: "ممتازة".

"سآخذ منها".

هه. إنني أجلس هنا ربما مع أكثر الأخصائيين الغذائيين علماً في العالم، وهي ستأكل طبقاً مليئاً بالسكر والدهن.

قالت ماريون عندما لاحظت حاجبيَّ المرفوعين: "عليك الاستمتاع بالطعام. إنه أحد الأشياء العظيمة في الحياة". ثم أضافت بسرعة قائلةً إنها تأكل الكثير من الفواكه والخضار أيضاً.

لست طبيباً، لكنني أستطيع أن أقول بصورة قاطعة إن ماريون نيسيل لا تعاني من حالة هوس بالأكل الصّحي *orthorexia*.

الفحص: الشّهر السّادس

الوزن: 72 كغ.

عدد المهام المؤداة جرياً في اليوم: 3.

محيط الخصر: 86.36 سم (من 88.9 سم).

الثقل المرفوع من وضعية القرفصاء: 40 كغ (تحسُّن!).

ساعات النّوم في اللّيلة: 6.4.

عدد عبوات بيوريل المستخدَمة هذا الشّهر: 14.

الحالة العامة: أشعر أنني في حالة جيدة، بالرغم من إحساسي بالقلق بشأن الوقت الذي أنفقه على معدات اللّياقة بدلاً من إنفاقه على كتابي. لقد أصبحت خزاناتي مليئة بمجموعة غريبة من الأثقال والثياب والأدوات.

إنني أمتلك الآن بفخر واعتزاز حصيرة يوغا. وأمتلك أيضاً بذلة ضغط (*compression suit*) من موقع UnderArmour. يُفترَض بهذه البذلة الفضية الضّيقة أن تساعد العضلات على استعادة وضعها الطّبيعي بسرعة بعد التّمرين من خلال توجيه تدفق الدّم. ارتديتها ذات يوم وذهبت إلى النّادي، وهناك تلقيت سيلاً من الرّدود غير المشجعة من طاقم النّادي. "هيي سوبرمان!"، "نانو، نانو!"... إلخ. ولكن، هناك شيء مريح يشبه الوجود في الرّحم بخصوص التصاقها بالجسد.

لدي واقية أسنان يُفترَض أنها مشابهة لتلك التي يضعها ديريك جيتير. إنها مصممة كي تفتح طريق تنفسك وتهدِّئك من خلال منع اصطكاك أسناني. وهي تساعد بالفعل، بالرغم من أنني أستطيع الوصول إلى النّتيجة نفسها مجاناً عبر إبراز

فكّي نصف إنش إلى الأمام في أثناء الرّكض.

ولكن، من بين جميع الأدوات المبعثرة في خزانتي، تَبيَّن لي أن الأنجع فيها هي الأشد بساطة: أعني مقياس المشي (20 دولاراً). في الحقيقة، لدي اثنان، لأن جولي قررت الانضمام إليّ في تجربة المقياس.

تُظهر الدّراسات أنكم كلما أوليتم اهتماماً أكبر لإحصاءات جسدكم، زادت فرصكم في اتّباع نمط حياة صحي. تشكل هذه الفكرة أساس حركة قياس النّفْس، التي يقيس أتباعها كل شيء؛ بدءاً من السّعرات الحرارية إلى مستويات السّيلينيوم.

بل إن مجرد قيامكم بقياس أنفسكم كل يوم سيجعلكم على الأرجح تفقدون بعض الوزن، بحسب دراسة لجامعة مينيسوتا. ووفقاً لدراسة أخرى، إن احتفاظكم بمجلة مختصة بالتغذية يجعلكم تأكلون أطعمة دهنية أقل. وعدادات المشي تجعلكم تمشون أكثر.

نضع أنا وجولي عدّادي المشي الفضيين اللّذين يشبهان الفقاعتين على سروالينا وهدفنا تحقيق 10,000 خطوة في اليوم؛ وهو العدد الذي تنصح به جمعية القلب الأميركية.

لا يحثنا مقياس المشي على التّحرك وحسب، بل إنه يغيِّر طريقة تفكيرنا في ما يتعلق بالحركة. فما كان ذات يوم يُعتبَر مهمة روتينية مملة، أصبح الآن لعبة ممتعة. منذ عدة أيام، أمضيت نصف ساعة في البحث عن فيل لوكاس المحشو المفقود. في الحالة العادية، كنت سأمضي هذا الوقت بالانزعاج والتذمّر. لكنني، بدلاً من ذلك، ركّزت على حقيقة أنني نفذت 500 خطوة. أعطني المزيد من الحيوانات المحشوة المفقودة! هل لديك مفاتيح ضائعة تريدني أن أبحث عنها؟ ليس لدي مانع.

صحيح أن طاولة مكتبي المتصلة مع جهاز المشي تجعلني أتخطى علامة الـ 10,000 خطوة في معظم الأيام. لكن جولي لا تخسر من دون منافسة. فهي تمشي في المكان في أثناء إعداد القهوة أو التّحدث على الهاتف.

كنا نمشي منذ بضعة أيام فلاحظتُ أنها تمشي بخطوات قصيرة وسريعة مثل خطوات راقصة باليه. فقالت لي مفسرةً: "إنني أقصر منك، ويجب أن ألعب وفق

قواي".

إنها تستمتع بالمنافسة، ونحن ننسجم معاً بشكل ممتاز. لذا، أتصوَّر أن من المفيد تكريس الشّهر التّالي للقيام بنشاط مشترك.

الفصل السّابع

الأعضاء التّناسلية

السعي لممارسة الجنس أكثر

هل ممارسة الجنس صحية بالنسبة إليكم؟ أم إنها ستقتلكم؟ إنه جدل موجود ربما منذ بدء الجنس نفسه.

كما هو متوقع، جاء التّأكيد على جانب "الجنس خطِر" من قبل خبراء الحقبة الفيكتورية. بالطبع، لـم يعـش كل الفيكتوريين وفقـاً لهـذا النّمـوذج الكبتي، لكن بعضهم فعـل ذلك بحماسة. ومنهم، على سبيل المثال، سيلفسـتر غراهـام، معلم الصّحة المهـووس بالعفة من القرن التّاسع عشـر، وهو من الشّخصيات المفضلة لدي في الموسـوعة. كان غراهام يستهجن الرّغبة الجنسـية والجنس بصفة عامة. وكان الاستمناء أمراً مقيتاً بالنسبة إليه، حيث يؤكد غراهام أن ملامسة الذّات تؤدي حتماً إلى الجنون والضعف والموت.

وما هو العلاج؟ بكل منطقية، الأطعمة التـي لا طعم لها. كان يثق بأن المفتاح لتخفيض الرّغبة الجنسـية الشّريرة يتمثل في تناول أطعمـة عديمـة الطّعم ومن دون توابل. لهذا السّبب، توصّل غراهام إلى ابتكار واحد من أوائل المأكولات الصّحية: غراهـام كراكـر (Graham Cracker)، وهي وجبة خفيفـة كانت تُصنَع في الأصل من بذور القمح وقشر القمح وبعض العسـل من أجل إخماد الرّغبات الجنسية عند الفتيان المراهقين المليئين بالهرمونات. (لا يمكنني التّحدث عن النّسخة الأصلية، لكن مفعول النّسـخة العصرية منزوعة القشور ليس جيداً في هذا الخصوص، كما

101

Good & Plenty
LICORICE CANDY
ARTIFICIALLY FLAVORED
NET WT 6 OZ (170 g)

يبدو. على الأقل، بالاستناد إلى الدّليل الشّخصي التّالي: لقد أكلت الكثير منه في المرحلة الثّانوية).

كان غراهام متطرفاً جداً، لكنه كان يمثل نمطاً سائداً من التّفكير الكاره للجنس. أعطاني صديق كتاباً يعود إلى العام 1901 بعنوان ما ينبغي أن يعرفه رجل في الخامسة والأربعين. كان الكتاب هدية ساخرة (إنني أقترب من الخامسة والأربعين، لكنني لم أبلغ هذه السّن بعد)، لكن قراءته كانت ممتعة بحق. يحذّر الكتاب بجدية من أن متوسطي العمر من الرّجال سوف "يجدون أن فعل الجنس تتلوه عموماً فترة من التّعب والإنهاك أشد وضوحاً وأطول مدةً من أي تجربة مشابهة أخرى اختبروها سابقاً. ويعني ذلك أن الطّبيعة تطلق صفارات إنذارها، وتنبه الفرد إلى أهمية إيلاء العناية القصوى لاستخدام أي إفراز؛ الأمر الذي يمكن توفيره الآن، والذي يتصف بأهمية بالغة في ما يتعلق بتنشيط كل زاوية من زوايا الاقتصاد الجسدي". أنا متأكد تماماً بأن هذا يعني الامتناع عن ممارسة الجنس.

على الجانب الآخر، يعج التّاريخ بخبراء أكّدوا على أن الجنس هام للحفاظ على صحة قوية. كان الطّاويون في القرن الحادي عشر يعتقدون أن الجنس يؤدي إلى حشد الطّاقة.

يقول خبراء آخرون إن عدم الوصول إلى النّشوة أمر خطير، وخاصة بالنسبة إلى النّساء. ظل الأطباء منذ زمن الإغريقيين القدامى إلى خمسينيات القرن العشرين يعتقدون أن السّوائل الضّارة المتراكمة داخل النّساء غير المتزوجات تسبب هيستيريا. والحل تدليك قوي بين السّاقين. في الواقع، كما تبيِّن ماري روتش في كتابها الرّائع مارس الجنس: الجمع المثير للفضول بين العلم والجنس، لم يكن أول أنواع وسائل التّدليك الهزّازة يُباع للنساء بل للأطباء لمساعدتهم على إراحتهم من عملهم اليدوي الشّاق.

أما العلم الحديث فيعتقد أن الجنس كي يكون صحياً يجب أن يكون صحيحاً. أي أن يتم برضى الطّرفين، وألا يكون أكروباتياً بحيث يؤدي إلى كسور في بعض أجزاء الجسم (تحدث تمزقات في القضيب لحوالى ألف رجل حيوي

في العام في الولايات المتحدة). وإذا كانت لياقتك البدنية سيئة، فإن خطر إصابتك بنوبة قلبية في السّاعات التي تلي الممارسة الجنسية أعلى بقليل.

لكـن، بصـورة عامـة، لهـزات الجمـاع المتكـررة فوائـد صحيـة كثيـرة، منهـا - بحسـب باحثيـن فـي جامعـة روتجيـرز - انخفـاض التّوتـر النّفسـي، وانخفاض معـدلات مرض القلـب، وسـرطان الثّدي، والانتبـاذ البطانـي الرّحمي (*endometriosis*). لقد اكتشفت دراسة نُشـرت في مجلة الجمعية الطّبية الأميركية أن نسـبة الإصابة بسـرطان البروسـتات كانت أقل عند الرّجال الذين كانوا يقذفون 21 مرة أو أكثر في الشّهر.

خلصـت دراسـة بريطانيـة إلـى أن بلـوغ النّشـوة مرتيـن أو ثـلاث مـرات في الأسبوع يخفض خطر الموت بمرض القلب بمقدار النّصف. وتدَّعي دراسة أخرى أن القساوسة البروتستانتيين يعيشـون عمراً أطول من القساوسة الكاثوليك. بالطبع، إن الدّراسات المتعلقة بعلم الأوبئة كهذه الدّراسة يُفضَّل دائماً أن تُؤخَذ مع ذرَّة من ملح الهيمالايا الكريستالي.

لا شـك أن الجنس يسـاعد في نجاح أي علاقة. فعندما تبلغون النّشـوة، يفرز دماغكـم مادة أوكسيتوسـين التـي تزيد مشـاعر المودة. فـي الواقـع، إن الحيوانات المنوية نفسها تحوي أوكسيتوسين، الأمر الذي يساعد على تعزيز الشّعور الحميمي الذي ينجم عن العلاقة الجنسية.

آه، ولا تنسـوا علاج الفواق. في كتابها مارس الجنس، تستشهد روتش بتقرير نشـرته مجلة طبيـب العائلـة الكنديـة بعنوان "الممارسـة الجنسـية كعـلاج محتمل للحازوقة العنيـدة (الفواق)". يتحدث التّقرير عن رجل اختفـت نوبة الحازوقة التي لازمته لمدة أربعة أيام متتالية بعد ممارسته الجنس مع زوجته.

إذا لم يكن ذلـك كافياً، فإن الجنس ببسـاطة تمرين جيد. هناك عدة - ليسـت كثيرة - دراسـات حول الفوائد الرّياضية للسـلوك في مخـدع الزّوجية. وفي واحدة منها، اختبر عشـرة أزواج أوضاع جنسـية مختلفة من أجل قياس معدلات تنفسهم. مع ذلك، كانت النّتيجة: أجل، إن الجنس يمثـل تمريناً معتدلاً، ووضعية الرّجل من الأعلى تحرق سعرات حرارية أكثر بالنسـبة إلى الرّجال (لم يتم قياس الجهد الذي

تبذله النّساء؛ بشكل غير منصف إلى حدٍّ بعيد).

هذا يقودني إلى السّؤال العملي: بالنسبة إلى الصّحة المثلى، كم مرة ينبغي علي ممارسة التّمرين المذكور أعلاه؟ سألت الدّكتورة ديبرا هيربينيك من مؤسسة كينزي فقالت إنه يصعب تحديد ذلك. ليس هناك إجماع علمي.

لا تريد جولي أن أقول كم مرة بالضبط نمارس الجنس. وهذا أمر مناسب في الواقع. لكنها لن تمانع أن أذكر أن العدد يقع في مكان ما تحت المعدل الأميركي، وهو بحسب استطلاع أُجري في عام 2001، 153 مرة في العام. لكنه أعلى من المعدل الياباني الذي يبلغ 37 مرة في العام. (مع ذلك، فاليابان تملك نسبة عالية من الأشخاص الذين تخطوا المائة عام، أي إن اللّيبيدو ليس بالضرورة حُكْماً بالموت).

في وقت مبكر من هذا المشروع، وضعت برنامجاً لكل ليلة من أجل الكتاب. بصراحة، كلانا لم نكن نريد ذلك. ولهذا لم تحقق الخطة هدفها. ولكن، من أجل الصّحة، يجب على الأقل أن نحاول الاقتراب من المعدل الأميركي المزعوم.

وعلى هذا الأساس، بدأت في ليلة الخميس مشروع اللّيبيدو.

بحثت عن أشياء مثيرة للرغبة في محاولة لتجنيد بعض المساعدة الكيميائية. ولهذا أعددت وجبة رومانسية لليلتنا الخاصة:

- جوز برازيلي.
- كرفس وزبدة الفستق.
- جينسينغ أحمر.
- هليون.
- جوز عادي.

كل هذه الأطعمة يُزعَم أنها تعزز الرّغبة الجنسية. بعضها يحوي فلافونويدات حيوية من أجل فتح الأوعية الدّموية، وبعضها يزيد التّيستوستيرون، في حين تقلّد أخرى مادة الفيرومون.

أضعها جميعاً على صينية وأجلبها إلى جولي التي تشاهد مسلسل رجال

مجانين. تأخذ جولي قطعة من كل واحدة، باستثناء زبدة الفستق لأنها تكرهها. وتستمر بمشاهدة المسلسل. تنقضي عشر دقائق ولم تخلع جولي صدريتها وتقفز فوقي.

بعد المسلسل، نذهب إلى غرفة النّوم. أتناول بخّاخاً وأرش الغرفة بمزيج خاص.

تسألني جولي: "ماذا يوجد فيها؟".

"هذه الرّائحة تسبب زيادة في تدفق الدّم في الأعضاء التّناسلية الأنثوية إلى أقصى حد ممكن، بحسب إحدى الدّراسات".

تشم جولي الهواء: "لا أستطيع تحديدها".

"سكاكر جوود آند بلينتي وخيار".

كنت قد نقعت في وقت سابق خمس قطع من هذه السّكاكر مع ثلاث شرائح خيار في كأس ماء ثم صببت المزيج في البخّاخ.

"هل اختبر شخص ما هذا فعلاً؟ جوود آند بلينتي وخيار؟ أهذا هو المزيج الذي خرجوا به؟".

"هذا ما يقوله العلم".

"وماذا عن مايك آند آيك مع اللّفت؟".

"إنه تحت الاختبار".

جولي غير منزعجة، لكنها غير مصدقة فقط. لسوء الحظ، قد تكون جولي محقة في كونها متشككة. لأنني عندما سألت لاحقاً الباحثة في مجال الرّوائح في جامعة كولومبيا، ليزلي فوسهول، حول الأمر، قالت: "آه، دراسة جوود آند بلينتي الشّهيرة. حسناً، إنها لم تُكرَّر. ليست من بين القضايا الضّاغطة في البحوث الكيميائية الحيوية".

إليكم الخبر المحزن: تقريباً، جميع المواد المهيِّجة للرغبة الجنسية غير موثوقة من النّاحية العلمية. هناك أثر من دليل على أن تناول الجينسينغ الأحمر يومياً يمكن أن يعزز اللّيبيدو قليلاً. ولكن بصورة عامة، لم يتمكن العلم من فك الشّيفرة حتى الآن. لعلهم سينجحون لاحقاً. ولكن، ليس الآن. في وقت سابق من

هذا الأسبوع، بعثت رسالة إلكترونية إلى الدّكتورة هيلين فيشر طالباً منها نصيحة بخصوص المواد المهيِّجة. وفيشر بروفيسورة في جامعة روتجيرز، ومؤلفة كتاب لماذا نحب: طبيعة وكيمياء الحب الرّومانسي، وخبيرة في هذا المجال. ردَّت علي برسالة إلكترونية قالت فيها:

توجد مادتان مهيجتان حقيقيتان: التّيستوستيرون وربما الدّوبامين.

ليس هناك أي دليل على أن طعاماً معيناً أو رائحة معينة تحفّز الرّغبة الجنسية. لكن التّيستوستيرون يفعل ذلك. هذا هو هرمون الرّغبة الجنسية. وفي هذه الأيام، إنه متوافر على شكل حقنة أو لصاقة أو مرهم.

غير أن الأطباء يصفون غالباً محفِّزاً مساعداً بدلاً منه، وهو الدّوبامين.

يبدو أن الدّوبامين [مادة كيميائية عصبية مرتبطة بالمتعة] يحفِّز الرّغبة الجنسية بالفعل، ولكن ليس بشكل مباشر. ربما يفعل ذلك من خلال إثارة نشاط التّيستوستيرون، لأن هذين النّظامين الكيميائيين يميلان لتحفيز بعضهما.

إذاً، في حال كنتما تفكران حقاً في مهيِّج طبيعي، فما عليكما إلا القيام بشيء مثير معاً: الأشياء الجديدة، الخطر، والبهجة، كلها ترفع الدّوبامين في الدّماغ.

لذا، اتركا الطّعام جانباً واذهبا في عطلة معاً إلى مكان جديد. ستفعل التّجارب الجديدة ما لن يفعله أبداً المحار وزبدة الفستق.

ليست الإجازة ممكنة الآن، ليس بوجود الأولاد الذين يثبتوننا في الشّقة. فما هي فكرتي المبدعة الجديدة؟ تحب جولي لعبة القاطرة الأفعوانية السّريعة. القاطرة الأفعوانية السّريعة مثيرة. وفي هاتف آي - فون برنامج لعبة يحاكي تماماً القاطرة الأفعوانية الحقيقية.

عندما أريها البرنامج، ترمقني جولي بنظرة تقول، وأنا أفسر ما تقوله هنا: "أقدِّر الفكرة، لكنها لن تنفع. لذا يمكنك إبعادها". فأبعدتها.

ثم أقول لها: "إذاً، حسناً. دعينا نحرق بعض السّعرات الحرارية".

أعرف أنها ليست السّوناته الثّامنة عشرة تماماً، لكنني أردت أن أذكِّر جولي أن الجنس يمكن أن يكون تمريناً شرعياً. ولدي البيانات التي تدعم ذلك. منذ أسبوعين، اشتريت أداة تُدعى Fitbit، وهي جهاز حسّاس أسود بحجم قطعة بطاطا

مقلية تضعه على حزامك. إنه موصول مع الإنترنت ويمكنه تتبع السّعرات الحرارية التي تنفقها.

للمساعدة في الحسابات، يملك موقع Fitbit على الإنترنت لائحة بالأنشطة إلى جانب السّعرات الحرارية المحروقة في السّاعة؛ لائحة طويلة. لا نتحدث هنا عن المشي، والجري والقفز فوق الحبل فحسب، فقد دوَّنوا أي نشاط يمكنك التّفكير فيه.

التنظيف بالمكنسة الكهربائية؟ 246 سعرة حرارية في السّاعة.

لعبة shuffleboard؟ 211 سعرة حرارية.

طهو خبز هندي على فرن خارجي؟ 211 سعرة حرارية في السّاعة أيضاً.

أُري جولي البيانات المطبوعة من الكمبيوتر في أثناء جلوسنا على السّرير، فتقرأها بصوت مسموع:

نشاط جنسي - سلبي، جهد بسيط، قُبَل، عناق - 70 سعرة حرارية.

نشاط جنسي - عام، جهد متوسط - 91 سعرة حرارية.

نشاط جنسي - نشيط، جهد قوي - 105 سعرات حرارية في السّاعة.

تقول جولي: "الجهد المتوسط يبدو جيداً".

أوافق. لم نعد من النّوع القادر على الجهد القوي في هذه السّن.

إضافة إلى ذلك - توضِّح جولي - إذا أردنا القيام بتمرين بعد الجنس، يمكننا دائماً تنظيف وتمشيط حصان ما (422 سعرة حرارية في السّاعة).

لن أتطرَّق إلى تفاصيل جلستنا التّمرينية، لكنني سأكتفي بالقول إننا بعيدان كثيراً عن علامة السّاعة. وعلى هذا الأساس، وبالاعتماد على مقدار تصديقك لإحصائيات fitbit - وهي ضعيفة جداً برأيي - فنحن لم نتخطَ 91 سعرة حرارية.

ما يُحزن أكثر من هذا هو تراجعنا أنا وجولي في الشّهر التّالي إلى ما دون مستوانا القديم، أي تحت المتوسط؛ بالرغم من الخطط الكبيرة والدوبامين ورائحة جوود آند بلينتي. ليس لدينا ما يحفِّزنا، هذا كل ما في الأمر. أتعهَّد باستشارة أخصائي. قبل انتهاء المشروع، أخطط لزيارة طبيب أمراض بولية.

الفحص: الشّهر السّابع

الوزن: 71 كغ.

ضغط الدّم: 70/110.

عدد علب الشّوفان المجروش المستهلَكة في هذه السّنة: 11.

متوسط السّاعات في اليوم بالنسبة إلى وضع سمّاعتيْ الأذنين الحاجبتين للصوت: 10.

الوزن المرفوع من وضعية القرفصاء (15 تكراراً): 75 كغ.

في إعادة صياغةٍ لما يقوله جيمس براون، إنني أشعر بأنني في حالة جيدة إلى حدٍّ ما. أنظر يومياً إلى صورتي الهرمة رقمياً، وأحاول تقدير أ. ج. العجوز. أكلي أفضل بقليل. لا تزال الرّغبة بالسكر والملح تجتاحني، لكنها تضعف تدريجياً.

في النّادي الرّياضي، يحاول توني تدريبي بقوة بحيث يجعل نظارتي تغشى بالضباب. "هذا تمرين يُغشي النّظارة"، يقول بفخر بعد مجموعة من 50 تكراراً لتمرين رفع الأثقال من وضعية القرفصاء.

أحاول السّيطرة على توتري، محققاً نجاحاً متوسطاً في هذا المجال. ولهذا السّبب، أدلّك نفسي يومياً. إنني لا أتكلم مجازاً هنا، إذ تُظهر الدّراسات أن تدليك كتفيك يُنقص مستويات هورمون التّوتر كورتيزول. ولهذا السّبب، إنني أفرك نفسي عندما أكون في الحافلة أو أقرأ الجريدة.

لكن عائلتي بدأت تضيق ذرعاً من مشروعي هذا. أولادي منزعجون لأنني لا آكل الكيك بالآيس كريم معهم في المناسبات، مفضِّلاً عليه كيساً من الجزر. وهم يسألونني دائماً لماذا التمتّع بصحة مثالية مهم جداً بالنسبة إليّ؟

قلت لهم ذات يوم بينما كنت أغرف ملعقتين من علبة الشّوفان المجروش: "كي لا أمرض. كي أتمكن من البقاء معكم لوقت طويل؛ طويل جداً".

فقال لوكاس: "كي لا تموت؟".

"صحيح، كي لا أموت".

كنت أتجنب كلمة الموت، لكن أولادي اتجهوا إليها مباشرة.

أولادي يدركون الموت جيداً، حيث يُنهي التـوأم كل قصة يخترعانها بالعبارة نفسها: "وبعد ذلك، مات الجميع. النّهاية".

وهي تنفع في أي موضوع: "وذهب الأخطبوط إلى السّـيرك. شـاهد الأُسـود والنمـور وأكل بعض غـزل البنـات. وبعـد ذلك مـات الجميـع. النّهايـة". أو قصة أخرى: "تسـلّق جورج الفضولي الشّـجرة كي يجلـب طائرته الورقيـة. جلبها وبعد ذلك مات الجميع. النّهاية".

لا أعتقد أنهم سـوداويون، لكنهم ببسـاطة يبحثـون عن طريقة منهجية لنسـج حبكة معقدة. وهـي طريقة فعالة. وفي الوقت نفسـه، إنهم يبـدأون بالاهتمام بفكرة الموت.

منذ بضعـة أيـام، أخبرني لـوكاس: "عندمـا أكبر، أريـد أن أكون شـخصية في كتاب كي لا أموت أبداً". هذا الـكلام فطر قلبي وجعلنـي أود أن أقول له إنه يجب عليه أن يتجنب قصصه بالذات.

في الفترة نفسـها تقريباً، توسّـل لي زين كي أضعه على كتفي حتى يتمكّن من لمس السّـقف في جميع غرف شـقتنا. قلت لـه إنني لا أسـتطيع فعل ذلـك حينئذ، لكنني سـأفعل في المسـاء عندما أعود إلى المنزل، فقال: "ولكن، مـاذا لو متَّ قبل أن تعود إلى المنزل؟". فوضعته على كتفي. إنه مفاوض ذكي، وأنا رجل غبي.

الفصل الثّامن

النظام العصبي

السعي لألم أقل

آذيت كتفي منذ عـدة أيام بينما كنـت أجرُّ لوحـاً جصياً من أجـل إخراجه من الشّـقة. هذا مـا أقوله للنـاس، على الأقـل، لأنني لا أريد الاسـتماع لسـخريتهم إذا أخبرتهـم الحقيقة، وهـي أننـي آذيت كتفـي بينما كنـت أجـذّف قاربي... فـي لعبة الفيديو Wii.

أجل، ابتسـمْ بسـخرية إذا أردت. هيا اسـخرْ من قدراتـي الرّياضيـة الضّعيفة. حتى إنها لم تكـن لعبة رجولية مثل كـرة القـدم أو الرّكبي، بل كانـت لعبة تجذيف استجمامية.

لكن، اسـمعْ، كنت أجذّف بقـوة، محـاولاً تحويـل اللّعبة إلى تمريـن حقيقي حارق للسـعرات الحرارية. وبينما كنت أدور حول الكرات العائمـة الصّفراء، و... صحيح، جهاز التّحكـم اللّعين ليس فيـه أي مقاومـة. وهكذا تأذّت كتفـي. ودعني أضيف شيئاً، لسـت ضحيـة Wii الوحيـد. إن بحثـاً بسـيطاً على غوغل سيكشـف عشرات المقالات حول هذه المشـكلة، منها واحدة كتبها جرّاح عظام نصح بإجراء إحماء قبل ممارسة لعبة Wii.

جعلتنـي إصابـة كتفي أكـرِّس هـذا الشّـهر للبحث حـول – وتخليص نفسـي من – الألـم. الدّرس الأول: أشـكر الله لأننـي أعيش في عصر المسـكّنات. معظم الأميركيين معتادون على عيش حياة خالية نسـبياً من الألم معظم الوقت. لكن هذه

الحالة لا تنطبق على معظم مراحل التّاريخ الإنساني، إذ لطالما كان الألم رفيقنا الفظيع الدّائم.

ما عليك إلا أن تفكِّر في تصوُّر عملية جراحية من دون تخدير. إذا قرأت الكتاب المشوِّق تاريخ الألم بقلم ميلاني ثيرنستروم، فستعرف أن الأطباء كانوا يرفضون إخبار مرضاهم بموعد إجراء العملية. كانوا يأتون إلى منزل المريض في يوم غير محدد لإجراء عملية مفاجئة، حيث كانوا يخشون أن يقدم المريض على الانتحار قبل العملية. نعم، كان الأمر بهذا السّوء.

تقتبس ثيرنستروم عن فاني بورني، وهي روائية بريطانية خضعت لعملية استئصال ثدي في العام 1810 (بالصدفة، كان من أجرى لها العملية جرّاح نابوليون). قدّمت لنا بورني وصفاً باقياً نابضاً بالحياة للعمليات الجراحية التي تُجرى من دون مخدر. قد تكون بحاجة لمخدر كي تقرأه:

كان "رعباً يفوق أي وصف... عندما غُرزت الأداة الفولاذية الفظيعة داخل الثّدي قاطعةً الأوردة والشرايين واللحم والأعصاب... أطلقت صرخة دامت من دون انقطاع طوال المدة التي استغرقتها عملية الشّق، وأتعجب لم لا تزال ترنُّ في أذنيَّ حتى الآن!؟... عندما انتهى القص وسُحبت الأداة، لم يبد لي أن الألم قد خفَّ، لأن الهواء الذي اندفع فجأة داخل تلك الأجزاء الحساسة بدا مثل خناجر دقيقة ولكن حادة... وعندما شعرت بالأداة مجدداً تتخذ مساراً منحنياً في حين كان اللّحم يقاوم بشدة لدرجة أنهكت اليد التي كانت تقطع، عندئذ اعتقدت، حقاً، أنني مت حتماً".

في هذه الأيام، تَراجَعَ الألم من حياتنا قليلاً. ولكن لا يزال الطّريق أمامنا طويلاً. فالألم المزمن - أي الألم الذي يدوم عدة أشهر - يصيب 70 مليون أميركي ويكلِّف الاقتصاد 100 مليار دولار، وفقاً لدراسة أجرتها المعاهد الوطنية لبحوث الألم الصّحي. لم نجد حتى الآن علاجاً مناسباً للألم المزمن. الأقراص تنفع، لكنها تسبب الإدمان.

عندما أقرأ موضوعاً عن الألم، أتذكَّر أنني أريد إعادة جسدي واسترجاع مالي. ينبغي على الجميع فعل ذلك. أعيدوا هذا الكيس المليء باللحم والعظام

والعضلات إلى المصنع!

لا أعني أن الجسد ليس مذهلاً في جوانب كثيرة. فهو كذلك بالفعل. تصيبني الدّهشة لأيام من تصميم الأذن وحدها، وكيف تحوِّل هبّات الهواء إلى كونشيرتو لهايدن.

لكن، في الوقت نفسه، الجسد يحوي الكثير من الفيروسات المخبّأة في أمكنة عميقة. نحن نتيجة لعملية تطور خاصة وبرنامج قديم. والألم واحد من أنظمتنا الأكثر بدائيةً ووحشية.

لم يتمكن التّطور من إيجاد طريقة أفضل لتنبيهنا إلى أننا صدمنا إصبع قدمنا بدلاً من هذا الشّعور الذي يجعلنا نلعن اليوم الذي التقى فيه والدنا أمنا في كافيتيريا الكلية. لماذا لا تُنبِّهنا الإصبع بشكل لطيف؟ أو يصبح لونها أخضر؟ سأنتبه في المرة المقبلة. أقسم بالله.

الألم مزعج وغير ضروري، إنه يشبه طفلاً في السّادسة من عمره ينبِّهك كل 15 دقيقة بأنه يريد هدية من أجل ذكرى مولده. أجل، فهمت. وصلت الرّسالة.

هذا من دون ذكر أن الألم غير موثوق. تصف ثيرنستروم هذه المشكلة بطريقة مجازية رائعة. لنعتبر أن الألم حارس في برج للمراقبة، إنه يقرع الجرس عندما يرى الأعداء. لكن المشكلة أن الحارس "ثمل وكسول ومتشكك". ففي بعض الأحيان، إنه يقرع الجرس من دون أي سبب. وفي أحيان أخرى، يستمر في قرع الجرس لوقت طويل بعد قتل الأعداء.

قد يظهر الألم من دون سبب ويستمر لسنوات، حتى إنه يظهر في مكان عضو سبق بتره. إليكم هنا إحدى مواصفات الألم الأشد سادية: إذا كنت تعاني من ألم مزمن، فإنه في أغلب الأحيان لا يتراجع بعد شفاء الجسد، بل يزداد. ألم يولد ألماً.

راحة قوية

ازداد ألم كتفي سوءاً بحيث جعلني أحاول تجربة أي شيء من أجل علاجه. علَّمتني طبيبتي بعض التّمارين الخاصة بالعلاج الفيزيائي، وأنا أقوم بها في المنزل باستخدام عصا خفيفة. لم أشعر بأي تحسُّن حتى الآن. تدلّكني جولي كل ليلة

خلال قراءة رواياتها التّاريخية، وهذا يساعدني قليلاً.

جرَّبت طريقة بوذية بديلة أركّز فيها على الألم بدلاً من الهرب منه. أقول لنفسي: "الآن هذا\إحساس ممتع. النّبض. الاحتراق". لكن هذه الطّريقة تنجح مع الألم قصير الأمد - إصبع حُشرت في دُرْج، على سبيل المثال - أكثر مما تنجح مع الآلام طويلة الأمد.

لهذا السّبب، إنني أجرِّب اليوم استراتيجية جديدة: العلاج بالإبر. أجد مكاناً للعلاج بالإبر على بعد كتلة مباني واحدة من منزلي؛ في نيويورك يمكنك إيجاد أخصائي في العلاج بالإبر على بعد خمس دقائق فقط من منزلك.

أنا الآن في غرفة الانتظار في قبو المبنى. يُفتَح باب غرفة الانتظار فتصل إلى أنفي نفحات من رائحة لا أستطيع تحديدها بدقة - ياسمين؟ بخور؟ عصارة لفت مُراقة؟- لكنني أشمها دائماً في الممارسات العلاجية الطّبية غير الغربية.

أملأ الاستمارات المطلوبة وأستعرض أوراق المعلومات قبل أن تستدعيني المعالِجة إلى مكتبها. تقدِّم لي نفسها باسم غالينا، وهي امرأة روسية في العقد السادس ذات شعر مقصوص بشكل مستقيم فوق عينيها، ولكنة قوية، وترتدي عباءة بيضاء مغطاء بكلمات مثل اهدأ\استرخِ... بالإنكليزية والصينية.

تسألني: "ما الذي أتى بك إلى هنا؟".

أشرح لها الألم الذي أعانيه في كتفي فتهز رأسها وتدوِّن ملاحظة ما. ثم تسألني أسئلة أخرى لمدة عشر دقائق كاملة، مدوِّنةً المزيد من الملاحظات.

"هل تتعرَّق؟".

"أجل".

"في أي أماكن؟".

"تحت الإبطين والوجه".

أَنظرُ في أرجاء المكتب. إنه معتم، أكثر شبهاً بمقاهي فيينا من مكاتب الأطباء الغربيين المبهرة للعين من شدة الإضاءة. صور لمعجبين آسيويين ولوحات تشريحية تغطي الجدران.

بعد طرح المزيد من الأسئلة حول عادات نومي واستحمامي وأكلي، تنهض

غالينا عن كرسيها.

"هل أنت جاهر؟".

"جاهز. باستثناء الرّأس. لا أريده على الرّأس".

"حسناً، سأعمل على الرّأس".

من الواضح أن فلسفة الزّبون على حق دائماً لم تُعلَّم في بلد غالينا الأصلي، روسيا.

لديّ اضطراب عصبي بسيط وقديم يتعلق بأي شيء يلمس رأسي. إنني أخاف بشكل غير عقلاني من تضرر الدّماغ. عندما كنت طفلاً، كان الأمر أسوأ: كان الرّأس منطقة محظورة. يُمنَع التّربيت على الرّأس. كرة القدم ممنوعة، بممارستها المجنونة المتعلقة بضرب الكرة بالرأس. وإذا اقتربت مني جدتي كي تقبِّلني على جبهتي، كنت أميل جانباً مثل الملاكم شوغار راي ليونارد. وفي الوقت الحالي، أسمح لجولي باللعب بشعري، لكنني لا أزل حذراً.

تقول غالينا مُطَمْئِنةً: "يملك الرّأس في الحقيقة أقل عدد من النّهايات العصبية. ولهذا فإنه الأقل إيلاماً".

أرسم ابتسامة ضعيفة.

"واحد من كل مائة شخص يُغمَى عليه. وربما أقل من ذلك. في العادة، إنهم الكبار في السّن". تضحك ثم تقودني إلى كرسي آخر في مركز الغرفة.

"أي المناطق أكثر حساسيةً، 1، 2، 3، أو 4؟". تضغط بأصابعها بقوة على مناطق مختلفة قريبة من بقعة الصّلع عندي.

"ثلاثة".

"أتعلم، ربما بدأ الوخز بالإبر في روسيا". تقول ذلك وهي تفرك قطعة قطن منقوعة بالكحول على رأسي، "أول جثة تحمل علامات وخزات الإبر اكتُشفت في سيبيريا. كانت محنَّطة".

لم أكن لأجادل امرأة على وشك غرز أجسام حادة في رأسي المكشوف. تُخرج إبرة بحجم عود ثقاب وتنتزع غلافها الأزرق. ثم أشعر بوخزة، ثم انزلاق. هناك صوت خافت، ولكن الواضح أنّ الإبرة تنغرز بنعومة عبر طبقات الجلد

المختلفة. ليست مؤلمة كثيراً - ضعف الألم النّاجم عن لسعة البعوضة - لكن الصّوت يجعل معدتي تنقلب.

"يمكنك النّظر في المرآة إذا أردت".

أقف ثم أمشي بحذر في الغرفة. ها هي، تبرز من رأسي مثل هوائي دقيق.

بينما هي تضغط على رأسي مجدداً، تعطيني غالينا درساً سريعاً في نظرية العلاج بواسطة الوخز بالإبر.

"إنه يتعلق بمسالك الطّاقة التي تشبه الطّرقات في الجسد. ويمكن للطاقة أن تتراكم خلف أحد الأجزاء وتسبب نقصاً في الطّاقة في أجزاء أخرى".

يشبه الوخز بالإبر شاحنة قطْر تخفف الازدحام المروري. عندئذ يمكن للطاقة أن تتدفق بسهولة عبر خطوط الجسد المتصلة بأجزاء مختلفة منه. واليوم، إنها تعمل على خط الرّئة، المتصل بكتفي التي تؤلمني.

تغرز غالينا إبرة أخرى في رأسي وواحدة في ساقي اليسرى.

بعد جلسة العلاج بواسطة الوخز بالإبر، أذهب مباشرةً إلى النّادي كي أتمرن مع توني.

يسألني توني: "كم إبرة غرزت؟".

"غرزت ثلاثاً".

"ثلاث إبر؟". يضحك، "لقد سُرقت يا صديقي. بالنسبة إلى عدد الإبر، لقد تعرَّضت لسرقة كبيرة".

يخبرني توني أن معالجه يغرز 40 إبرة، بالحد الأدنى. حتى عندما يقوم بذلك على الكلاب؛ وهو عمله الجانبي.

هذا مزعج. هل اعتقدت غالينا أنني لست رجلاً بما يكفي لتحمُّل أكثر من ثلاث إبر؟ كان بوسعي الوصول على الأقل إلى ما بعد الرّقم عشرة.

ولكن، هناك شيء غريب. رغم أنني لم أُثقَب سوى ثلاث مرات، إلا أنني ألاحظ أن كتفي أفضل حالاً. لم يختفِ الألم كلياً. لكنه أفضل بكثير من السّابق.

للمرة الأولى منذ أشهر، يمكنني رفع ذراعي في الهواء من دون ألم. للمرة الأولى منذ أشهر أمارس تمرين الكتفين بدنابل أكبر من النّقانق.

"هذا مذهل. لقد نجح العلاج. نجح حقاً".

فماذا حصل؟

لمعرفة ذلك، هذا موجز سريع حول وجهة نظر العلم في ممارسة الوخز بالإبر.

الدراسات منقسمة إلى قسمين تقريباً. نصفها يؤكد بأنها فعالة، والنصف الآخر يؤكد العكس. كما أن الدّراسات تُظهر بعض الانحياز الثّقافي، فالدراسات اليابانية تخرج بنتائج مؤيدة للوخز بالإبر أكثر من الدّراسات الأميركية.

تُظهر بعض الدّراسات الحديثة أن العلاج بواسطة الوخز بالإبر أفضل من عدم القيام بأي شيء. ولكن، هذا ما يفعله الوخز المزيف بالإبر، والذي يكون عبارة عن إدخال إبر في أماكن عشوائية في الجسد.

وعلى هذا الأساس، إليكم أربعة احتمالات لما حدث اليوم:

1. الطّب الصّيني صحيح، والإبر أعادت توازن طاقتي على امتداد خطوط الطّاقة. لكن جذور تفكيري الأوروبية الرّاسخة تمنعني من الموافقة على ذلك.

2. يحوي الجسم فعلاً نقاط ضغط تستجيب للإبر، لكن العلم لم يكتشف الآلية التي تجعلها تخفض الألم.

3. غرز الإبر في أي جزء من جسدي تقريباً (باستثناء العينين) يخفف الألم. ربما عبر التّسبب بإفراز موجة من المواد المخدرة (opioids).

4. هذا كله تأثير نفسي.

وماذا عن تخميني الشّخصي؟ أعتقد أنه توليفة من 3 و4. ولا أقصد بالاحتمال الرّابع أي استخفاف أو إنكار.

أمّة العلاج بالوهم

كلما عرفت أكثر حول العلاجات الوهمية، ازددت تعجباً منها. البشر أسياد خداع النّفس. وخداع النفس من بين مواهبنا العظيمة إلى جانب الكلام والحساب والقدرة على صنع آيس كريم طرية.

118

العـلاج الوهمـي ("*placebo*" بالإنكليزيـة وأصلهـا باللاتينيـة يعني "سـوف أُرضـي") هـو أي علاج يعطـي المرضـى نتائـج حقيقيـة أو متخيَّلـة. وربمـا تكون العلاجات الوهمية أشـد الوسـائل الطّبيـة فعالية حتـى الآن، فقد تمكنت من شـفاء الألم أكثر من الأسبيرين والأفيون وأكياس الثّلج مجتمعة.

تنجـح العلاجـات الوهميـة فـي عشـرات الأمـراض والحـالات، مثـل الألم - بالطبـع - والسـعال، والصـرع، ومتلازمـة القولـون المتهيِّـج، والربـو، ومـرض باركنسـون، والكثير من الأمراض الأخـرى. إنها تحقق النّجاح لـدى 30 بالمائة من الحالات.

بالرغم من أن النّسـبة أعلى بكثيـر في حالة أولادي. مـن المذهل كيف تجعل لصاقـةٌ الألمَ يختفـي. ينفجر لـوكاس بالبـكاء عندما يـدوس أحدهم علـى إصبعه. ولكن، حالما تلمـس اللّصاقة الطّبيـة إصبعه يتوقـف الصّراخ وتحل محله ابتسـامة عريضة. أولادي مقتنعـون تماماً بقـوى الشّـفاء العجيبة للصاقات الجـروح لدرجة أنهم يعتقـدون أنها قادرة على حل معظم المشـاكل. عندما انفجر فيـوز في تلفازنا، قام جاسبر بإلصاق لصاقة جروح على الشّاشة آملاً بإعادة الحياة إليه.

إذا نظرتـم داخـل جماجـم أولادي، فإنكـم سـترون أن العلاجـات الوهميـة تحدث تغييـرات عميقة فـي أدمغتهـم؛ التّغييرات نفسـها التي يمكـن أن تحصل لو أخذوا مسـكّنات حقيقية. وهـذا ما تصفه ثيرنسـتروم فـي كتابها تاريـخ الألم: "في دراسـة أُجريت في العام 2005 بواسـطة الدّكتور جون - كار زوبييتا في كلية الطّب في جامعة ميتشـغن، صُـوِّرت أدمغة بعض الرّجـال بعد حقن محلول مـاء مالح في فكّهم. وبعد ذلـك، أُعطي هؤلاء الرّجـال دواء مزيفاً وأخبروا أنه سـيخفف ألمهم. شـعر الرّجـال بالراحـة علـى الفـور، وأظهـرت الشّاشـة كيفية حـدوث ذلـك: في الصّورة، أضاءت الأجزاء التي تطلق المواد الشّـبيهة بالمواد المخـدرة في أدمغتهم (إندروفينـات، إنكيفالينـات، ودينورفينـات). أي إن المسـكّنات المزيفـة جعلـت الدّماغ يفرز مسكنات حقيقية".

ليس هـذا فقـط، فالعلاجـات الوهمية قـادرة علـى إحـداث تغييـرات خلوية أخرى، حيث أظهرت دراسة حول الرّبو أن جهاز استنشـقاق مزيّفاً خفَّف الالتهاب

في الرّئتين.

أظن أنكم قد تنظرون إلى العلاجات الوهمية على أنها تدعو للإحباط. لكنني لا أنظر إلـى الأمر من هـذه الزّاوية. بل أجـد أن العلاجات الوهميـة مفرحة وتدعو إلى التّفـاؤل. إنهـا تعنـي أن القيام بعمـل ما - مهمـا كان هـذا العمـل - يمكن أن يساعدك على التّحسن.

أنا من المعجبيـن بالعلاج الوهمـي لدرجة أنني أطلـب من طبيبتـي العامة أن تصف لي بعضاً منـه، حيث قلت لها: "أريـد علاجاً حقيقياً مرة وعلاجـاً وهمياً مرة أخرى. فقط لا تخبريني أيهما الحقيقي وأيهما المزيف".

"لا أستطيع فعل ذلك".

"لِمَ لا؟".

لأسباب أخلاقية".

يا للعار! إنني ألوم ميراندا باكستر التي قاضت طبيبها بنجاح عام 1885 بسبب حقنها بالماء بدلاً من المورفين، رغم أن العلاج المزيف كان ناجحاً.

ينبغي التّنويه إلى أن ردود الفعل على العلاجات الوهمية ليست كلها متشابهة. تُظهر الدّراسات أن شـكل القرص المزيف وحجمه يمكن أن يُحدثا فرقاً في طريقة رد فعل النّاس. فالكبسـولات أكثر فعالية من الحبـوب. والأقـراص الزّرقاء أفضل في تقليد المسكّنات المهدّئة؛ ربمـا لأن الأزرق مرتبط بالليـل. والأقراص الوردية منبِّهات مزيفة أفضل (ولكن ليس بالنسبة إلـى الرّجال الإيطاليين، بـل العكس هو الصّحيح. وما هي نظرية الباحثين؟ الأزرق لون الفريـق الإيطالي لكرة القدم، وهذا اللّون يشـعل الإثارة في نفـوس متناولي الأقـراص). والإبر تخفف الألـم أكثر من الأقراص.

باختصار، كلما كان العلاج الوهمـي أكثر تعقيداً، كانـت فعاليته أفضل. وهذا باعتقـادي سـر الكثير من وسـائل الطّـب البديـل. لنأخذ على سـبيل المثال طريقة الكؤوس القديمة (الحجامة)، وهي ممارسـة تتكون من وضع شـموع مشتعلة على الجسـد، ومن ثم تغطية الشّـموع بكؤوس. يعمل فقدان الأوكسـجين على إحداث ضغط يقوم بشـفط الجلد إلى الـكأس، فتبرز تلال لحميـة فوق جسـدك يُعتقَد أنها

تُخرج السّموم من الجسد. مع كل هذه التّفاصيل المعقدة، لا بد أن العلاج بالكؤوس يفعل شيئاً ما، صحيح؟

المنطق ذاته يمكن أن ينطبق على الوخز بالإبر، أو على الأقل يفسِّر جزءاً من فعاليته. إن تحويل نفسك إلى وسادة دبابيس بشرية إجراء متطرف جداً، وعقلك يتوقع منه شيئاً ما.

هذا يطرح سؤالاً: هل يجب على العقل أن يصدق العلاج الوهمي كي ينجح؟ هل تحتاجون إلى الثّقة؟ معظم الدّراسات قالت أجل. ما زلت أذكر اليوم المحزن الذي قرأت فيه أن أقراصي المفضلة لعلاج الزّكام إيربورن - تلك الأقراص البرتقالية التي تنحلّ في الماء - تملك القليل من السّند العلمي. كنت أثق بأقراص إيربورن، وأنا مقتنع أنها أوقفت الكثير من حالات الرّشح التي أُصبت بها. ولكن، ليس بعد أن قرأت ذلك المقال المفسد للمتعة، إذ أصبحت الأقراص عديمة النّفع.

من الجانب الآخر، تدَّعي دراسة أجرتها كلية الطّب في جامعة هارفارد عام 2010 أن العلاجات الوهمية تنفع... حتى عندما يعلم المرضى أنها مزيفة.

العلاج بالشتم

ركضت اليوم عبر الحديقة مجدداً لزيارة جدي. كان غافياً على كرسيه المريح عندما وصلت، واستغرق دقيقة ليصحو من غفوته.

يسألني: "علامَ تعمل في هذه الأيام؟".

فأخبره - ربما للمرة العاشرة - بمشروع الصّحة. يهز رأسه، لكنني لست واثقاً إن كان يتذكَّر أم لا. ثم أخبره حول بحثي المتعلق بالألم قائلاً: "تُظهر إحدى الدّراسات المفضلة لدي أن باستطاعتك تخفيف الألم عبر الشّتم". فيضحك.

هذه الدّراسة التي نُشرت في مجلة نيورو - ريبورت بيَّنت أن المتطوعين تمكّنوا من إبقاء أيديهم في مياه متجمدة مدةً أطول بنحو 40 ثانية عندما أطلقوا السّباب والشتائم؛ يُحتمل أن السّباب ينشِّط الجزء اللّوزي من الدّماغ المتعلق برد الفعل "قاتلْ أو اهربْ"، الذي يجعلنا أقل حساسية للألم.

تقول عمتي جين - التي تزور جدي مرة أخرى قادمةً من ميريلاند - إن هناك محاضرة على الإنترنت حول سيكولوجية الشّتم أجراها البروفيسور ستيفين بينكر.

فيقول جدي: "دعونا نراها".

تجد جين المحاضرة على يوتيوب وتضغط على زر التّشغيل. يبدأ ستيفين باقتباس من بونو، "هذا حقاً، حقاً رائع مـ..."، الأمر الذي أوصله في نهاية المطاف إلى المحكمة العليا في قضية بذاءة. ثم يتابع بينكر ذاكراً كل الكلمات النّابية التي يمكن أن تخطر في ذهنك بسرعة كبيرة، وبجميع الصّيغ؛ بصيغة الفعل والاسم والصفة والظرف.

إذا كنت مرغماً على الاستماع إلى وابل من الكلمات النّابية إلى جانب رجل في الرّابعة والتسعين من عمره، فإنني سعيد لأن هذا العجوز هو جدي. ليس لأنه يلفظ هذه الكلمات كثيراً، بل لأنه قادر على تقبّلها وحسب. وهو الآن يضحك بشدة لدرجة أن الدموع ترقرقت في عينيه.

كان جدي، ولا يزال، شاباً من النّاحية الذّهنية. إنه مولع بالأشياء الجديدة. وهو متكيِّف قديم؛ قبل وجود مثل هذه الكلمة. أذكر عندما اشترى كاميرا الفيديو عندما كانت مثل هذه الكاميرات ضخمة الحجم وتُسنَد على الكتف. وهو يعشق الكمبيوتر والإنترنت والهواتف الخلوية.

أما بالنسبة إلى أصدقائه، فجميعهم أصغر منه عمراً؛ جزئياً بسبب الغياب، أي لعدم وجود الكثير من الأشخاص بعمر الرّابعة والتسعين على قيد الحياة. ولكن، بالاختيار أيضاً، إذ لطالما فضّل جدي الأصدقاء الشّبان. بل إنني لا أعتقد أنه تقبَّل يوماً فكرة أنه رجل عجوز. ففي حفل ذكرى ميلاده السادسة والثمانين، قَلَب الرّقم على كعكته فأصبحت تُقرَأ 68، وكان يقول: "هذا أفضل بكثير".

كانت جدتي أكثر إنكاراً للعمر منه، إذ نادراً ما كانت ترافق أشخاصاً من سنِّها. "كل ما يتحدثون عنه هو المواضع التي يتألمون منها وما فسد في أجسادهم". لقد جاءت إلى حفلة ذكرى ميلاد صديقي دوغلاس الثّلاثين التي أقيمت في أحد النّوادي في وسط المدينة، وكانت الشّخص الوحيد الذي وُلد قبل الحرب الكورية. وأخبرتني ذات مرة أن أجمل إطراء قدّمتُه لها هو عندما قلت لها

إنها عضو فخري في الجيل x (الجيل الذي وُلد في الولايات المتحدة والدول الغربية عموماً بين 1965 و1980 تقريباً).

لا يمكنني الاستشهاد بدراسة ما، لكنني أتساءل إن كانت هناك علاقة تلازمية بين إنكار العمر وطول العمر.

الفحص: الشّهر الثّامن

الوزن: 72 كغ.

الأميال المقطوعة على جهاز المشي خلال الكتابة: 302.

الوجبات المأكولة أمام المرآة هذا الشّهر: 18.

الأميال المقطوعة جرياً في اليوم: 2.

أكبر خطيئة صحية: 27 هرم سكاكر في جلسة واحدة.

إنه شهر مختلط. بعضه جيد، وبعضه سيئ.

بالنسبة إلى الغذاء، لقد اكتشفت الهريس. هريس الجزر، هريس القرنبيط، هريس اليقطين. أطهو الخضروات بالبخار ثم أرميها في الخلاط الكهربائي فيصبح لديّ هريس جميل اللّون. لا أريد الإسهاب في تحليل غذاء الكبار هذا، الذي يشبه غذاء الأطفال، والذي أجده مريحاً، لكنني أفضِّل الإشارة إلى وجود أدلة قوية على أن الهريس يساعد على إنقاص الوزن. إنه يشغل مساحة كبيرة في معدتك ما يجعلك تشعر بالشبع مع تناول سعرات حرارية أقل.

لكن حالتي الذّهنية ليست جيدة. فأنا أشعر باكتئاب خفيف، ولست واثقاً من السّبب. ربما بسبب المشاكل الصّحية في عائلتي. فقد اضطر زوج أم جولي إلى إجراء عملية جراحية في ساقه، ويعاني والدها من مشاكل في التّوازن بعد الجلطة الدّماغية التي أُصيب بها منذ سنتين.

ربما يكون السّبب أكثر سطحية. فبسبب كتفي المصابة وعجزي عن رفع أوزان ثقيلة، ذبلت عضلات صدري مجدداً، ولهذا فإنني لا أزال أبدو مثل مدمن هيرويين في طور العلاج من الإدمان.

أقرر أنني بحاجة إلى فعل شيء ما من أجل رفع حالتي المعنوية المنخفضة، وأختار تجربة دروس في اللّياقة البدنية تُسمّى إنتنساتي (*intenSati*).

أسمع باسم هذه الدّروس، المكتوب بطريقة غريبة إملائياً، منذ أشهر. والكثيرون من أصدقاء أصدقائي لا ينصحون فحسب بالانضمام إلى هذا الصّف، بل يأمرونك بفعل ذلك: "يجب عليك أن تتبع طريقة إنتنساتي".

هكذا، يوم الثلاثاء، أُقنع جولي بالانضمام إلي. لقد وافقت على مشاركتي في مغامرة صحية واحدة في الأسبوع. وهي تذكِّرني بوجوب الاختيار بحذر.

فأقول: "سيكون هذا جديراً بالمحاولة".

تجري الدّروس في نادٍ رياضي فاخر تقدِّم فيه فتاة جذابة عينات مجانية من مشروب طاقة جديد بنكهة العنّاب.

نجتمع في صالة التّمرين المليئة بالمرايا، ممسكين بحصائرنا، في انتظار قائدتنا باتريسيا مورينو، مبتكرة الإنتنساتي ومن بين أكثر المدرِّبين شهرةً في نيويورك.

تأتي باتريسيا. وهي امرأة جميلة ذات بشرة بلون الكاراميل، تضع ميكروفوناً رأسياً وتحمل بيدها كرّاسة. وهي أيضاً حامل في الشّهر السّابع، لكن ذلك لن يمنعها من القيام بحركات قرفصة منخفضة ورفسات عالية.

تحوِّل الأضواء إلى اللّون الأحمر، ما يُضفي على الصّالة شعوراً مريحاً، أو الشعور بأنك تظهّر صوراً قديمة، وفقاً لوجهة نظرك الشّخصية. ثم تقول: "سنأخذ برنامجاً جديداً رائعاً اليوم!".

يصفق الحاضرون ويهلِّلون فرحاً.

تنظر باتريسيا إلى كرّاستها، ثم تعطينا محاضرة لمدة خمس دقائق حول ضرورة التّضحية من أجل تحقيق الأهداف.

أنظر إلى جولي فأراها مكتّفة الذّراعين. إشارة سيئة. لم تأتِ جولي إلى النّادي من أجل تلقّي عظات. إنها تريد فقط أن تصرف بعض الطّاقة وتنهك عضلاتها.

هذا ما نفعله. فبعد المحاضرة، نمنح أجسادنا تمريناً؛ والحبال الصّوتية جزء

من أجسادنا.

يتبيَّن أن الإنتنساتي ليست تمارين لياقة بدنية، بل إنها ببساطة خمسون دقيقة من التّمطط وتحريك القدمين والقفز، وكل ذلك بالترافق مع الصّراخ بعبارة عازمة مؤكِّدة.

"لن أستسلم أبداً!". تصرخ باتريسيا بعد القرفصة ثم القفز.

فنردد جميعنا بعدها مكررين الحركة نفسها: "لن أستسلم أبداً!".

"هل أنتم مشتركون كي تفوزوا؟!".

"نحن مشتركون كي نفوز!". ننحني ونلمس الأرض بأصابعنا ثم نستقيم مجدداً ونلكم الهواء أمامنا.

"أريدها، أريدها، حقاً، حقاً أريدها!". تصرخ باتريسيا.

"أريدها، أريدها، حقاً، حقاً أريدها!". نصرخ من بعدها ونحن نخطو إلى جانبنا ثم نركل الهواء.

إن الحشد - معظمه من النّساء؛ ومعظمهن ذوات أجساد متناسقة - سعيد حقاً. إنهنّ يصرخن بصوت عالٍ بما يكفي لإبراز العروق في رقابهن. أنظر إلى جولي فأجدها تردد الكلمات بحماسة طفل في الصّف الثّالث الابتدائي يردد قَسَم الولاء.

تصرخ باتريسيا: "وضعية المحارب!".

يقفز كل منّا ويباعد بين ساقيه مثل محارب نينجا.

"كل يوم، بكل الطّرق، أساهم في انتاج واقعي!".

"كل يوم، بكل الطّرق، أساهم في انتاج واقعي!". نصرخ جميعاً.

أحاول موازنة قلة حماسة جولي بحماستي الخاصة؛ نصف الصّادقة، نصف المتكلفة. وأنا أفعل ذلك بدافع الإحساس بالذنب لأنني أنا من دفعت جولي للمجيء. لذا، أريد أن أقنعها - وأقنع نفسي - بأنه تدريب قيّم.

ليست لديّ أي ضغينة ضد العبارات الإيجابية المصمِّمة، بما فيها تلك المعقّدة منها؟ سأساهم في إنتاج واقعي؟ يمكنني تقبُّلها. إننا بالفعل نرى العالم بالطريقة التي نريدها.

على أي حال، إنني ألزم نفسي بهذه العبارات الواثقة. وأقسم إنني بدأت - على مدار أربعين دقيقة - أكتسب مزيداً من الثّقة. موقفي يتحسن. وإندروفيناتي تتدفق.

اصرخوا بهذه العبارات في غرفة لمدة طويلة بما يكفي، وستبدأون بتصديقها. يمكنني فعل أي شيء! يمكنني تأليف قصيدة ملحمية! يمكنني تصميم خلية وقود هيدروجينية!

لسوء الحظ، هناك شيء واحد لا يمكنني فعله، وهو إقناع جولي بأن الدّرس كان يستحق الوقت الذي أنفَقْتَه. قالت لي عندما كنا نوضّب ملابسنا استعداداً للمغادرة: "أشعر وكأنني كنت في اجتماع لجماعة هاري كريشنا".

بالرغم من أن جولي لم تعد مرة ثانية، إلا أنها أدخلت بعضاً من الإنتنساتي إلى حياتنا خلال الأسبوعين التّاليين.

قالت لي في صباح اليوم التّالي: "هل يمكنك أن تعطيني بطاقة العمل؟ أريدها. حقاً، حقاً أريدها!".

في النّهاية، لعلي لن أكون بدوري مداوماً منتظماً على جلسات الإنتنساتي، لكنني أرى محاسنها وحسب. فهي شيء من التّفاؤل الوهمي مفيد وصحي، طالما أنه يُوازَن بإدراك حسي لحقيقة أننا نملك سلطة ضئيلة بصورة تثير الشّفقة على مصائرنا. خليط صعب، لكنه ضروري.

أنتم بحاجة إلى كليهما. فمن دون بعض التّفاؤل الوهمي ستعانون من الواقعية المحبِطة. تعني هذه النّظرية السّيكولوجية أن الأشخاص الذين يملكون وجهة نظر صائبة نوعاً ما للحياة ليسوا بالضرورة أكثر سعادة، بل إنهم محبطون سريرياً. تُظهر الدّراسات أنهم يملكون إدراكاً صحيحاً لمقدار السّيطرة التي يمتلكونها على نتائج الأحداث - أي قليل جداً - وهذا يحبطهم. (لا يوافق جميع العلماء على هذه النّظرية، ولكن قد يكون هؤلاء غير المقتنعين - كما تعرفون - واهمين).

إذا كانت نظرتك إلى الحياة واقعية جداً، فقد تمضي كل يومك في السّرير وأنت تأكل رقائق الذّرة شاعراً بالانهزام واللامبالاة، لأنك تدرك آلاف العوامل

التي تعبث بمصيرك؛ من الطّقس إلى الجينات إلى جاربين ضائعين.

في المقابل، إذا كنت متفائلاً بشكل وهمي، فإنك ستكون شخصاً لا يمكن احتماله. وسترفض توفير المال أو إعداد الخطط. وستغزو دولاً أجنبية معتقداً أن شعوبها سترحِّب بك كمحرِّر. مثل أي شيء آخر في الصّحة، أنت بحاجة إلى التّوازن.

الفصل التّاسع

الأمعاء الدّقيقة

السعي للذهاب إلى الحمام بشكل صحيح

لقد وقعت بالصدفة على بعض المعلومات الغريبة في سياق بحثي الصّحي. هناك مرض يُدعى تناذر كابغراس، حيث يعتقد الشّخص المصاب به أن أمه - أو أخته أو صديقه المفضل - قد تلبَّستها امرأة أخرى مطابقة لها تنتحل شخصيتها. وهناك مرض يُدعى بيكا تعتري المصاب به رغبة لا تُقاوَم بأكل التّراب أو الورق أو الصّمغ أو الصّلصال.

لكنني أسمع الآن أشد المعلومات التي سمعتها طوال هذا العام غرابةً وأكثرها إثارةً للحيرة.

إنني موجود في مكتب الدّكتور ليستر جوتسمان في وسط مانهاتن. وهو يصف لي عملية جراحية اختيارية لم يجرها مرة واحدة فقط، بل عدة مرات.

إنها لأشخاص يريدون تغيير صوت إطلاق الرّيح عندهم.

أجل، هؤلاء المرضى يريدون تغيير نوعية صوت غازاتهم، عادةً من طبقة مرتفعة إلى طبقة أقل ارتفاعاً. من مزمار بيكولو إلى مزمار باسوون. من الواضح أن هذا أكثر إرضاءً من النّاحية الجمالية.

"أحاول إقناعهم بتغيير رأيهم [بخصوص إجراء العملية] لكن بعضهم يملكون قصصاً درامية شخصية حول إطلاق ريح البطن".

بصفتي صحفيًّا تجريبيًّا ملتزماً، أتساءل في داخلي إذا كان ينبغي علي أيضاً أن

أخضع لهذه العملية، لكن الدّكتور جوتسمان يقول إنها لا تملك أي فوائد صحية معروفة. وهذا مريح، في الواقع.

لكنني بحاجة بالفعل إلى معالجة جوانب أخرى متعلقة بصحتي، والمتعلقة بدورها بقولوني ومستقيمي. لقد أمضيت أشهراً مهووساً بما يجب أن آكله، لكنني لم أنفق دقيقة واحدة لمعرفة كيفية إخراج قمامة الجسم. وهذا تفكير غير متوازن، وغير صحي.

لست من كبار المعجبين بدراسة البراز، بعكس أولادي الذين يستطيعون تسلية أنفسهم لساعات عبر تكرار عبارة "ريح بطن تمساح". لذا، سأعفيكم من الإفاضة في التّفاصيل في هذا الفصل الذي سيكون ذا تركيز خفيف، مثل الكاميرا التّلفزيونية في مقابلة مع باربرا سترايسند.

لقد وجدت الدّكتور جوتسمان لأن اسمه مدوّن ضمن لائحة مجلة نيويورك لأفضل الأطباء في السّنوات السّبع الأخيرة.

عندما وصلت أول مرة، ملأت بياناتي في غرفة الانتظار، وكانت الورقة تحمل إشارة تقول "لا طعام". بدت لي غير ضرورية. وبعد ذلك بقليل، استدعاني الدّكتور جوتسمان إلى غرفة الفحص. إنه يتكلم بصوت منخفض جداً لدرجة أنني أجد نفسي أنحني إلى الأمام كي أسمعه. شعره أحمر برتقالي أشعث كما لو أنه استيقظ لتوه من النّوم.

"اركع هناك، أنزل سروالك واستلقِ على بطنك".

أنفِّذ الأوامر.

"هل يمكنك أن تعطيني صورة تقديرية للألم؟". أسأله بعد استلقائي.

"لا ينبغي أن يؤلم كثيراً. مالم تردْ أنت ذلك".

بعد الفحص، الذي آلمني أكثر بكثير مما كنت "أريد" توجّهنا إلى مكتبه للاستجواب.

جلست قبالته على طاولة المكتب. كان وجهه يوحي بالقلق.

"هل تقرأ عندما تكون في الحمام؟".

"طبعاً. ومن لا يفعل ذلك؟".

"عرفت ذلك. عندك باسور واضح. ليس كبيراً، لكنه ليس صغيراً".

يبدو هذا التّشخيص ظالماً جداً، ومن بين المعلومات التي يصعب تقبُّلها بالنسبة إلي. يمكنهم أن يأخذوا مني رقائق الذّرة دوريتوس. يمكنهم حرماني من الكوكاكولا دايت. لكن القراءة في الحمام؟ هـذا موجود عملياً في قانون حقوق الإنسان.

الدكتور جوتسمان متجهِّم.

"لا تقرأ روايات في الحمام. لا تكتب روايات في الحمام. إذا استمررت في فعل ذلك، فستضطر لإجراء جراحة. وعملية الباسور ليست ممتعة".

القراءة تلهيك وتجعلك تجلس على المرحاض وقتاً أطول. والجلوس على المرحاض يسبب تورُّم الأوردة في القناة الشّرجية. وهذا التّورم يؤدي إلى الباسور الذي يصيب أكثر من 70 بالمائة من الأميركيين لمرة أو أكثر في حياتهم.

أعدُه بإبقاء المجلات بعيداً عن الحمام، ثم أطرح عليه بعض الأسئلة الأخرى المتعلقة بالقولون والمستقيم.

– كم مرة ينبغي عليّ إفراغ أمعائي؟

بعض المتطرفيـن يقولـون إننا يجب أن نفعل ذلـك كثيراً وبكميـات كبيرة. شـاهدت ذات مـرة في برنامـج الدّكتـور أوز أخصائي جهاز هضم يمدح سكان الصّحـراء الجنوبية الإفريقية الذين يتبرزون ثـلاث مرات في اليـوم ويكون برازهم "بحجم رأسي". ويُعرَف عن الدّكتـور أوز تأكيده على أن يكون البراز على شكل حرف S.

لكـن الدّكتور جوتسمان أقـل تحديداً. أيُّ عـدد من مـرة واحـدة كل ثلاثة أيام إلى ثلاث مـرات كل يوم مقبـول برأيه. ولا بأس بشكل حـرف S، لكنه ليس ضرورياً.

– ما كمية الألياف التي يجب أن أتناولها؟

كمية كبيرة. يقـول معهد الطّب 30 غراماً في اليـوم، وهذا كثيـر، لأن التّفاحة الواحـدة – وهي من أكثـر الأطعمة احتـواءً على الألياف – تحـوي 3 غرامات من الألياف فقط.

– متى يجب عليّ إجراء فحص على قولوني من أجل سرطان القولون؟

مالم يكن لديّ تاريخ عائلي (ليس لديّ، والحمد لله)، فإن معظم الخبراء ينصحون بعمر الخمسين.

– هل يجب عليّ شراء حقنات شرجية سائلة؟

"إنها لا تساعد، لكنها لا تضر". يُفترَض بهذه الحقنات الشّرجية أن تنظف المواد السّمية التي تتراكم في أمعائك. ولكن، ليست هناك أدلة علمية كثيرة على فوائدها الصّحية. (لقد اشتريت بالصدفة حقنة شرجية، كجزء من مشروعي الصّحي، لكنني قررت ألا أكتب عنها بإسهاب لأنني لم أجدها مُساعِدة أو مُنوِّرة. مع ذلك، بوسعي أن أصف لكم كيف شعرت: لقد شعرت كما لو أن شخصاً ما قذف ماءً داخل مؤخرتي).

عملية القرفصة

إن نصيحة الدّكتور جوتسمان حول عدم القراءة في الحمام معلومة جيدة، وإن لم تكن مستساغة. لكنني، بعد الاطلاع أكثر حول الموضوع، أدركت أنها ليست سوى نصف إجراء.

لكي تكون تجربة الدّخول إلى الحمام صحية إلى أقصى حد ممكن، ينبغي عليّ ألا أجلس على الإطلاق، بل يجب أن أقرفص.

سمعت عن مزايا القرفصة أول مرة من فلاد، رجل الكهف المحب لأكل اللّحم النيء الذي قال إنني أملك صدراً مسطحاً. فقد أخبرني أنه يجثم فوق مقعد المرحاض ويقضي حاجته بهذه الطّريقة. ولكن، بما أنني مبتدئ فلا بد لي أن أشتري أداة من الإنترنت لتساعدني على التّموضع فوق المرحاض.

تجاهلت محاضرته حول القرفصة معتبراً أنها مجرد حديث رجل كهف مجنون. ولكن – ومما يدعو للاستغراب – توجد معلومات موثقة تفيد بأن القرفصة أفضل لكم. بعثت رسالة إلكترونية إلى الدّكتور جوتسمان، فدَعَمَ هذه المعلومات بدوره.

يوضِّح دانييل لاميتي في مقالة جازمة حول الموضوع في مجلة سليت أن

المرحـاض الجلوسـي اختـراع حديث نسـبياً، إذ يعـود إلى القرن السّادس عشر. ويستشهد لاميتي بأخصائي قولون ومستقيم في مجلة تايم يقول: "لم نُخلَق لنجلس على المرحاض، بل لنقرفص في الحقل".

إن الجلوس يجهـد الأمعاء أكثر مـن القرفصة، ما يـؤدي إلى زيادة البواسـير. وهنالك عدة دراسـات تتنـاول الموضـوع. لقد قارن أحـد العلماء بين الأشـخاص الذيـن قرفصـوا فـوق وعـاء بلاسـتيكي وبيـن أولئـك الذين قضـوا حاجتهـم فوق المرحـاض العـادي، ووجـد أن المقرفصيـن اسـتغرقوا وسـطياً 51 ثانيـة فـي أداء العملية، في حين استغرق الجالسـون 130 ثانية. كما أن المقرفصين وجدوا سهولة أكبر.

ويقول أشد مؤيدي القرفصة تطرفاً إن القرفصة تمنع السّرطان ومرض كرون، لكن هذه الادعاءات غير مثبتة علمياً.

لقـد وجدت علـى الإنترنـت أداةً تسـاعد علـى القرفصـة. وهي تُدعـى منصة الطّبيعـة. طلبتهـا ووصلت إلي بعـد بضعة أيـام. تتكـون المنصة من هيـكل معدني يعلوه لوح بلاستيكي مع فتحة بحجم كرة يد في وسطه. عليكم أن تجمِّعوا المنصة وتنصبوها بأنفسكم.

أنصب المنصة قبـل أن تأتـي جولي إلـى المنزل مـن اجتماع تحضـره. تصل جولي ثم تتوجه إلى الحمام. وأنا أنتظر.

"هذا ليس مضحكاً. ليس مضحكاً على الإطلاق".

بالرغم من أنها تقول ذلك، إلاّ أنها تضحك فـي الحقيقة. من الصّعب مقاومة سحر منصة الطّبيعة.

تجرِّب جولي التبوّل في المنصة، وتعلن أنها "ممتعة".

وعندما تخرج تقول: "الأزهار هدية تقليدية أكثر".

مضى على استخدامي منصة الطّبيعة أسبوعان. إنها تسرِّع العملية قطعاً، لكنها تجعل القراءة عليها أشـبه بحركـة أكروباتية توازنيـة خطرة. الكتب مسـتثناة. وهذا، بالطبع، سيجعل الدّكتور جوتسمان أكثر سعادة.

الفحص: الشّهر التّاسع

الوزن: 71 كغ.

إجمالي الخطوات هذا الشّهر: 230,000.

تمرين الضّغط حتى الإنهاك: 58 مرة.

الأيام التي أكلت فيها مسحوق الفلفل الحار في الصّباح لأن إحدى الدّراسات تقول إن الطّعام الحار يخفّف الجوع: 12.

الصحة الإجمالية: أجد المشروع مرهقاً، ليس جسدياً فقط، بل ذهنياً أيضاً. أحاول إيجاد السّلوك الصّحي الأمثل عشرات المرات في اليوم. لكنني، غالباً، أشعر بالضياع في ضباب الخيارات المتضاربة.

لنأخذ جهاز المشي مثلاً. بعد نحو ثلاث ساعات، يبدأ الجهاز بإصدار رائحة منفّرة تشبه رائحة مطاط محترق. يضع ابني جاسبر يده على أنفه عندما يكون قريباً مني. إذاً، هل هذه الأبخرة الكريهة ترجح على الفوائد الإيجابية؟

إذا توفّرت لدي ساعة إضافية في يومي، فهل أذهب إلى النّادي الرّياضي أم أزور عائلتي؟ جميع كتب الصّحة تؤكد منافع العائلة والأصدقاء.

هل أجلب سجادة لأنها تكتم الضّجيج، أم إنها ستقذف موادّ محسِّسةً في الجو؟

عندما أشرب الماء في مطعم ما، فهل أطلب عصير اللّيمون الحامض؟ أم لا أطلب عصير ليمون لأن خبراء الميكروبات يقولون إن شرائح اللّيمون الحامض في المطاعم مليئة بالجراثيم؟

ينبغي عليّ أن أرتاح.

الفصل العاشر

غدة الأدرينالين

السعي لتخفيض التّوتر

يخطر في ذهني أن تأليف كتاب حول الصّحة أمر غير صحي. في الواقع، إن كتابة أي كتاب عمل ضار لكم، لما يتطلبه ذلك من جلوس طويل (لكنني سيطرت على هذا الجانب، نوعاً ما، بواسطة طاولة المشي الخاصة بي). هناك العزلة أيضاً، والعزلة تغذي الإحباط؛ الأمر الذي يفسر النّهايات الحزينة لعدد كبير من الكتّاب (هيمينغواي، وولف، بلاث؛ بوسعي ملء الصّفحة كلها).

وهناك الضّغط. لا يكف ناشري عن تذكيري بالمدة المحددة، وأجيبه دائماً بأن المدد المحددة تتناقض مع الصّحة. وكذلك إصدارات الكتب. ماذا لو أُصبت بإنفلونزا، أو التهاب في العين، أو أي شيء آخر في وقت إصدار كتابي؟ إني أقلق بشأن ذلك كثيراً. سيقولون: "هل ترى الرّجل الأكثر صحة في العالم؟ إنه ذاك الموجود في الزّاوية، ذاك الذي يسعل سعالاً جافاً".

للتغلب على هذه المعضلة، سأصارع التّوتر في هذا الشّهر.

قبل هذه السّنة، كنت مشككاً إلى حدٍّ ما بخصوص مضار التّوتر على الجسد. ولكن، ليس بعد الآن. فهناك جبل أفرست من المعلومات التي تُظهر أن التّوتر يسبب كل أنواع الدّمار الفيزيولوجي.

ابتُكر مصطلح التّوتر (stress) – كما تقول الأخصائيـة الفيزيولوجية إستر ستيرنبيرغ في كتابها فضاءات الشّفاء – من قبل طبيب غدد صماء هنغاري يُدعى

135

هانز سيلي. كان هـذا الطّبيـب مهووسـاً بالفكرة لدرجـة أنه حفـر البنيـة الكيميائية لهرمون التّوتر كورتيزول في الجدار فوق باب منزله الأمامي.

مثل أي شـيء آخر في الجسـد، بدأ التّوتر كحليف مسـاعِد في أزمنة الإنسان القديم. فالتوتـر يزيد معدل نبض القلب، وهذا مفيد على المـدى القصير من أجل الجـري والقتـال. بل إنه يسـاعد أيضـاً في منـع بعض الأمـراض لوقـت قصير. في دراسة أجراها معهد الصّحة الوطني في العام 2002، قاس الخبراء مستويات الخلايا المناعيـة عند المظليين فـي أثناء اسـتعدادهم للقفـز، فوجدوا أن عدد هـذه الخلايا الطّبيعية المحاربة للأمراض أعلى بنسبة 40 بالمائة.

لكن زيادة معدل نبض القلب وانقباض الأوعية الدّموية، على المدى الطّويل، يعيقان النّظام المناعـي. كلما ازددت قلقاً، ازددت مرضـاً. ففي واحدة مـن دراسـات كثيرة، اكتشـف باحث من جامعة هارفارد أن جروح الفم تسـتغرق يومين زيادة كي تشفى عندما يكون الطّلاب وسط أسبوع امتحانات.

ثمة مشكلة في الاعتراف بأن العقل يلعب دوراً في الأمراض الجسـدية. إننا بذلك نلقي بالملامة على المريض. توقَّف عن التّجهُّم، وسـوف تتحسَّن. بوسعك إخراج نفسك من المرض بالإرادة. ابتهجْ.

لقد غذّى هذا الأمر شكوكي المتعلقة بالآثار الجسدية للتوتر والمزاج السّيئ. إنه يشـبه كتاب السّر، الكتاب الذي تصدَّر لائحة الكتب الأكثر مبيعـاً مع أنه مليء بالترهات، حيـث يفيد أنه بوسـعكم قتل الخلايا السّـرطانية في أجسـادكم بالتمنّي. آخر شـيء يحتاج إليـه مريض مصاب بـورم ميلاني (melanoma) سماع شـخص يطلب منه "أن يزيل ذلك العبوس عن وجهه" إذا أراد أن يتحسَّن.

حتى الآن، لم يجد العلم أي علاقة بين السّرطان والتوتر. من المهم ذكر ذلك لأن الكثير من الأميركيين يعتقدون العكس. يستشـهد روبرت سابولسكي – مؤلف الكتاب الرّائع لماذا لا تُصاب الحمير الوحشية بالقرحة – بدراسة أُجريت في العام 2001، وفيها كانت غالبية المريضـات يعتقدن أن إصابتهن بسرطان الثّدي لم تحدث بسبب الجينات، أو النّظام الغذائي، أو البيئة، بل بسبب التّوتر.

لكن الوضع مختلف بالنسـبة إلى مشـكلات صحية أخرى. فالدراسات تُظهر

وجـود علاقة وطيدة بيـن التّوتر ومـرض القلب. كما أن هذه الدّراسـات تشـير إلى قدرتنا على السّيطرة - إلى حدٍّ ما - على مستوى التّوتر.

على الأقل بالنسـبة إليّ، لأن هذا يفضي إلى دائرة مغلقـة فظيعة من القلق. إذا قلقت كثيراً، فسـأزيد من احتمال إصابتـي بمرض القلب. لذا، فإنني أقلق من شـدة القلق. وهذا يزيد قلقـي، الأمر الذي يجعلنـي أقلق من حقيقة ازديـاد خطر إصابتي بمرض القلب. إنني بحاجة إلى مساعدة.

إنه يـوم الاثنين، وأقـرر الذّهاب إلـى أحد نـوادي الضّحك. لقد قـرأت حول نـوادي الضّحك في مجلة تايـم وهي تبدو لي وسـيلة غير مؤلمـة، وإن كانت غبية، للقضاء على التّوتر.

النادي الذي أختاره يُدعى يوغا الضّحك، ويديره معالج بواسطة تقويم العمود الفقري يُدعى ألكس إنغورن من مكتبه في وسـط المدينة. يكتـب إنغورن في موقع النّادي على الإنترنـت: "إنه مجاني، لكنني سـأقبل هبـات بقيمة مليونـي دولار من دون أن أطرح أي سؤال".

يشبه إنغورن ميخائيل باريشـنيكوف، ويتحدث بلكنة فرنسـية خفيفة. إنه مرح وودود، كما تتوقعون مـن زعيم نادي ضحك. وهو يرتدي سـروالاً قصيـراً، ماركة نايك، وقميصاً قطنياً.

هناك خمسة عشر شـخصاً هذه اللّيلة، تتراوح أعمارهم بين أوائل العقد الثاني والعقد الثامن. ونحن نقف على شكل دائرة.

"هل أنتم مسـتعدون؟ حسـناً، انزلوا إلـى الأرض، وأعطوني 20 مـرة تمرين ضغط".

نضحك جميعنا.

يسأل ألكس: "هل هناك أشخاص جدد؟".

أرفع يدي.

"كيف سمعت عنا؟".

"من الإنترنت".

تضج القاعة بموجة من الضّحك والقهقهة. أحب هذه القاعة.

يطلب إنغورن منا الدّوران في الغرفة وذكر أسمائنا ومهننا. ثم يضيف بأنه يتوجب علينا أن نرد على بعضنا بالضحك.

شخص أول: "أنا توم. أنا محاسب".

هناك بعض الضّحك.

شخص ثانٍ: "أنا ستيف. أنا مستشار".

مزيد من الضّحك.

شخص ثالث: "وأنا أيضاً ستيف".

ضحكات عالية.

وهناك محلل نفسي (استجابة جيدة)، سبَّاك (استجابة كبيرة)، ثم أنا.

"أنا أ. ج. وأنا كاتب".

ينفجر الجميع بالضحك لدى سماعهم ذلك، وتكون الاستجابة منافسة لاستجابتهم للسبّاك. أشعر هذه المرة بمشاعر مختلطة. ما المضحك في أن تكون كاتباً؟ هل هذه المهنة مضحكة بقدر مهنة السّباكة التي تهتم بفتح المراحيض المسدودة؟ من النّاحية الفكرية، أعرف أن المجموعة تتبع الأوامر وحسب، لكن جزءاً دفيناً داخلي يجعلني أشعر بأنهم يسخرون مني. كاتب؟! في هذه الأيام وهذا العمر؟ حان الوقت لتغيير سيرتك المهنية يا عزيزي.

يقدِّم إنغورن للقادمين الجدد لمحة موجزة عن نوادي الضّحك. بدأت الحركة بواسطة طبيب هندي يُدعى مادان كاتاريا في منتصف التّسعينيات. ولم يمضِ وقت طويل حتى انتشرت في أماكن مختلفة من العالم، حيث بلغ عدد النّوادي - بحسب التّقارير - نحو 6,000 نادٍ في 60 بلداً. (توجد صورة في الزّاوية تُظهر حشداً قياسياً مكوناً من 10,000 شخص في كوبنهاجن يضحكون في إحدى السّاحات في يوم الضّحك العالمي، الذي يأتي في أول أحد من أيار).

نحن لا نسرد النّكات، يقول إنغورن، لأن المرح ذاتي. نحن نضحك فقط.

"إننا نحب أن نقول، قلِّدها حتى تفعلها. أجبرْ نفسك على الضّحك في البداية، وفي النّهاية ستبدأ بالضحك بصدق".

يقـول إنغـورن إن المنافـع الصّحيـة كبيـرة. حيث يخفض الضّحك مستوى هرمون التّوتر الكورتيزول بنسبة 26 بالمائة. وتشير دراسة إلى أن العلاج بالضحك ساعد أشخاصاً أُصيبوا بنوبات قلبية على التّحسن بسرعة أكبر بنسبة 40 بالمائة. كما أنه تمرين جيد أيضاً، فالضحك يعادل التّجذيف في كميـة الوحدات الحرارية التي يحرقها في السّاعة.

لم أرغب في قول ذلك، لكن إنغورن بالغ قليلاً في هذه المسألة. لقد أظهرت الدّراسات بالفعل أن الضّحك يخفض مسـتويات التّوتر، ولكن مـاذا عن الضّحك المزيف؟ لا توجد أي دراسات جادة حول هذا الأمر.

يكفي إحماء. حـان الوقت ليوغا الضّحـك. في الواقع، ليس هنـاك الكثير من اليوغا، بل بضع حركات تمطط فقط.

تشبه يوغا الضّحك حفلـة كوكتيل، حيـث تتجول فـي أرجاء الغرفة وتتبادل العبارات المرحة مـع الضّيوف الآخريـن. الفرق الوحيد هو أنه ليـس هناك كوكتيل ولا عبارات مضحكة، بل مجرد ضحك.

وللحفـاظ على المتعـة، نضحك بطرق متنوعـة. نجرِّب نحو عشـر ضحكات مختلفة على امتداد السّاعة، ومن دون ترتيب معين:

- ضحكة "أوه، لقد أوقعت الزّهرية". وهنا نقلِّد إسقاط زهرية ثم نرفع أكتافنا ونضحك.

- ضحكة "أنا متأخـر". نقلِّد أننا نشير إلى سـاعاتنا ونرفـع أكتافنا ثـم نطلق ضحكة لا مبالية.

- الضحكة المدوية.

- ضحكة الاستهجان.

- ضحكـة "لا، لا، لا". وهنا نلـوِّح بإصبعنا ونحتج بالضحك على إساءة متخيَّلة.

- ضحكة العقاب. "تشعرون أحياناً في الحياة بأنكم مثـل تمثال ضخم. وفي أحيان أخرى تشعرون مثل حمامة تبحث عن تمثال لتجثم فوقه. ونحن سنكون الحمامـة". نرفرف بأذرعنا ونقول بوق، بـوق، بـوق، ثـم نقرفص لفتـرة قصيرة ثم

140

نضحك.

أنا أقلِّد الضّحك، ولا أضحك. أرغم نفسي على إصدار أصوات ضحك كي لا أبدو مثل شخص عكر المزاج. لكنني أختبر غالباً خليطاً من المشاعر: الذّهول من تطور هذا الضّحك المزيف إلى إشارة للفرح، ممزوج مع الإحراج للقيام بهذه الحركات؛ بالرغم من أن الآخرين يقومون بها أيضاً، والغيرة من مهارة بعض الأشخاص في الضّحك، مثل المحلل النّفسي الذي يملك ضحكة رخيمة رائعة، وأحد السّتيفيْن، الذي يهتز جسده بالكامل من الضّحك.

يمدحهما الجميع قائلين: "ضحكة جيدة".

ومعظم الضّحكات تخفت ببطء عند نهاية كل تمرين - يدوم كل تمرين دقيقتين - باستثناء الفتاة ذات الشّعر الأحمر والجاربين الضّيِّقين، إذ إنها تستطيع إيقافها بشكل مفاجئ. وانضباطها هذا ينرفزني.

عند نهاية كل جولة نردد الألفاظ التّالية: "هو، هو، هو، ها، ها، ها!".

خلال التّمرين التّالي، نقلِّد أننا نصبُّ ماءً في كأس فارغة ونضحك. إنني أضحك وجهاً لوجه مع امرأة ستّينية ترتدي بيجامة رياضية بنفسجية، فإذا بها تنحني نحوي وتقول: "تبدو وكأنك تتثاءب أكثر مما تضحك". أو هذا ما أعتقد أنها قالته، بسبب الضّجيج المحيط بنا. لكنني أعتقد أنها تنتقد ضحكتي التي لا تنسجم مع معايير نادي الضّحك.

أطبق فمي بانزعاج. وأنا أيضاً لا أحب تقنيتها، بصراحة. فيها الكثير من المبالغة. إنها تحرِّك حاجبيها ويديها كثيراً.

"هو، هو، هو، ها، ها، ها!".

يقول إنغورن: "قال وودي النّ، أشعر بالامتنان للضحك، إلا عندما يخرج الحليب من أنفي".

لم يضحك أحد. شعرت بالأسى على إنغورن، ولهذا زيَّفت ضحكة خشنة.

والآن، ضحكة السّومو. نضع كلنا أيدينا على أفخاذنا ونمشي بخطوات ثقيلة في أرجاء الغرفة، ضاحكين. في هذه المرحلة، تخطر لي فكرة. ماذا لو جاء إلى الغرفة مصارع سومو حقيقي يزن 200 كلغ، مرتدياً حفّاضه ومدهوناً بالزيت،

وبدأ برمينا جميعاً نحو الجدران؟ إنها ليست فكرة مضحكة تماماً، بل عنيفة بعض الشّيء، في الواقع. ولكن، لا بد أنها كسرت التّوتر داخلي. لأنني ضحكت حقاً.

تلاحظني روائية شابة وأنا أضحك فتبدأ بالضحك بدورها، فأضحك بقوة أكبر. ننظر إلى بعضنا، فأنفجر في نوبة ضحك من النّوع الذي يضغط على المثانة، كما كنت أفعل في اجتماعات المدرسة الثّانوية في أثناء إنشاد أغنية ما مثلاً، والتي كنت أحاول كبتها بواسطة التّفكير في جنازة جدّيَّ أو موتي أنا شخصياً في نهاية المطاف. لكنني لست بحاجة إلى كبتها هنا.

هو، هو، هو، ها، ها، ها!

يُنهي إنغورن الدّرس قائلاً: "إن الغاية من الضّحك هي السّلام العالمي. أعرف أن هذا مبتذل. لكننا نعتقد أنكم إذا كنتم تضحكون فلا يمكن أن تكونوا غاضبين. وإذا ضحك الجميع، فسيكفّوا عن كونهم شديدي الغضب. لذا، دعونا نأخذ دقيقة صمت ونتأمّل ونفكر فقط في السّلام العالمي". أغمض عيني. يطلق أحدهم ضحكة خافتة.

أمشي إلى البيت شاعراً بشيء من الفرح، والراحة أيضاً لأنني لست مضطراً للضحك بأمْر من أحد.

تصل جولي إلى البيت بعدي بقليل. كانت تشاهد مسرحية تُدعى فتيان سكوتسبورو مع صديقة.

أسألها: "كيف كان العرض؟".

"أعجبني فعلاً".

"أجل، سمعت أنها تحوي ملاحظات جيدة".

ملاحظات جيدة! من يتحدث كذلك الآن؟ بدوت مثل شخصية في إحدى قصص دامون رانيون. أتساءل في داخلي من أين أتت هذه العبارة.

لكن جولي، ليباركها الله، لن تدع هذا الأمر يمرّ ببساطة.

تقول ضاحكةً: "أجل، إنها تحوي ملاحظات جيدة. كان وكلاء الصّحافة سعداء جداً".

والآن أنا أضحك أيضاً. ليست ضحكة مدوية أو ضحكة سومو، لكنها

ضحكة جيدة. لا أحد يضحكني مثل جولي، بمن فيهم إنغورن نفسه.

تفكير عجيب

هنالك مقولة رائعة قرأتها ذات مرة، لكنني لا أعرف من قالها، بالرغم من البحث الواسع في غوغل. إنها لشخص مشهور سُئل بعد نزوله من الطّائرة: "كيف كانت رحلتك؟". فأجاب: "مريعة. كنت قلقاً طوال الوقت، والآن أنا منهك من الحفاظ على الطّائرة اللّعينة في الجو".

هذا ما أشعر به في معظم الأوقات. أنا أحد أسياد التّفكير العجيب.

إليكم صورة عن شعوري العام: إذا قلقت لفترة طويلة وبشدة كافية حول س، فإن س لن يحدث. وإذا لم أقلق، أي إذا أمضيت وقتي في قراءة مجلة سكاي - مول والضحك في أثناء مشاهدة أحد أفلام نيكولاس كيج، فسأُعاقَب على لا مبالاتي. وكذلك جميع من في الرّحلة. ولهذا، فإن من واجبي أن أقلق.

لكي تنخرطوا في التّفكير العجيب، أعتقد أنه يتوجب عليكم أن تفكروا في أي سيناريو مرعب محتمل.

قد يستهلك هذا الطّقس الكثير من الوقت. في ليلة سابقة، ذهبت جولي إلى السّينما مع أمها. وبعد ثلاث ساعات، لم تأت إلى المنزل. مرّت ثلاث ساعات وعشرون دقيقة؛ الشيء نفسه. اتصلت بهاتفها الخلوي. لا أحد يجيب. بحثت عن مدة الفيلم فعرفت أنه يدوم ساعة وعشرين دقيقة فقط. هذا وقت العمل.

لعلها قُتلت.

لعلها أُصيبت بجلطة.

ربما وقع هجوم إرهابي بيولوجي على السّينما.

ينبغي عليكم أن تكونوا شاملين وتغطّوا حتى السّيناريوهات الأبعد احتمالاً.

لعلها قابلت شخصاً آخر، ربما صديقاً قديماً؛ لقد خرجت في مواعيد عمياء كثيرة في تلك الأيام.

اختنقت في أثناء تناولها سكاكر تويزلرز.

سقطت من الطّابق الثّاني.

بحثت في الإنترنت عن قصص الجرائم في نيويورك فلم أجد شيئاً عن جولي أو انفجار غاز أعصاب في مجمع لويس السّينمائي.

أخيراً، بعد ثلاث ساعات وأربعين دقيقة، أسمع صوت قفل الباب يطقطق. أشعر براحة غامرة. ولكن، يرافقها شعور بالانتصار أيضاً لأنني أوصلتها إلى البيت سالمة. الحمد لله.

يتبيَّن أن نجمة الفيلم – جولييت ليويس – جاءت بشكل غير متوقع عند نهاية الفيلم كي تتناقش مع الحضور. نوع من حملة تسويق دعائية. هذا هو سبب التّأخير.

أعرف أن مخاوفي لم تكن منطقية وصحية. إنه تفكير نتن، كما يقول الخبراء. لكن عقلي، ببساطة، يستمتع بهذا النّوع من التّفكير ولن يتخلى عنه.

منذ أسبوعين، تلقيت مساعدةً من قارئة تُدعى بيلا من بورتلاند. بعثت لي رسالة إلكترونية تقول فيها إنها قرأت مقالة كتبتُها في مجلة إسكواير حول استخدام مصادر خارجية لمساعدتي في إدارة حياتي. كنت قد استخدمت فريقاً من الأشخاص في بانغالور الهندية كي يجيبوا على هواتفي ويردوا على رسائلي الإلكترونية.

كتبت بيلا: "كنت أتساءل إذا كان باستطاعتي نقل بعض دواعي قلقي إليك. كما ترى، أنا طالبة سنة أخيرة في الثّانوية، وأعمل على ملء طلبات الانتساب إلى الجامعات. إنني مجهدة بخصوص التّفكير في أي جامعة سألتحق، وكمية المساعدة المالية التي سأتلقاها. وأنا أسألك لأنك قلت إنه من المريح أن تملك شخصاً يقلق عنك. والآن، ليست لديّ أي نقود لأدفعها لك مقابل مخاوفي، ولكن ربما يمكننا أن نتقايض. بوسعي أن أقلق بخصوص شيء ما عنك، وأن تقلق أنت بخصوص الجامعة عني. وأنا جيدة في القلق! جيدة جداً...".

ستقلق عني؟ هذه فكرة جيدة. أجبتها برسالة تتضمن موافقتي.

في اليوم التّالي، قلقت بدلاً عنها بخصوص الشّخص المسؤول عن طلبات الانتساب في جامعة فاسار؛ إحدى الجامعات التي تقدّمت إليها. ماذا لو كان قد أكل ساندويتش سَلَطة دجاج فاسدة قبل قراءة طلبها؟ ماذا لو تشاجر مع زوجته؟

هذه الأشياء مزاجية جداً.

بعثت لي رسالة تقول فيها إنها كانت قلقة بخصوص الموعد النّهائي لكتابي المتعلق بموضوع الصّحة.

"قلقت اليوم بشأن مدة شباط؛ في ما يتعلق بعدد الأيام التي تملكها. لكنني تذكرت أن آذار وكانون الثّاني يملكان يوماً إضافياً؛ الأمر الذي يعوِّض عن نقص شباط، وهذا هدَّأني قليلاً".

إنه تمرين سخيف. ولكن، أتعلمون؟ إنه فعّال أيضاً. كل مرة كنت أبدأ فيها بالقلق من الموعد النّهائي، كنت أذكِّر نفسي بأن بيلا تهتم بهذه المسألة. وقد أخبرتني بيلا أن العملية نافعة بالنسبة إليها أيضاً.

إنها الجوانب الإيجابية للقلق، ولكن من دون الكلفة العاطفية المنهكة للروح. وأنا أنصح به بشدة. سألتني جولي إن كنت قلقاً بشأن ما إذا كانت بيلا تغش ولا تقلق عني. لذا، قد أضطر لاستخدام شخص آخر للقلق بخصوص هذا.

شعر الكلب

يوجد قانون في نيويورك يمنع البالغين من دخول باحة لعب للأطفال مالم يكونوا برفقة طفل. لا يمكن لرجل ناضج أن يدخل ويتسكع بالقرب من إحدى أدوات اللّعب وحده.

من حسن حظي، لا يوجد مثل هذا القانون بالنسبة إلى حدائق الكلاب. لستَ بحاجة إلى كلب كي تتسكع في حديقة للكلاب. ولهذا السّبب أقصد ملعب الكلاب هذا - الذي يبعد شارعين فقط عن شقتنا - كل يوم. وأنا أمضي الوقت هنا لأن مداعبة الكلاب صحية، حيث تُظهر عدة دراسات أنها تخفض ضغط الدّم ومستويات التّوتر.

أرى رجلاً عجوزاً - ربما في العقد السابع - جالساً على المقعد مرتدياً قبعة كرة قاعدة مائلة نحو الأسفل، وكلبه يقفز تحته ويشم قدميه. أقترب منهما.

"هل تمانع إن داعبته؟".

يرفع الرّجل كتفيه ثم ينزلهما.

"ما اسم هذا الكلب اللّطيف؟"، أقول مداعباً رأس الكلب.

يجيب الرّجل: "اسمه لوجان".

"مرحباً لوجان! أتعرف؟ مداعبة الكلاب جيدة لقلبك. فهي تخفض ضغط دمك".

"هه، إنه عندي منذ ثلاث سنوات، وقد أجريت عملية قلب مفتوح السّنة الماضية ووضعوا لي خمس حلقات فاتحة".

"أوه، أنا آسف لسماع هذا".

لا أعرف ما يجب أن أقوله، لذا أستمر في مداعبة ظهر لوجان.

يقول العجوز: "إذاً، هل تقصد أنني لم أداعبه بما يكفي؟".

أرفع رأسي، فأجد أن الرّجل لا يبتسم.

"في الواقع، تخيَّل لو أنك لم تداعبه مطلقاً، لربما كنت ستضع عشر حلقات فاتحة".

"هممم. ربما".

لا أستطيع التّمييز إن كان الرّجل غاضباً أم لا. هل هو يوشك على حث لوجان للهجوم على رقبتي؟ أشعر بأن الوقت قد حان للمغادرة.

الأدلة قوية على أن الحيوانات الأليفة نافعة لصحة البشر. لقد وجدت دراسة لمايو كلينك أن الكوليسترول عند مالكي الكلاب أقل بنسبة هامة. كما خلصت دراسات أجراها معهد مينيسوتا للجلطات الدّماغية أن احتمال إصابة الأشخاص الذين يملكون قططة بنوبة قلبية كانت أقل بنسبة 30 بالمائة (مع أن احتمال انخراطهم في تجميع الألبومات أكبر بنسبة 30 بالمائة).

هناك الكثير من الأسباب المحتملة: التّلامس يخفض التّوتر عبر زيادة مستويات الأوكسيتوسين. وإذا كان لديكم حيوان أليف فإنكم ستكونون أكثر نشاطاً، وخاصة إذا كنتم ستضطرون للخروج كل صباح من أجل تنزيه الكلب. وخلال النّزهة، ستقابلون مالكي حيوانات آخرين، وتكوِّنون علاقات اجتماعية، وهذا أساسي للصحة الجيدة. وإضافة إلى كل ذلك، هناك منافع العلاقة العاطفية مع الحيوان نفسه.

كما هو الحال بالنسبة إلى كل شيء مفيد، هناك الجوانب السّلبية بالطبع. لقد حذّرت دراسة نشرتها مراكز التّحكم بالأمراض من أن النّوم مع الحيوانات الأليفة يمكن أن يؤدي إلى نشر التهاب الرّئة، وحمى الحكاك، والتهاب السّحايا، ومرض شاجاس، وحتى الطّاعون الدّبيلي.

بعد فشلي مع لوجان، قلّلت زياراتي لحديقة الكلاب. لا يمكنني التّطفُّل دائماً على الآخرين. نحن بحاجة إلى حيوان أليف خاص بنا. لكن المشكلة تكمن في أن جولي تعاني من الحساسية ولهذا فإن القططة والكلاب لن تنفع.

بدلاً من ذلك، نتفق على حيوان بلا فرو. سألت جاسبر عما يريده، فقال: حرباء. كان يحب فكرة تغيير الألوان. لكننا في النّهاية، اتفقنا على جلب حرباء (ليست حرباء تماماً) مبتدئة. إنها تُدعى سحلية أنولي. وهي تملك لونين فقط في لوحة ألوانها: الأخضر والبني. أطلق عليها جاسبر اسم براوني، مع اسم أوسط نادراً ما يُستخدَم، هو جرييني.

لا تملك براوني شخصية جذابة ومميزة، لكنني أحب منظر جاسبر عندما تجري براوني متسلقة رقبته وتدخل بين شعره. إنه مزيج رائع من المرح والرقة والقرف.

تدليك مريح

غالباً ما أجد نفسي أدندن أغنية مونتي بايثون "دائماً انظرْ إلى الجانب المشرق من الحياة".

إنها الأغنية التي يؤديها إيريك آيدل في نهاية فيلم حياة برايان.

جميع الكتب التي تتناول موضوع التّوتر تقول لي الشّيء ذاته جوهرياً: انظرْ إلى الجانب المشرق. أو أعدْ الصّياغة، بحسب العبارة التي تُستخدَم. أجل، أنت موجود على الخط البطيء في المتجر. ولكن، فكّر في كل المرات التي كنت فيها على الخط السّريع ولم تنتبه لذلك.

ثمة حدود لإعادة الصّياغة، ومنها أن تكون محكوماً بالإعدام، مثلاً. ولكن، حتى في هذه الحالة يمكن استخدامها، كأن تكون في انتظار الحكم.

كنت في المطار مسافراً إلى سيوكس فولز في رحلة عمل. مشيت عبر جهاز الكشف عن المعادن فلم يصدر أي صوت أو يشتعل أي ضوء متوهج. ومع ذلك، قال لي موظف إدارة سلامة النّقل ذو الكرش الضخمة: "يجب أن أفحصك".

هههم.

"هل يمكنك أن تبسط ذراعيك؟".

من شدة انزعاجي، رفضت النّظر إلى وجهه. لن أمنحه تلك المتعة. حدَّقت من فوق كتفه وزممت شفتيّ. ربَّت بيديه على كتفيَّ ثم على جانبي جسدي.

كنت أشتعل بالطاقة السّلبية. ولكن، من أجل ماذا؟ بينما كان الرّجل يفتشني، فكَّرت بيني وبين نفسي: إنني أنفق الكثير من طاقة ذهني في الغضب. هل ثمة ضير كبير في أن أدع هذا الرّجل يلمسني؟ هل يؤذيني؟ إنه يؤدي عمله فقط. في الواقع، ألا تُظهر بعض الدّراسات أن اللّمسات الإنسانية صحية؟ إنها تخفض الكوليسترول.

ماذا لو اعتبرت هذا تدليكاً مجانياً؟ إنه لأمر مريح أنه يربت على كتفيّ. في النّهاية، ربَّت الرّجل بودّية على ظهري، إشارةً إلى إمكانية ذهابي.

قلت له: "شكراً". قد لا يكون التّدليك الموصى به من قبل حكومتي قد خفَّض ضغط دمي، لكنه ربما لم يرفعه أيضاً.

رموز مذكِّرة بالموت

إن أقصى درجات إعادة الصّياغة، برأيي، تذكير نفسك بأنك ستموت في يوم ما ليس ببعيد، وعندئذ لن تكون سافلاً تافهاً. لقد برع رسّامو عصر النّهضة في رسم مذكِّرات الموت هذه، فزرعوا جماجم صغيرة في زوايا لوحاتهم كرموز لحياتنا الزّائلة.

وبما أنني معجب منذ وقت طويل بفكرة الأشياء التي تذكِّر بالموت، قررت قبل بضع سنوات أن أحصل على واقية شاشة لحاسوبي المحمول تذكِّرني بالموت، ونزَّلت من الإنترنت صورة جمجمة بيضاء. ولكن، كلما كنت أفتح حاسوبي، كنت أجدها ترتعش بطريقة مخيفة. لماذا يجب أن يكون الموت الوشيك

مرعباً؟ ولهذا السّبب، انتقيت من الإنترنت صورة جمجمة مبتسمة متعددة الألوان مرسومة بطريقة الرّسوم الكرتونية.

لقد لعبت دوراً جيداً في تهدئتي خلال السّنوات القليلة الماضية. على الأقل حتى وقت قريب، حين بدأت بإعطاء تأثير معاكس.

خذوا أزمتي التّافهة الأخيرة: أجريت مقابلة لصالح مجلة إسكواير مع الممثلة الكولومبية الجميلة صوفيا فيرغارا التي تلعب دور الزّوجة الشّابة ذات اللّكنة الأجنبية الواضحة في مسلسل عائلة عصرية. تناولنا القهوة وتبادلنا الحديث بسرور. هذا ليس الجزء المزعج. خلال المقابلة، تحدثت صوفيا عن غرابة شكل نساء هوليوود بعد إجرائهن الكثير من عمليات التّجميل. وقالت في هذا السّياق إن عظمتي وجنتي مادونا "تحملانها على الجنون". وقد بدا لي هذا الوصف طريفاً، وملائماً لشخصية مادونا، فوضعته في المقالة.

صدرت المقالة اليوم. والآن تدَّعي مواقع الإشاعات على الإنترنت أن صوفيا صرَّحت بوجود عداوة بينها وبين مادونا. ولهذا السّبب، يهاجمها معجبو مادونا بسيل من البريد الإلكتروني الغاضب. فماذا فَعَلَتْ؟ قالت إن المراسل (أنا) اختلق الاقتباس. والآن، إنني أتلقّى اتصالات من برنامج إنترتينمنت تونايت حول النّزاع ودوري فيه.

إنني غاضب. أقول لجولي: "لا أستطيع التّصديق بأنها تدَّعي أنني اختلقته! إنه مسجَّل على الشّريط. لماذا سأختلقه؟ لماذا أفعل ذلك؟".

تقول جولي: "ولماذا تكترث؟ إنه أمر تافه، وسيزول في يوم واحد".

"لا. أنت لا تفهمين. الإنترنت يبقى إلى الأبد. لن أزول أبداً".

أذهب إلى مكتبي وأنظر إلى جمجمتي المبتسمة فأهدأ قليلاً، ولكن ليس تماماً. لأن الإنترنت هو الشّيء الوحيد الذي يمكن أن يبقى إلى الأبد.

الإدارة

من أشد الجوانب إثارة للتوتر في حياتي قلة الوقت في يومي. والبقاء في صحة ممتازة عمل بدوام كامل. إليكم لائحة جزئية بما يتوجب عليّ فعله كل يوم:

- تمطُّط: (10 دقائق).
- تأمُّل: (20 دقيقة).
- مضغ: (10 دقائق).
- همهمة: (3 دقائق).
- تنظيف الأسنان بالفرشاة: (4 دقائق).
- تنظيف الأسنان بالخيط: (دقيقتان).
- كتابة مفكرة غذائية: (5 دقائق).
- وضع مرطِّب: (دقيقة).
- تمرين هوائي: (45 دقيقة).
- تمرين لا هوائي: (20 دقيقة).
- قراءة قبل النّوم: (10 دقائق).
- تمارين الرّقبة (تقول الطّبيبة والمؤلفة نانسي سيندرمان إننا يجب أن نحرك رأسنا من جانب إلى آخر خمس مرات في اليوم لمنع ألم الرّقبة): (دقيقتان).
- تهوئة الشّقة: (دقيقتان).
- مسح الأسطح المليئة بالجراثيم مثل جهاز التّحكم والهاتف الخلوي...إلخ: (5 دقائق).
- حل كلمات متقاطعة وتمارين ذهنية أخرى: (20 دقيقة).
- صعود السّلالم بدلاً من المصاعد الكهربائية: (دقيقتان).
- المشي بدلاً من استخدام الباص أو التّكسي: (20 دقيقة).
- طهو الخضار بالبخار: (20 دقيقة).
- شوي السّلمون: (20 دقيقة).
- إعداد السَّلَطة: (20 دقيقة).
- وضع/نزع سمّاعتي الأذنين بشكل متكرر: (دقيقة).
- تمضية الوقت في التّعاملات الاجتماعية: (ساعة).
- فرك الخضار لإزالة البقايا البكتيرية والكيماوية: (3 دقائق).
- تناول المكمِّلات، مثل زيت السّمك الغني بأوميغا - 3، وفيتامين B 12، والأنزيم

المساعد Q 10: (3 دقائق).

- إبداء الاحترام لذاتي الكهلة: (دقيقة).
- مداعبة الكلاب: (5 دقائق).
- إعادة ملء مطهِّر المياه: (دقيقة).
- الجنس (ليس كل يوم، ومقدار الزّمن المصروف سرّي، بأمر من جولي).
- تفحُّص عداد المشي (3 دقائق).
- كتابة لائحة بالأشياء التي أشعر بالامتنان لوجودها: (3 دقائق).
- معالجة بالضوء فوق البنفسجي لمنع الإصابة بالاكتئاب الشّتوي: (15 دقيقة).
- شرب كأس من الشّراب (10 دقائق).

كان نقص الوقت هذا السّبب الذي جعلني أشعر بالإثارة عند قراءة موضوع حول تيار جديد يتعلق باللياقة: التّمرين النّشيط - الفعال. عشرون دقيقة في الأسبوع. ليس عشرين دقيقة في اليوم. عشرون دقيقة في الأسبوع.

في يوم ثلاثاء، أستقل الباص متجهاً إلى نادٍ يُدعى إنفورم فيتنس، المكان الذي يجري فيه أسرع تمرين في البلاد. يقع النّادي في الطّابق الثّاني من بناء في وسط مانهاتن، مكان كان في السّابق يشغله متجر لبيع البذلات الرّسمية للرجال. عندما أفتح الباب الخشبي الثّقيل، أجد أكثر النّوادي التي قصدتها هدوءاً. ليست هناك موسيقى صاخبة لليدي غاغا، ولا أشخاص يرتدون ألبسة مصنوعة من قماش اللّيكرا ويخبطون بأقدامهم على أجهزة جري تدور مصدرة طنيناً مزعجاً. ولا قرقعة قضيب رفع الأثقال. إنه أشبه بتمرين في مكان لممارسة اليوغا.

توجد في الصّالة مجموعة أجهزة بيضاء لامعة لرفع الأثقال. وهناك ثلاثة زبائن آخرين يتمرنون. لكنني لا أجد قطرة عرق واحدة على وجوههم. هناك رجل أعمال أشيب الشّعر يقوم بتمرين الكتف مرتدياً قميص أوكسفورد، وربطة عنقه متدلية فوق كتفه. هذا هو النّادي الذي أفضِّله.

يُدعى مالك النّادي آدم زيكرمان، وهو بائع أجهزة طبية سابق عريض المنكبين وحامل شهادة ماجيستير في علم الوراثة.

إليكـم نظريتـه باختصـار: إذا أردت أن تكون فـي لياقـة بدنية جيدة فإن السّـر يكمن في إرهـاق عضلاتك. اتباع التّماريـن القلبية إحدى الوسـائل التي تحقق هذا الهدف، إذ يمكنك إرهاق سـاقيك بواسـطة الجري لمسـافة ثلاثة أميـال. لكن هذا ليـس كافياً، إضافـة إلى وجـود مخاطر (مثل مشـاكل الرّكبـة). إذاً، ما هـي الطّريقة المثلى؟ رفـع أوزان ثقيلة ببطء شـديد لمدة دقيقتين فـي كل مرة، لمـرة واحدة في الأسبوع. ستحافظ على لياقتك، وتشد عضلاتك، وتفقد بعض الوزن أيضاً.

إنها فكـرة مروِّعـة، لكنني لـن أرفضهـا مباشـرةً. يوجد علـى الأقـل 50 نادياً مختصاً بالتمارين السّوبر بطيئة في أميركا، تساندها مجموعة من الأكاديميين.

أقابل آدم في مكتبـه ونتحدث حول اللّياقـة البدنية تحت أنظـار صورة مؤطرة لألبـرت أينشـتاين. يعجبنـي آدم، لحماسـته أولاً، وكذلك بسـبب ميله لاسـتخدام عبارات قاطعة؛ تنفع دائماً مع الصّحفيين.

إن التّمارين التّقليدية السّـائدة، بالنسـبة إليه، مضلِّلة. وهي تسـتند إلى خرافة، وتقاليـد بائدة، وعلـم مزيـف. ويعتقد أن جيـن فوندا واحـدة من أكبر الأشـرار في زمننا، ولكن ليس بسـبب دعمها لفيتنام الشّـمالية. "عندما ننظر إلى الماضي، أعتقد أننا سـندرك أن جين فونـدا وأمثالها هم الأشـخاص الذيـن خرَّبوا ركبتـيْ أميركا"، يضحك، مدركاً أنه يبدو متطرفاً.

لكنه يواصل قائلاً: "لماذا ستنفق 6-12 سـاعة على التّمارين القلبية، في حين يمكنك الوصول إلى النّتيجة نفسها في عشرين دقيقة مرة في الأسبوع؟".

إن المدافعيـن عـن التّماريـن القلبيـة يشـبهون أولئـك الذيـن اعترضـوا على استخدام التّكنولوجيا في القرن التّاسع عشر. "ذلك يشبه القول إن الطّريقة الوحيدة لطباعة رسـالة هي باسـتخدام آلـة كاتبة. يمكنـك أن تقـول مؤيداً، عندمـا كنت في الجامعة، اسـتخدمت الآلة الكاتبة ولم أجد أي مشـاكل. أجل، إنهـا تفي بالغرض. ولكن، لماذا تستخدمها إذا كنت تملك معالج نصوص؟".

افتتح آدم ناديه في لونغ آيلاند في العام 1997، وحصل على شـهرة كبيرة على مرّ السّـنوات. ألّـف كتاباً بعنوان قوة الـ 10 تصدَّر لائحة أفضل الكتب مبيعاً بحسب صحيفة نيويـورك تايمـز. كُتب عنه فـي مجلة جي كيو وصحيفـة نيويـورك تايمز،

واستُضيف في برنامج 48 ساعة. يتحدث تيم فيريس حول التّمرين البطيء في كتابه جسد في أربع ساعات.

لدى الحديث مع آدم، يمكنني معرفة السّبب. لا يمكنك إلا أن تشعر بالإعجاب. إنه يملك جاذبية واعظ. يحدثني عن تعظيم دورة كريبس وكيف تطلق التّمارين الهوائية الجذور الحرة الخطرة. يقف خلف طاولة مكتبه وينفض ذراعه في الهواء لإيضاح فكرته.

"أعتقد أنني بالغت بما يكفي. حان وقت التّمرين".

نذهب إلى صالة التّمرين. أجلس على آلة أثقال لمد السّاقين. لن نحتاج إلى ثلاث مجموعات تقليدية. مكونة من 15 تكراراً لكل مجموعة. يمكننا القيام بذلك بتمرين واحد. سأقوم ببساطة برفع وزن 40 كغ إلى أن أفقد القدرة على حمله.

"عشر ثوانٍ إلى الأعلى، عشر ثوان إلى الأسفل، ثم كرِّر. هدفك إنهاك العضلة. ستنتهي من هذه الآلة المجنونة خلال دقيقة ونصف".

أضغط على لوح القدم بحذائي الرّياضي.

يقول آدم: "أبطئ قليلاً".

أخفض السّرعة إلى سرعة رجل في الثّمانين من عمره، سرعة كيانو رييفز وهو يقوم بأداء حركات كونغ فو في فيلم ماتريكس.

"ممتاز".

إنني أضغط بقوة. من دون استخدام العزم، الأوزان تنهك ساقيَّ. أنظر إلى آدم فيقول: "لا تنظر إليّ بحثاً عن الشّفقة". يتوقف قليلاً ثم يضيف ساخراً: "مامي، إنها مؤلمة!".

لكن الأمر مؤلم بالفعل. أكشِّر ألماً وأستمر في الدّفع. تبدأ ساقي بالارتعاش. وأخيراً، يعدّ آدم 5-4-3-2-1... بوسعي الآن ترك الأوزان.

"شكراً لك على هذا". لقد وصلت إلى حدّ الإنهاك. "الإنهاك مفيد".

أقوم بخمسة تمارين منهكة أخرى - منها الكتفان، والعضلات ثنائية الرّأس، والصدر - ثم أودِّع آدم حتى الأسبوع القادم.

عندما أصل إلى البيت، أتفاخر أمام جولي بأنني أنجزت منذ قليل تمريني عن

الأسبوع كله. وأنصحها بأن تجرِّبه بدلاً من التّعرُّق كل يوم في النّادي.

"تقصد أن ما أفعله سيئ؟".

"في الواقع، ربما ليس كافياً. ويؤذي مفاصلك".

توقَّعت ألا تكترث، أو أن توافق على تجربة إنفورم فيتنس، لكنها غضبت. إن التّهجم على تمرينها يماثل الإساءة إلى عائلتها أو إلى روايات فيليبا جريجوري التي تحبّها.

"تجد دراسة واحدة تقول إن التّمرين الهوائي سيئ، وتلتزم بهذه الدّراسة الوحيدة!".

عندما غادرت جولي الغرفة، سمعت ارتجاف الطّاولة الزّجاجية. إنها تخبط الأرض خبطاً عندما تكون غاضبة.

بعد بضعة أيام، وجدت أن جولي محقة. يجب عليّ الاستمرار في التّمارين القلبية.

أولاً، بصراحة، إن التّمرين مرة في الأسبوع يتعارض مع مشروعي. سيبدو ذلك وكأنني أغش، مثل تسلّق جبل أفرست بمصعد. يذكِّرني هذا بما قاله آدم عندما أشرت عليه بأنه يجب أن يكون مستشاراً في برنامج الخاسر الأكبر. "إنه ليس جيداً للتلفزيون. عشرون دقيقة. جيد، نلقاكم في الأسبوع المقبل".

ثانياً، إن التّمرين البطيء ليس مسنوداً بأدلة علمية كافية، على الأقل ليس بعد. قد يتبيَّن لاحقاً أنه صحيح. لكنه يحتاج إلى المزيد من الدّراسة. آمل أن ينجح، فأنا من مؤيدي الطّرق المختصرة دائماً.

صداقة خالية من التّوتر

تقول جولي: "سأخرج مع أليسون كي أُفرِّج عنها".

أليسون امرأة لطيفة. إنها واحدة من أفضل صديقات زوجتي منذ الصّف الثّاني الابتدائي. لقد جمعهما حبهما المشترك لمسرحية جوزيف ومعطف الأحلام الملون بالتكنيكولور. لكن أليسون تعاني منذ فترة طويلة، فقد توفي شريكها منذ سبع سنوات ولم تواعد أحداً بعده. وبعد ذلك ماتت قطتها. ثم ماتت قطة ثانية لها.

"سنتناول الغداء عند السّادسة والنصف".

"هذا جيد".

"هل تريد أن تأتي؟".

أصمت قليلاً قبل أن أجيب: "قد لا يكون هذا صحياً بالنسبة إليّ".

إنها معضلة: الخروج مع مجموعة من الأصدقاء المقرَّبين أمر صحي. ولكن، أي نوع من الأصدقاء؟ كي يكون هذا صحياً حقاً، تشير بعض الدّراسات إلى ضرورة أن يكون الأصدقاء أصحاء وسعداء. إن لدائرتك الاجتماعية تأثيراً هائلاً على سلوكك.

البدانة، على سبيل المثال، معدية اجتماعياً، بحسب بعض العلماء. فقد خلصت دراسة نشرتها مجلة الطّب في نيو إنجلاند إلى أن احتمالات أن يُصبح شخص ما بديناً ازدادت بنسبة 57 بالمائة إن كان يملك صديقاً أصبح بديناً، و40 بالمائة إذا أصبح أحد إخوته بديناً، و37 بالمائة إذا أصبح الزّوج - أو الزّوجة - بديناً".

المذهل في الأمر أن هذه العلاقة كانت صحيحة حتى لو كان الأصدقاء أو أفراد العائلة على بعد مئات الأميال. كما أشارت الدّراسة ذاتها إلى أن فقدان الوزن معدٍ اجتماعياً أيضاً.

لا أعني أن أليسون بدينة، بل في الواقع إنها رشيقة. لكن الباحثيْن (نيكولاس كريستاكيس من هارفارد، وجيمس فاولر من جامعة كاليفورنيا - سان دييغو) وجدا أن السّعادة معدية بالطريقة نفسها. تنتشر السّعادة مثل فيروس حتى بين أشخاص لا يقعون ضمن دائرة الاتصال المباشر.

"إن سعادة شخص ما يتم التواصل معه اجتماعيًّا بشكل مباشر - صلة اجتماعية مباشرة - زادت من فرص شخص آخر بأن يصبح سعيداً بنسبة 15 بالمائة"، يقول فاولر. "وسعادة صلة اجتماعية من الدّرجة الثّانية زادت احتمال أن يصبح سعيداً بنسبة 10 بالمائة، وسعادة صلة من الدّرجة الثّالثة - أي صديقُ صديق الصّديق - زادت الفرص بنسبة 6 بالمائة".

لذا، ربما ينبغي عليّ عدم التّواصل اجتماعياً مع أي شخص حزين، أو ربما

يجب عليّ أن أقطع صلتي مع صديقي الذي يكره عمله، أو صديقتي التي هجرها زوجها من أجل عاملة مساعدة، أو أي شخص تكون نسبة طوله إلى وزنه أعلى من 30.

ربما ينبغي عليّ تجنّب تناول الغداء مع أليسون. هذا منطقي في عالم وحشي بارد العواطف، صحيح؟

لكـن، بالمقابـل، هـذا التّصرف سيجعلني أشعر بأنني وغـد. وبالقدر نفسه من الأهمية، عندما أكـون محبَطاً وبديناً – سأكون كذلك حتماً في وقت ما خلال السّنوات العشر القادمة – فإنني سـأحتاج إلى دعم أصدقائي جميعهم، بغض النّظر عن حجم خصر كلّ منهم، أو مستوى الإندروفين لديه.

لا أفصح عمـا أُفكّر فيـه لجولي التي تنظر إليّ الآن من فـوق الحافـة العليا لنظارتها.

"أجل. سآتي. أتلهف لذلك".

الفحص: الشّهر العاشر

الوزن: 71.5 كغ.

عدد زجاجات زيت بذور الكتان هذا الشّهر: 2.

الزيارات الإجمالية لمجمع هول فوودز هذا الشّهر: 8.

عدد دقائق مشاهدة التّلفزيون في اليوم: 60.

عدد دقائق مشاهدة التّلفزيون في اليوم وقوفاً: 30.

لا يزال مشروع الصّحة يفاجئني بنتائج غير مقصودة. مفاجأة هذا الشّهر: لقد بدأت بمشاهدة الرّياضات الاحترافية.

آخر مـرة أوليت فيهـا اهتمامـاً كبيراً للرياضة كانت في العـام 1977؛ أي في السّنة التي أخذني فيها أبي لمشـاهدة الجولة السّادسـة مـن البطولـة العالمية. لقد جعلنا نغادر في الشّـوط السّـابع كي نتفادى الازدحام. "ولكن، مـاذا لو حقق ريكي جاكسون ركضة ثالثة يا بابـا؟". "لا تقلق، لـن يفعـل". أما بالنسبة إلى الجانب

الإيجابي، فقد كان النّفق لنا وحدنا، في الواقع.

لكن الأمور تغيرت بالنسبة إليّ الآن. فأنا أريد أن أرى كيف يجري أماري ستاوديماير من فريق نيكس ويقفز. وأريد أن أدرس كيف يحرِّك روجر فيدير معصمه عند الإرسال.

هذا الاهتمام المتجدد يتناسب مع ولع أولادي الفطري بمراقبة رجال يقفزون ويرمون أجساماً معينة.

جلست مع جاسبر لمشاهدة فريق جيتس يلعب في النّهائيات. عندما كان الفريق يسجِّل هدفاً، كان جاسبر يضحك وكنت أضحك معه، كما رقصنا في أرجاء الغرفة منتشين بالانتصار، وصرخنا مثل ذئبين. أتذكَّر أنني قلت لنفسي حينئذ، يبدو أنني نسيت بهجات الحياة القَبَلية. لقد نسيت السّعادة الدّاخلية العميقة الناجمة عن الانتماء لمجموعة ما.

لكن، كما هو الحال بالنسبة إلى شيء أقوم به الآن، يبرز السّؤال ذاته: هل هذا صحي؟

ربما لا. لقد خلصت دراسة أُجريت على مشجِّعي كرة قدم ألمان إلى أن النّوبات القلبية ازدادت بنسبة 40 بالمائة خلال كأس العالم لأن التّوتر يكون في أشدِّه.

لكن دراسة أخرى، نُشرت في مجلة ارتفاع ضغط الدّم السّريري، تقول إن هذا يعتمد على الرّياضة التي تشاهدها. كرة القدم ترفع ضغط الدّم، لكن كرة القاعدة تخفضه.

هناك فائدة صحية أخرى لمشاهدة الألعاب الرّياضية: قد تكون مفيدة لدماغكم. ففي دراسة نُشرت في سجلات مؤتمر للأكاديمية الوطنية للعلوم في العام 2008، قال العالم النّفسي سيان بيلوك إن التّفكير الفراغي والمهارات اللّغوية للمشاهدين تتحسن عندما يشاهدون الألعاب الرّياضية. الأمر الذي يقودني إلى...

Resource

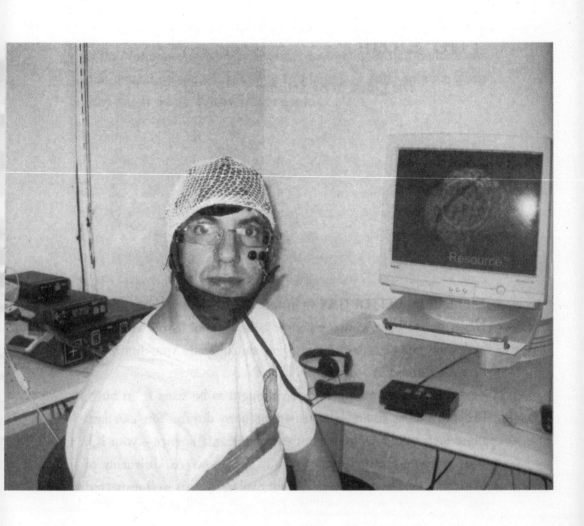

الفصل الحادي عشر

العقل

السعي لأصبح أكثر ذكاء

ليس هناك زمن فـي التّاريخ أفضل مـن الآن لكي تكون غبياً. لـم يحدث قبل الآن قطّ أن اعتقد عـدد كبير جداً من النّـاس بأنهم إذا عملوا بجـد وطبّقوا التّقنيات الصّحيحة، فإنهم يستطيعون رفع مستوى عقولهم ويصبحون غير أغبياء.

لعقود، كان يُعتقَد أن الـذّكاء يتحدد منذ الـولادة. إما تُولَد ذكيـاً أو تولد غبياً. يمكنك أن تحشـر المزيد من الوقائع في ذهنـك، لكن الذّكاء الأساسـي يبقى ثابتاً. والآن؟ وفقاً لما يقوله البروفيسـور في جامعة ميتشـغان ريتشـارد نيسـبت في كتابه المحترم الذّكاء وكيف تحصل عليه، نكتشـف الآن مدى مرونـة عقلنا. والمصطلح العلمي لهذه المقدرة هو المرونة العصبية (neuroplasticity).

إن الدّماغ يشـبه العضلة، بحسـب تشـبيه هذه الأيام. يمكنك زيادة قوته ومنعه من التّراخي بتقدم العمر. ويمكنك إحداث روابط جديدة، وشق ممرات جديدة بين خلايا دماغك العصبية البالغ عددها 100 مليار.

تكمن الطّريقة في إبقاء الدّماغ نشـيطاً ومُتحدّى: حلّ كلمات متقاطعة، احفظْ قصائـد، تعلَّمْ لغـات جديدة. مـارس التّأمل؛ لأنه يسـاعد علـى زيادة سـماكة لحاء الدّماغ. وتناول غذاء الدّمـاغ الصّحيح؛ أي الدّهـون النّافعة التـي نحصل عليها من الجـوز وزيت الزّيتـون، إضافة إلـى الأحمـاض الدّهنيـة أوميغـا - 3 الموجودة في السّـمك. بهذه الأسـاليب يمكنك تحسـين جميع مناطق الدّماغ: الذاكـرة، الإبداع،

الانتباه، والتفكير المنطقي.

إنها طريقة رائعة ومبهجة لرؤيـة العالم. وهي أميركية جداً أيضـاً. ليس الذّكاء مَلَكة أرسـتقراطية وراثية، يُحدِّد فيها كل دمـاغ من أدمغتنا ليكون إما أميـراً أو فقيراً منذ وجودنا في أرحام أمهاتنا، بـل إنه محصِّلة اجتهاد. اعملْ بجد وسـيكون لديك فصّان أماميّان ملكيّان.

ولكن، هل المرونة العصبية حقيقية؟ أم إنه تفكيـر حالم؟ يقول الخبراء الذين تحدثت إليهم إنها مزيج من الاثنين معاً.

من جهـة، نحـن مفتونون بفكرة تحسـين الـذّات (بمـن فيهم أنا؛ هـذا واضح بالطبع) لدرجة أننا نتحمّس لدراسـات واعدة ونحمِّلها ما لا قدرة لها على تحمُّله. لنأخذ ما يُدعى بتأثير موتزارت، على سبيل المثال.

في العام 1993، أجـرى ثلاثة بروفيسـورات في جامعـة كاليفورنيـا - إرفين دراسـة أظهـرت أن طلابـاً قدَّمـوا أداءً أفضـل نوعاً مـا في مسـائل حـول التّفكير الفراغي بعد الاسـتماع إلى موتزارت مباشـرةً. كانوا أفضل في التّعامل مع نماذج بصرية في أذهانهم. وقـد دام التّأثير عشـر دقائق. تأثير محدد، ومتوسـط الفعالية، وقصير الأمد.

وقبل ظهور الدّراسـة، نشـرت أسوشـييتد بـرس قصة تحمـل نظريـة محرَّفة: الاسـتماع إلى موتـزارت يجعلكـم أذكى. وجُـنَّ جنون وسـائل الإعـلام. وحلَّقت مبيعات أقراص موتـزارت المدمجة عاليـاً. كانت الأمهات الحوامـل يضعن أجهزة تشـغيل الأقراص على بطونهـن. وتلقَّـى العلماء المتفاجئـون تهديـدات بالقتل من معجبي موسيقى الرّوك.

لكن الدّراسـات اللاّحقة أظهرت إمـا تأثيراً ضئيلاً أو أن موتـزارت لم يكن له أي تأثير خاص. فالاستماع إلى أي موسيقى يحسِّن التّفكير الفراغي لفترة مؤقتة.

مع ذلك، إذا تحرَّيتم عن هذا الموضوع، فستجدون أن معظم العلماء يعتقدون أن بإمكاننا تحسين قدرات أدمغتنا؛ إلى درجة ما على الأقل.

هذه النّقطة جوهرية بالنسـبة إلى مشروعي الصّحي. إذا بسَّـطنا تعريف منظمة الصّحـة العالمية، فـإن الصّحة شـعور بالعافيـة الجسـدية والذهنيـة والعاطفية. لقد

تعاملت مع العاطفة في الشّهر الماضي. وبما أنني موجود الآن على هذا الجانب من الازدواجية الدّيكارتية، فإنني أتصور أنه يجب عليّ معالجة الشّق الذّهني.

بناءً على نصيحة من خبراء العقل، إنني أتبع لائحة تحوي أهم الأنشطة الذّهنية الموصَى بها:

- حلّ الكلمات المتقاطعة (أظهرت دراسة أن حل الكلمات المتقاطعة أخَّر الخرَف خمس سنوات). إنني أحل الكلمات المتقاطعة في جريدة نيويورك تايمز على حاسوبي كل صباح. وعندما ترمقني جولي بنظرة ثم تقول: "اعتقدت أنك مشغول جداً"، أجيبها: "إنه من أجل دماغي!".
- العبْ ألعاباً منطقية. لقد نصَّبت لعبة تحدي العقل - العلمية كما يُزعَم - في جهاز الآي - فون. وفيها شخصية كرتونية مفتولة العضلات ترتدي معطفاً مخبرياً أبيض تسخر منك إذا لم تحلّ المشكلات المنطقية بسرعة كافية. "ما خطبك اليوم؟ هذا ليس أنت". لقد حذفتها. لست بحاجة إلى شخصية كرتونية تسخر مني.

أفضِّل الألغاز المنطقية التي يخترعها ابني لوكاس. إنها نسخة خاصة به من لعبة "أي من هذه الأشياء لا ينتمي للمجموعة؟" لكن السّرّ فيها هو أن لوكاس يعطي خيارين فقط بدلاً من ثلاثة أو أربعة. حيث يسألني، مثلاً: "أي من هذه لا ينتمي: الكرسي أم البندورة؟" فأقول: "الكرسي؟" فيجيب: "لا، البندورة". إنها أكثر تعقيداً من أي أحجية زِنية (نسبة لطريقة زِن البوذية).

- حل مسائل رياضية. جرَّبت أحد الكتب الأكثر شهرة في هذا المجال، "درِّب عقلك"، للدكتور ريوتا كاواشيما. إنه يتضمّن عمليّة حل معادلات رياضيّة بسيطة كلّ ليلة. وهو يَعِدُ بأن "نقل الأوكسجين والدّم والأحماض الأمينيّة المتنوعة إلى اللّحاء الأمامي ينتج مزيداً من الخلايا والروابط العصبيّة، وهذا من خصائص العقل الصّحي". كانت المعادلات بسيطة جداً، حتى بالنّسبة إلى غبي في الرّياضيات مثلي، ومع ذلك أحسست أنني أنجزت شيئاً، وخاصة عندما انخفض زمني خمسين ثانية خلال ستة أسابيع. إضافة إلى ذلك، أحب أن أستنشق الهواء بصوتٍ عالٍ خلال أداء التّمارين، كما لو كنت أؤدي تمريناً لعضلات الظّهر. هذا يجعلني أشعر بالرجولة.

- احفظ قصائد شعرية. في كتابه الرّائع الدماغ الذي يغيرّ نفسه، يؤكد نورمان دويدج أنّ الحفظ الذي كان يقوم به الطّلاب في مدارس القرن التّاسع عشر كانت له فوائد مدهشة. قال لي دويدج عندما اتصلت به طالباً النّصح: "عندما كان الطّلاب معتادين على حفظ القصائد، ساعدهم ذلك على التّحدث بفصاحة". وبما أنني كنت أقرأ قصة أليس في بلاد العجائب لابني، فقد أمضيت بضعة أيام في حفظ قصيدة أنت الوالد العجوز ويليام.
- كنْ محارباً. في الواقع، ليس هذا هو التّعبير الذي تستخدمه الأبحاث، ولكن هذه هي النّتيجة. لقد أظهرت إحدى الدّراسات أنّ الجدال من أفضل الطّرق للحفاظ على ذهنك متقداً. ولهذا السّبب، في هذه الأيام أبحث دائماً عن معركة. اليوم بالذّات، ناقشت جولي حول المكان الذي يجب أن نضع فيه عصير التّفاح. أريد أن يكون في مكانٍ غير مرئي حتى لا يراه الأولاد؛ لأنه مليء بالسكر.

أخبرتني جولي في الأمس أنها قرأت مقالة حول تعرُّض طيور مغرِّدة للصيد بشكل غير شرعي في أوروبا.

قالت لي: "أليس هذا فظيعاً؟".

في البداية، وافقتها الرّأي قائلاً: "أجل". ثم وجدت ثغرة للهجوم. "ولكن، دعيني أسألك. هل هذا أكثر فظاعة من ذبح النّاس للديكة الرّوميّة أو الدّجاج وأكلها؟".

"أنت تقف الآن في صف صائدي الطّيور المغرّدة؟".

"لا، ولكن السّؤال هو: لماذا يجب أن أتعاطف مع الطّيور المغرّدة؟ هل ذلك بسبب جمال شكلها وعذوبة صوتها؟ هذا غير منصف".

ثم حدّثتها عن قبولنا ذبح الحيوانات القبيحة وأكلها؛ مثل الأبقار والديكة الرّومية، ورفضنا ذلك إذا كان الحيوان جميلاً، مثل الحصان أو البجعة. أضف إلى ذلك أننا نطبق المعيار نفسه على الأشخاص البشعين بطريقة فظيعة، إذ تشير الدّراسات أنّ العقوبات التي ينزلها الأهل بأولادهم الأقل جمالاً ووسامة أشد.

هنا، كانت جولي قد توقفت عن الإصغاء، لكنني استمررت في ملاحقتها في أرجاء المطبخ بينما كانت تقوم بترتيب الكؤوس والصحون.

- جرِّبْ أشياء جديدة. تشير إحدى النّظريات إلى أنّ الدّماغ يشبه منحدر تزلج. كلما قمت بنشاط ما بالطريقة نفسها عدداً أكبر من المرات (التبضّع من المتجر بدءاً من الممر الأيسر، على سبيل المثال)، ازداد عمق الأخدود الذي تصنعه في دماغك. والعبارة الرّائعة التي تصف هذه العملية هي: "الخلايا العصبية التي تطلق النّار معاً، ترتبط معاً".

على هذا الأساس، إذا كنت تريد أن تحافظ على ذهنك مرناً ومنفتحاً أمام الأفكار الجديدة، فعليك بالتخلص من الأنشطة المتكررة. يوجد في كتاب حافظ على ذهنك حياً عشرات التّمارين العصبيّة البدنيّة من أجل تغيير دماغك. لقد نظَّفت أسناني باستخدام اليد اليسرى (بايخة!). وسلكت طريقاً مختلفاً إلى المنزل من الصّيدلية (سوبر بايخة!)، وأكلت الحلوى أولاً، ثم المقبِّلات (خذوني إلى قسم المرضى العقليّين!). إنني أمزح. فعلاً، هنالك شيء رائع بخصوص هذه التّمارين: إنها ترغمكم على الانتباه والتيقظ.

ما من شكّ في أن الانتباه الدّائم مرهق، لذا أنتم بحاجة إلى القليل من التّكرار من أجل المحافظة على التّوازن. وهنالك خطر آخر. عندما اكتشفت جولي أنني التزمت باتباع أشياء جديدة، استغلت الفرصة خير استغلال. قالت لي: "سنجرِّب مومofوكو"، مشيرة إلى مطعم عصري ذائع الصّيت كنت أتجنّبه، "أعرف أنه صاخب، لكنك لم تذهب إليه قطّ من قبل. ينبغي عليك أن تجرِّبه. من أجل دماغك".

فحص دماغيّ

أقرر البحث عن مساعدة محترفة. يَعِدُ مركز مساعدة الدّماغ في نيويورك بمساعدة دماغي على بلوغ "ذروة الأداء" في جميع المناطق.

صباح الثّلاثاء، قابلت الدّكتور كامران فلاحبور، وهو أخصائي أعصاب لا يزال لفظ اسمه يحمل أثراً من لغة بلده الأصلي إيران. يخبرني الدّكتور أن مهمته الأولى تقييم ذهني.

أجلس الآن في غرفة بيضاء بسيطة تقع في الجانب الغربي من نيويورك،

ويلتصق برأسي الكثير من الأشياء. هناك بقع من جِل شعر مصنوع من سكر القيقب، وجهاز مطاطي يشبه خوذة طيّار تبرز منه عشرات الأقطاب الكهربائية. وتغطِّي كل هذه الأشياء شبكة شعر بيضاء.

تهدف هذه المعدات إلى مراقبة موجات دماغي خلال ثلاث ساعات من أداء اختبارات وألعاب ذهنيّة. يخفت الدّكتور فلاحبور الأضواء. وأضع سمّاعتي الرّأس، وأركّز في شاشة الكمبيوتر.

مهمتي الأولى هي التّحديق إلى نقطة حمراء لست دقائق. أحدّق، وأحدّق. ينبّهني الدّكتور إلى عدم إطباق فكّيّ لأن ذلك قد يشوّش القراءة. لهذا أفتح فمي. أبدو غبياً، وأشعر بذلك. هل سيؤثر هذا على النّتيجة؟

أجد الطّريق عبر متاهات، وأحفظ لوائح الكلمات، وأرتب أحرفاً على نموذج يشبه رقعة الشّطرنج. أتفحص صوراً لوجوه عشوائية وأحاول تمييز مشاعرها، بالرغم من الضّجيج في أذنيّ الذي يشبه إطلاق النّار بغية تشتيت انتباهي.

الرّجل الذي يقرأ الاختبار بريطاني صوته مطمئن ومتعال في الوقت عينه.

يقول بعد كلّ اختبار: "جيد جداً". حتى لو أخطأت فيه.

في اختبار آخر، توجب عليّ أن أقول في غضون ثلاثين ثانية كل الكلمات التي تخطر ببالي على أن تبدأ بالحرف F. بدأت بالكلمات المقبولة "father, fancy, frankfurter". لكن ذهني بدأ يتشوش رغماً عن إرادتي. هل أقول الكلمة البذيئة؟ ماذا عن استخدام كلمة مهينة بصورة خاصة للرجال الشّاذين جنسياً؟ كنت ممزقاً بين ضميري والجانب التّنافسي فيّ. لكن الجانب التّنافسي هو الذي فاز.

بعد أسبوع، عدت إلى مكتب الدّكتور كي أستطلع النّتائج.

"هل تريد الخبر الجيد أولاً أم السّيئ؟ إنني أقول للناس دائماً إنّ الخبر السّيئ هو الخبر الجيد في الواقع، لأننا بذلك نستطيع معالجته".

لكنني أفضِّل الأخبار الجيدة المعتادة.

"ليس لديك أي شيء غير طبيعي في مناطق الإدراك". كان أدائي جيداً في الطّلاقة اللّفظية، ربما بسبب لجوئي للكلمات المسيئة.

"إنك تعمل في المهنة المناسبة".

وماذا عن الخبر السّيئ؟

"هناك قليل من البطء في المواقع الأمامية. يمكن أن يعني ذلك أنك تعاني من بعض المشاكل في الوظيفة التّنفيذيّة وأجزاء من الانتباه. وكذلك في المنطقة العاطفيّة، ربما لديك مشكلة مع المزاج".

أنا مريع في حفظ لوائح الكلمات أيضاً. يجب أن تفكّر ناسا مرتين قبل استخدامي للمساعدة في عمليات الإقلاع.

"بشكل عامّ، ذهنك جيّد جداً". ذهني ليس سيارة لامبرغيني. إنه أقرب إلى سيارة ليكسس، أو تويوتا.

نتيجة مرضية. لقد توقعتها إلى حدٍّ ما، ولكن من المحبط قليلاً أن تسمعها من شخص يرتدي رداء مخبر أبيض. لا يزال جزء صغير مني متمسكاً بوهم أن الدّكتور فلاحبور كان سيخرج مندفعاً من الباب، ممسكاً بورقة النّتائج، وهو يقول: "لم أرَ أي شيء كهذا من قبل! دماغك كنز وطني!".

الذّكي ضد القوي

لطالما أحببت القصص التي تتحدث عن الأذكياء الذين يواجهون الأقوياء. يمكن رؤية التّاريخ على أنه معركة بين الأذكياء والأغبياء على التّفوق. في كتابه، الذكي الأميركيّ، يذكر الكاتب بينجامين نوجنت أن التّوترات ارتفعت عندما أرغمت الثّورة الصّناعيّة الرّجال على العيش في أماكن مغلقة، وممارسة أعمال مكتبيّة غير ذكوريّة. ما جعل بعضهم يشعرون بالاضطرار لإعادة إثبات رجولتهم.

هكذا أصبح الانقسام أكبر: من جهة، لديكم أشخاص مثل رئيسنا تيدي روزفلت، الذي شنّ هجوماً على الشّبان الذين يملكون كتفين "مائلتين مثل زجاجة شراب". ومن جهة أخرى، لديكم أشخاص مثل البطل الذّكي مارسيل براوست، وهو فرنسي ذو كتفين مائلتين نادراً ما غادر سريره خلال العقد الذي استغرقه في كتابة تحفته الأدبيّة.

كما يمكنكم أن تتوقعوا، أتعاطف وأصدقائي دائماً مع الأشخاص المحبين للكتب، مائلي الكتفين. وشعاري هو: عقل كامل وجسد ناقص.

لكن مشروعي هذا شكّل صدمة لرؤية الذّكي للحياة. لأن النّموذج السّائد المتعلق بالذكي الضّعيف والغبي القوي ليس دقيقاً. بل على العكس تماماً. فمن وجهة النّظر العلمية، من الأصح أن نتحدث عن القوي الذّكي، لأن النّشاط البدني يزيد من قدرة العقل، الأمر الذي يبدو غير عادل. إن الطّبيعة تضع كل البيض في سلة واحدة.

ولكن - من حسن حظ النّحيلين وغير المتناسقين - لست بحاجة إلى أن تكون نجم ركبي كي تتباهى بقدرتك الذّهنية. أي حركة، أو أي نوع من التّمرين مفيد.

يقول الخبير في التّمارين الرّياضية والذكاء جون راتي، وهو بروفيسور في هارفارد ومؤلف كتاب الشرارة، إن التّمرين يحسّن أدمغتكم على المدى القصير (ذكاؤكم أكثر حدة خلال السّاعات القليلة التي تلي التّمرين البدني)، وكذلك على المدى الطّويل (إنه يجنّبكم شيخوخة العقل ومرض الزّهايمر). يحسِّن التّمرين جميع مناطق الدّماغ، بما فيها التّركيز والذاكرة والمزاج والتحكم بالدوافع.

هنالك عشرات الدّراسات التي تتناول موضوع التّمرين، ولهذا فإنني سأختار واحدة فقط كعيِّنة. لقد خلصت دراسة نُشرت في مجلة Research Quarterly for Exercise and Sport أن الطّلاب الذين كانوا يتمرنون لمدة 40 دقيقة يومياً أظهروا تحسّناً أكاديمياً أكبر بمقدار الضّعف من أولئك الذين كانوا يتمرنون لمدة 20 دقيقة. أما الذين لم يتمرنوا فلم يظهروا أي تحسن. ويذكر راتي عشرات الدّراسات المشابهة في كتابه.

هذه الاكتشافات منطقية من منظور نظرية التّطور. يقول بيرند هينريتش في كتابه التّسابق مع الظّبي، "إن أجدادنا، خلال ملاحقتهم طرائدهم، كانوا بحاجة إلى امتلاك الصّبر والتفاؤل والتركيز والدافع للمثابرة. وكل هذه الخصائص تتأثر بالسيروتونين والدوبامين والنوريبينيفرين". ولهذا، أصبحنا نملك، في سياق تطوّرنا، مستويات أعلى من هذه المواد الكيماوية عندما نمشي أو نركض.

على المستوى الخلوي، بحسب راتي، يزيد التّمرين المرونة العصبية وتدفق الدّم ومستويات بروتين يُدعى عامل التّغذية العصبية المشتق من الدّماغ (BDNF)،

والذي يلقِّبه بالغذاء العجيب للدمـاغ. لو كان ألبرت أينشـتاين يملك جهاز تدريب إهليلجيًّا في مكتبه، لربما تمكّن من إنجاز النّظرية المتحدة الكبرى.

إذاً، من المنطقي أن نقـول إن أعضاء الفرق الرّياضية يمكـن أن يكونوا نجوماً أكاديميين عظاماً. لولا وجود عامل مضاد واحد، وهو أن الرّياضيين لا ينفقون وقتاً كافياً في الدّراسة.

لم أجد دراسـات يُعتَـدُّ بها تربط بيـن الفـرق الرّياضية وبين معـدل الدّرجات الدّراسـية. لكن راتي يعتقد أن المسـتوى الدّراسـي للأولاد الذيـن يلعبون في فرق لعبتيْ لاكروس وكرة القدم أعلى من المتوسـط، لكن أولئك الذين يلعبون في فرق لعبتيْ كرة القدم الأميركية وكرة السّـلة ليسـوا كذلك، لأنهم مشغولون جداً بكونهم ملوك المدرسة. إنني متفاجئ كيف لم يضربه لاعبو كرة القدم في المدارس الثّانوية بسبب هذه النّظرية.

بفضل مكتبي المتصل بجهاز المشـي، إنني أجمع مسـبقاً بيـن الفكر والحركة (بلغت 652 ميلاً، بالمناسـبة). ولكن، بعد قراءة كتاب راتـي، أصبحت أقوم ببعض حركات القفز كلما واجهت مشكلة صعبة، من أجل إخراج الحل من ذهني.

ذكريات جدي

أذهـب لتنـاول الغـداء في منـزل جـدي. أفتح البـاب فـأرى جدي فـي مكانه الاعتيادي، غارقاً في كرسـيه المريح، رافعاً قدميه، يشـاهد السـي أن أن. يبتسـم لي ويرفع قبضته محيِّياً. ينهض عن كرسيه، بمسـاعدة ابنته جين، ثم يجر قدميه ليجلس بجانب مائدة الطّعام.

تقول جين: "لقد تناولنا العشاء في الخارج ليلة أمس، أليس كذلك يا بابا؟".

أسأل جدي: "أين ذهبتما؟".

يفكّر قليلاً قبل أن يجيب: "في الواقع، أعرف أننا أكلنا شيئاً ما، هذه بداية". ثم يضحك.

ذاكرة جدي تتبدد، لكنه تبـدد انتقائي، أي للأحداث الحديثـة فقط. فأي قصة وقعت في الخمسـينيات أو السّـتينيات يحفظها عن ظهـر قلب. تُدعى هـذه الحالة

رسمياً قانون ريبوت، على اسم عالم النّفس الفرنسي الذي كان أول من درسها. كلما استرجعتَ ذكرى ما، أصبحتْ هذه الذّكرى أكثر تجذّراً في ذهنك. أما الذّكريات الحديثة فهي لم تملك الوقت الكافي بعد للالتصاق في نظام دماغك.

في حالة جدي، يعني قانون ريبوت أن الزّوار يمضون الكثير من الوقت في التّحدث حول الماضي. لا بأس في ذلك بالنسبة إليّ، رغم أنني سمعت القصص نفسها مرات عديدة.

اليوم، نتحدث عن ذلك اليوم الذي اشترى فيه جدي تمساحاً صغيراً من أجل عمتي كيت، حيث احتفظوا به في حوض الاستحمام إلى أن عضّ أحد الضّيوف فاضطروا لمنحه لحديقة الحيوانات برونكس.

كما أن أي ذكر لمصر يقوده إلى قصته الأفريقية المفضلة. أعرفها جيداً لدرجة أنني أستطيع سردها معه حرفاً بحرف. في العام 1960، ساعد جدي في تنظيم ما سُمِّي حينئذ "نقلاً جويًا إلى أميركا". كان الهدف من تلك العملية نقل مئات الطّلاب الكينيين للدراسة في جامعات الولايات المتحدة، وبعد ذلك إعادتهم إلى الوطن كي يقودوا بلدهم. جمع جدي المال في نيويورك، ثم طار إلى كينيا - في رحلة تدوم يومين - لجمع المزيد.

لم يكن يملك ما يكفي من الوقت لإحضار حقَنِه، لذا أخذ إبرة وزجاجة دواء مجمَّدة معه إلى الطّائرة. لكنه نسي في ما بعد دواءه في ثلاجة الفندق في نيروبي. "أظن أنه لا يزال هناك حتى اليوم"، يقول جدي كلما سرد القصة.

سلك طرقاً غير معبَّدة في سيارة جيب من أجل نشر الخبر في القرى الكينية.

كتب جدّي لاحقاً رسالة إلى الوطن قال فيها إن التّجربة كانت "ملهمة أكثر من أي شيء خبرته في حياتي. ولا يمكن للكلمات أن تعبِّر عن حقيقة الاحترام الذي أظهره هؤلاء النّاس للتعليم".

لقد جمعوا ما يكفي من المال لاستئجار طائرتين حملتا ثمانمائة طالب من نيروبي إلى نيويورك. وعاش أحد أولئك الطّلاب في منزل جدي في ريفيرديل لمدة عام بينما كان يدرس الاقتصاد في جامعة كولومبيا.

كان هناك عدد أكبر من الطّلاب الرّاغبين بالدراسة في أميركا، أكبر من قدرة

الطّائرتين على الاستيعاب، لذا أمّنت المؤسسة منَحاً دراسية لعدة شبّان كينيين آخرين. وأحد أولئك الطّلاب انتهى به المطاف في جامعة هاواي، وكان اسمه باراك أوباما الأب.

لا تزال عينا جدي - وهو ديمقراطي منذ الصّغر - تدمعان عندما يلقي باراك أوباما الابن خطاباً على التّلفاز. لا بد أنه شعور رائع أن تكون شديد الارتباط بالتاريخ. في العام 2009، كتب رجل يُدعى توم شاكتمان كتاباً بعنوان رحلة جوية إلى أميركا. وجدي يحتفظ به على طاولة القهوة في غرفة المعيشة.

لعلي أبالغ، لكنني أتساءل إن كانت رحلة أفريقيا - وعمله الخيري - من بين أسرار طول عمر جدي. تؤكد عدة دراسات أن العمل الخيري نافع لصحتكم، حيث أظهرت دراسة باستخدام التّصوير بالرنين المغناطيسي أن منح التّبرعات يضيء مراكز المتعة في الدّماغ. سُميت هذه المتعة نشوة الواهبين. كما خلصت دراسة أجرتها جامعة جون هوبكنز في العام 2004 إلى أن التّطوع يبطئ الشّيخوخة الجسدية والذهنية.

أنظر إلى ساعة هاتفي الخلوي، بعد انتهائه من قصة أوباما. حان وقت المغادرة.

يقول جدي: "هل يمكنك أن تقلّني معك؟".

تسأله جين: "أين ستذهب؟".

يسكت قليلاً ثم يقول: "أين كنت قبل الآن؟".

تقول عمتي: "كنت هنا طوال اليوم. هذا منزلك".

"أوه. صحيح".

ينجلي الضّباب لفترة مؤقتة على الأقل، فيرفع قبضته مرة أخرى مودِّعاً.

الفحص: الشّهر الحادي عشر

ذهبت إلى مركز المشاريع الصّحية التّنفيذية (EHE) من أجل إجراء فحص. أعتقد أنني في منتصف مشروعي الصّحي؛ تصوّرت دائماً أنه سيدوم سنتين. إليكم النّتائج:

وزني 70.5 كغ، انخفض من 77.5 كغ. سبعة كيلوغرامـات. ليس الأمر سيئاً.

الكوليسترول الإجمالي انخفض من 134 إلى 129.

الكوليسترول الجيد (HDL) ارتفع من 41 إلى 45.

الكوليسترول السّيئ (LDL) انخفض من 77 إلى 68.

نسبة الحديد في دمي انخفضت إلى مستوى طبيعي.

نزل الضّغط إلى 68/98 (كان في السّابق 70/110).

انحدرت نسبة الدّهون في جسـدي انحداراً جنونياً، من 18.4 بالمائة إلى 8 بالمائة. جميل.

نزل النّبض من 64 إلى 55.

وبالنسبة إلى السلبيات، أُصبت بفتق بسيط. تقول طبيبتي – وهي امرأة هندية لطيفة جداً – إنّه ينبغي عليّ ألا أرفع أوزاناً ثقيلة. إنها مشكلة جدية بما أنني أحاول بناء عضلاتي.

بصورة عامة، إن صحتي تتحسـن، وهذا أمر جيد. لكنني لست الرّجل الأكثر صحةً على وجـه الأرض. لقـد فقد جسدي بعضـاً من هلاميتـه، واكتسب بعض الخطـوط الحادة، لكنه لا يـزال ضعيفاً. وعضـلات ذراعيْ لا تصلـح للعرض على شاطئ البحر.

لكن، ما يثير القلـق أكثر هو أنه لا تزال هناك مئات الأشياء الباقية في لائحتي التي كانـت مكوَّنة من 53 صفحـة، فأصبحت الآن 70 صفحة. لا يـزال هناك الكثير من أجزاء جسدي: ظهري، قدماي، جلدي.

وهذا من دون ذكر البيئة المحيطة. فبحسـب ما قرأت، ثمـة احتمال بأن تكون شـقتي، ربما، تعمل على قتلي أنا وعائلتي رويداً رويداً. وبما أن عمتي مارتي قادمة إلى المدينة، فلعلها تستطيع تطهير أماكن معيشتنا من السّموم.

الفصل الثّاني عشر

الجهاز الصّمّاوي

السعي لامتلاك منزل خالٍ من السّموم

بصراحة، لا أعرف ماذا أفكر في شأن موضوع المواد السّامة. ففي أحد الأيام، أقرأ كتباً تحمل عناوين مرعبة مثل موت بطيء بواسطة بطة مطاطية، تفيد هذه الكتب أن الألعاب مصنوعة من مواد بلاستيكية معيقة لنظام الغدد الصّم وأنها ستتسبب بأن ينمو لكل من أولادي ثديان كثديي كاتي بيري عندما يصبحون في عمر الثّانية عشرة. وتحذِّرني هذه الكتب بأن طعامي سيسمِّمني، وأن الشّامبو الذي أستخدمه سيتسبب بإصابتي بسرطان فروة الرّأس.

في اليوم التّالي، أقرأ أن هذه المخاوف مضخَّمة، وأن العلم لم يثبت أياً من هذه الأشياء.

أعتقد أنه من المفيد أن أطَّلع على رأي عمتي مارتي في هذا الشّأن. كما ذكرت سابقاً، لدى مارتي بعض الآراء المتعلقة بالصحة، والمواد الكيماوية السّمية واحدة من قضاياها الأساسية. أطلب منها إجراء مسح شامل لشقتنا، فتوافق.

تصل مارتي صباح الخميس واضعة وشاحها الأرجواني الذي يمثل علامة مميِّزة لشخصيتها، بالإضافة إلى حقيبة ظهر. لقد جاءت إلى المدينة لزيارة جدي.

أسألها: "كيف كانت رحلتك؟".

"ليست سيئة، بشكل عام".

تمثل الطّائرات تحدياً دائماً بالنسبة إليها. إنها تحمل خضرواتها العضوية

RESOLVE

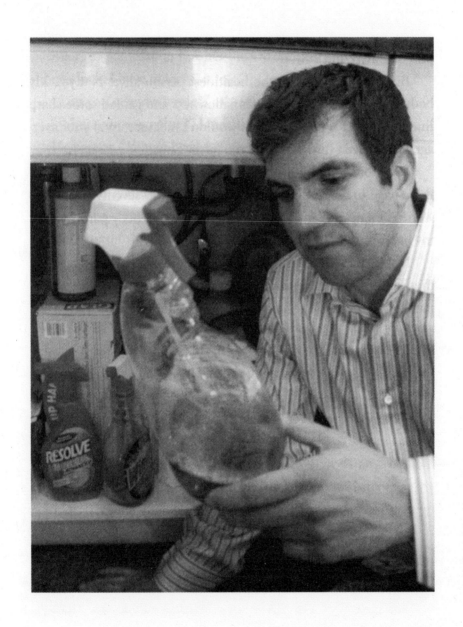

النّيئة معها أينما ذهبت، وتحتاج إلى إبقائها باردة بواسطة كيس ثلج، لكن أكياس الثّلج ممنوعة من قبل إدارة الطّيران الفدرالية. "أخبروني أنهم يسمحون باستثناءات فقط من أجل الدّواء، فقلت لهم إن الطّعام هو دوائي". فقَبِل رجال الأمن. ولكن، هناك أيضاً جهاز الكشف عن المعادن، وهي لا تمر عبره، وتحمل معها لهذا الغرض قصاصة جريدة تتحدث حول أجهزة الكشف التي تسبب السّرطان كي تريها للموظفين الأمنيين.

إذاً، كما ترون، عمتي مارتي امرأة غير عادية، وهي تعترف بذلك، حيث توقّع رسائلها الإلكترونية بعبارة عمتك مارتي غير التّقليدية. لكنني لا أريد القول إنها سخيفة، مع أنها في الواقع تكون كذلك في بعض الأحيان. كما حدث عندما مرَّت في مرحلة سُمِّيت التحديق الشّمسي، ويعني النّظر إلى الشّمس لمدة ثلاثين ثانية يومياً من أجل امتصاص بعض طاقتها الجيدة. التّحديق إلى الشّمس، بعينيك!

لكن، في أحيان أخرى، تجدها أبعد نظراً منا بسنوات؛ وحتى بعقود. لقد حذّرتنا جميعاً من التّدخين السّلبي عندما كان معظم النّاس يعتقدون أنه مثل كلام شخص لا يفقه ما يقول. وهي تروِّج للفوائد الصّحية للنظام الغذائي النّباتي قبل مدة طويلة من بدء أخصائيي التّغذية الحاليين بدعم هذا النّوع من الغذاء. علاوة على ذلك، إنها تبدو أصغر بعشرين سنة تقريباً من عمرها الحالي، 62 عاماً. وهي لم تمرض منذ ثماني سنوات.

حسناً دعونا نذهب للعمل.

تفتح ثلاجتنا فتتسع حدقتاها.

ما هذا؟ "هذه إساءة للطفولة!". إنها تشير إلى علبة جبن أميركي مطعّم ببعض المواد الكيماوية.

تمسك عبوة كوكاكولا ثم تقول: "وما هذه؟ إنها غير مناسبة للاستهلاك البشري. الحالة الوحيدة التي يمكنك استخدام هذه المادة فيها هي عندما يكون لديك مفصل وتريد إزالة الصّدأ عنه". والخيار غير العضوي؟ يجب التّخلص منه. باستطاعة مبيدات الحشرات أن تسبب كل شيء من السّرطان إلى اضطراب فرط النّشاط ونقص التّركيز (ADHD).

ننتقل إلى سوائل التّنظيف تحت حوض الجلي في المطبخ. تمسك بمنظفَي الحمام مستر كلين وفيبريز وتشمّهما، فتنكمش وتغضن وجهها كما لو أنها شمَّت جثة متعفنة. "دعني أُخرج عطري العشبي". إنها تحتفظ بقارورة زيت عشبة عطرية عضوية في حقيبة ظهرها. تضع بضع قطرات منها على رسغيها لتبطل مفعول أذى سائلي التّنظيف على أنفها. يحوي مستر كلين على مادة TK، أي أنه يمكن أن يسبب، بحسب مارتي، تخريباً للغدد الصّم والسرطان. يجب أن أنظِّف بالخل وبواسطة صودا الخَبز (baking soda) العضوية.

هناك على الحوض زجاجة تحوي صابوناً سائلاً مضاداً للبكتيريا برائحة الفريز. "أي شيء كُتِبَ عليه مضاد للبكتيريا اعتبره سمًّا. تصوَّر فقط أن هناك جمجمة وعظمتين مرسومة عليه".

ننتقل إلى غرفة الجلوس. تنظر تحت مصباحنا. إنه - كما توقَّعَتْ - واحد من تلك المصابيح الشّبيهة بالمعكرونة لولبية الشّكل. "يصدر هذا الشّيء بخاراً ضئيلاً من الزّئبق. أنت بحاجة إلى أخذه إلى مكبّ النّفايات السّامة".

"كنت أعتقد بأنني شخص يتمتع بحس المسؤولية من النّاحية البيئية. أنت بحاجة إلى جلب مصباح LED (صمام ثنائي باعث للضوء)".

تشير بيدها إلى مجموعة ورود جلبتها لجولي بمناسبة ذكرى زواجنا، ثم تقول: "هذه سمِّية. الورود التّجارية تُرَشُّ بجميع أنواع المواد الكيماوية".

أسألها: "ألا تحمينا إدارة الدّواء والغذاء؟".

"إنها متخلِّفة بسنوات. هل تذكر عندما قالت الحكومة إن التّبغ لا بأس به بالنسبة إليكم؟ قالوا إنه يهدِّئ الأعصاب".

ثيابي المشتراة من المحال التّجارية معالَجَة بالمواد الكيماوية، ويجب استبدالها بثياب مصنوعة من القطن العضوي، أو القنّب أو الخيزران.

الواقي الشّمسي ومزيل الرّائحة اللّذان أستخدمهما ملوثان. إنهما يحويان بارابينات، وهذه المواد تسبب تخرُّباً في الغدد الصّم والسرطان. وامتلاك مايكروويف يشبه وضع سلاح معبّأ وملقَّم تحت وسادة أطفالي.

تزعق عمتي عندما ترى ستارة الحمام النايلونية. ربما تكون لها علاقة

بسرطان الكبد وضعف الحيوانات المنوية.

"أنت لا تملك جهاز واي - فاي، أليس كذلك؟".

أعترف بخجل أننا نملك واحداً.

"هذا يشبه امتلاك برج خلوي صغير في منزلك!".

تقول إن دراسة كندية أظهرت أن ترددات الواي - فاي أعاقت نمو الأشجار في هولندا. وتعتقد مارتي أن التّسمم الإلكترومغناطيسي خطر صحي مُقَلَّل من شأنه. الواي - فاي فظيع، ولكن حتى الأسلاك قديمة الطّراز تصدر أشعة مؤذية، ولهذا السّبب، استخدمت عاملاً لوضع كل الأسلاك في منزلها - كمبيوتر، تلفون، طابعة - داخل الجدار.

تأتي جولي إلى المطبخ لتصب بعض القهوة، فتقول على سبيل الدّعابة: "آمل فقط أنه لن يتخلّص مني".

تسألها مارتي: "هل لديكِ حشوات أضراس؟ لأنه على فرض أن علاقتكما لا تزال حميمة، فإنك تتشارك معها المواد السّامة الموجودة في فمها".

تملك جولي حشوة واحدة وهي ليست معدنية.

تقول مارتي مبتسمة: "إذاً فهي بخير ربما".

إنني سعيد لأننا لا نملك سيارة، لأن تنجيد مقاعد السّيارة موجود ضمن لائحة مارتي للمواد الخطرة. الكثير منها تحوي المادة المقاومة للحريق DECA، التي وُجد أن لها علاقة بمشاكل التّعلُّم. عندما اشترت مارتي سيارتها التويوتا كورولا، تركت السّيارة في الشّارع مفتوحة النّوافذ لمدة ستة أشهر قبل أن تقودها. ستة أشهر كي تدع تنجيد السّيارة يُفرغ غازاته السّامة.

بعد تناول غداء مكون من أطعمة نيئة، تتوجه مارتي لزيارة جدي وإزالة السّموم من منزله. أعانقها مودِّعاً، مع أنني ربما نقلت إليها كل أنواع المواد الكيماوية.

من الأفضل العيش من خلال الكيمياء

من أجل المساواة فقط، أقرر تناول الغداء مع شخص معارض لمارتي. منذ

بضعة أسابيع عرَّفني صديق مشترك إلى رجل يُدعى تود سيفي يعمل لصالح شركة تُسمّى المجلس الأميركي للعلم والصحة (انتقل منذ ذلك الحين إلى شبكة فوكس نيوز). هذه الجماعة الدّاعمة للحرية الشّخصية تكافح ما يعتبره أعضاؤها رهاب المواد الكيماوية.

أنا جالس في مطعم إيطالي بانتظار وصول تود.

أسأله حالما يستقر على كرسيه: "كيف الحال؟".

توقّعت عبارة مشابهة لجيدة أو بخير، لكنني حصلت على تقرير لاذع دام ثلاث دقائق حول صباحه المريع: لقد أعلنت مجلة علمية أنها لن تطبع دراسات مموَّلة بواسطة التّبغ، وهذه سابقة خطيرة برأيه. إنها ستعرقل حركة العلم. والصناعة الدّوائية تُعامَل بطريقة غير منصفة بالرغم من أنها تمثل المحرك الأساسي وراء زيادة طول العمر في السّنوات الخمسين السّابقة. "كنت أعتقد أن آين راند كانت تصفُ سيناريو أسوأ حالة. لكنه يتحقق. إنهم يُخرجون الشّركات التّجارية من الأعمال بواسطة القوانين". يرفع كأس الماء ثم يضيف: "نخب موت الحضارة البطيء".

أرفع كأسي بتردد، غير عالم بما يجب أن أفعله غير ذلك. عمل سيفي في المجلس الأميركي للعلم والصحة لسبع سنوات، وهي مجموعة داعمة للحركة الصّناعية. لكنني لا أريد أن أبخس حقها بالقول إنها مدافعة عن أميركا الشّركاتية، لأنها في الوقت نفسه تأخذ موقفاً قوياً مضاداً للتبغ.

تزعم هذه المجموعة أنها تريد فقط تقييم الصّحة العامة من منظور واقعي؛ أي التركيز على المخاطر الحقيقية، لا المتخيَّلة. إنهم يقولون إن التّبغ يقتل 440,000 شخص سنوياً في أميركا، أي أكثر بما لا يُقاس من أي سم مزعوم. لكنهم يقدمون أيضاً الحجة الإشكالية التي تقول إن الملايين في أماكن مختلفة من العالم يموتون من الملاريا بسبب الحظر المفروض على مبيد حشرة البعوضة دي دي تي. إذاً، فمبيدات الدي دي تي، التي يدّعون أنها تشكل تهديداً ضئيلاً على الإنسان، كان يجب عدم تحريمها.

يقول سيفي: "إن احتمالات الإصابة بمرض بواسطة أي مادة سامة ضئيلة إلى

حدٍّ بعيد. ليس هناك خطر حقيقي. إنها فكرة غير متوقَّعة؛ فكرة أن شيئاً ما شديد الضّرر عليك يمكن أن يكون غير مؤذٍ بجرعات ضئيلة".

إذاً، لماذا هذا الهوس بالمواد السّامة؟

"لعله ناشئ من أذهاننا البدائية. إننا نقسِّم كل شيء إما إلى طعام أو سم".

هناك فكرة خاطئة تفيد أن كل ما هو طبيعي جيد، بحسب تود سيفي؛ مع أن الزّرنيخ والشوكران (hemlock) طبيعيان. وبالمنطق نفسه، هناك الفكرة التي تفيد أن المنتجات الطّبيعية لا تحوي مواد كيماوية. لكنها في الحقيقة تحوي مواد كيماوية. إنكم تستهلكون أكثر من 200 مادة كيماوية في كل تفاحة تأكلونها؛ سواء أكانت عضوية أم لا.

الحياة الخالية من السّموم

كي أدرك كيف تكون حياة مارتي في الواقع، أتعهد بتمضية أسبوع متّبعاً أسلوب عيشها. إليكم بعض الملاحظات حول اليوم الأول:

التاسعة صباحاً: أذهب إلى مجمع هول فوودز لشراء فريز عضوي وتوت عليق عضوي (السعر، 4.75 دولار). لا يمكنني الاستماع إلى جهازي الآي فون، بحسب مارتي.

العاشرة صباحاً: الغسيل اليومي. بالنسبة إلى صابون الحمّام، أستخدم صابوناً مصنوعاً من زيت الزّيتون الممزوج مع أملاح معدنية (حصلت على الطّريقة من موقع عضوي على الإنترنت). شعرت بما كان يشعر به كل روماني قديم. وبالنسبة إلى الشامبو، صودا الخَبْز وخل التّفاح. صحيح أن إزالته عن الشّعر بالماء يتطلب وقتاً طويلاً، لكن الشّعر أصبح فائق النّعومة وأصبح الآن يمتلك خصائص مضادة للجاذبية، وشبيهاً بشعر أينشتاين. أما مزيل الرّائحة فيتكون من نشاء الذّرة وصودا الخَبز. إنه لزج بشكل مزعج.

الحادية عشرة صباحاً: أغطي سعالاً ناتجاً عن المواد المقاومة للحريق DECA بواسطة غطاء عضوي.

الظهر: أبحث في المطبخ عن أي مادة تحوي بيسفينول أ (BPA)، باحثاً عن

رمز إعادة التّدوير في أسفل جميع العبوات البلاستيكية. أردد قصيدة BPA: "أربعة، خمسة، واحد واثنان/ كل ما عدا ذلك لا يفيدك" (العبوات البلاستيكية المعلَّمة بالأرقام 4 أو 5 أو 1 أو 2 تحوي القليل من بيسفينول أ، أو لا تحويه أبداً).

الواحدة بعد الظّهر: أفسر لجولي سبب تغطية السّعال بغطاء عضوي. أنتظر حتى تقلب عينيها استهزاءً.

الثانية بعد الظّهر: لدي موعد مع صديقي روجر لتناول طعام الغداء. يبعث رسالة إلكترونية طالباً رقمي الخلوي. "لا أحمل هاتفاً خلوياً في هذه الأيام. يمكنك الاتصال بالمطعم". فيجيب: "سأرسل تلكس". ها.

الثالثة بعد الظّهر: أنظف شراباً مراقاً في غرفة المعيشة بواسطة الخل وصودا الخبز. تقول جولي إن الرّائحة أسوأ من رائحة الشراب المراق.

الرابعة بعد الظّهر: أشعر بالقلق من إمكانية احتواء وعاء الماء الخاص بسحليتنا الأليفة براوني على بيسفينول أ. أدرك أن هذا الأمر ليس الاستخدام الأمثل لقشرة دماغي.

باختصار، لا يمكنني أن أكون خالياً من السّموم مثل مارتي. هذا ليس ممكناً، مادياً أو منطقياً، بوجود ثلاثة أولاد وجميع الأشياء الأخرى المتعلقة بالصحة التي يجب عليّ فعلها. لكنني لا أرفض بشكل سطحي مخاطر المواد السّامة، فهناك الكثير من المعلومات المقلقة حول هذا الموضوع؛ منها ارتفاع نسبة الإصابة بسرطان الغدد الصّم 20 بالمائة في السّنوات العشر الماضية. هناك 20,000 مادة كيميائية تُستَخدَم في المعالَجات الصّناعية، ولم تُختبَر منها سوى 200 مادة فقط. فما هو الحل الوسط المعقول؟

أتصل بديفيد إيوينغ دانكان، وهو صحفي مناصر للصحة العامة تعقَّب جميع المواد السّامة في جسده وكتبَ حول ذلك في كتابه رجل الاختبار.

إذاً، كيف تغيَّرت حياته بعد كل ذلك البحث؟

"إنني قَدَري في ما يتعلق بالكثير من المواد السّامة. لا أحد يعرف كم عدد المواد الخطرة منها من بين المليارات. وحتى لو كنا نعرف، فليس هناك في أغلب الأحيان ما يمكننا القيام به بخصوص ذلك. ليس ثمة طريقة للهرب. عملياً، جميع

المواد الكيميائية الأساسية موجودة في كل مكان على الأرض، من الدّببة القطبية في القطب الشّمالي إلى البطاريق في القطب الجنوبي".

هل هناك أشياء يقوم بها بطريقة مختلفة الآن بعد أن درس المسألة لسنوات؟

"هناك سلوكان غيَّرتهما".

أولاً، إنه أكثر حذراً تجاه الزّئبق في الأسماك، حيث يأكل الأسماك الصّغيرة فقط - مثل القفندر والسلمون - لأنها تأكل أقل من الأسماك المفترسة الكبيرة مثل الطّون والمارلين.

ثانياً، يقول إنه لن يطهو أي شيء في وعاء بلاستيكي مرة أخرى.

"ولكن، يمكنك القول إنني جزء من المشكلة، وليس الحل. يجب أن يكون هناك أناس يقظون، مثل عمتك. يجب أن نبدي حرصاً أكبر قبل إضافة مواد كيماوية جديدة".

يتعلق الأمر بتقييم المنافع والمضار. كي أكون آمناً تماماً، يمكنني تجنب الهواتف النّقالة. ولكن، ماذا بالنسبة إلى التوتر النّاجم عن عيش حياة خالية من الهاتف النّقال؟ هذا قد يؤدي إلى حفر قبري في وقت مبكر. لا بد لك أن تختار معاركك السّمّية.

لقد وضعت لائحة لنفسي استناداً إلى نصيحة أخصائيي السّموم، وإلى أفضل الأدلة المتوفرة التي سأدوِّنها في الملحق.

الفحص: الشّهر الثّاني عشر

الوزن: 71.5 كغ (كيف ازداد؟).

ضغط الدّم: 100/69.

عدد مرات الذّهاب إلى النّادي الرّياضي: 15.

الاقتراب من الموت: سنة واحدة (لقد مرّت ذكرى مولدي).

حالتي الذّهنية الحالية: أشعر أنني أفعل ما هو صائب. أخشى أن يحدث هذا. أحاول تجنبه، لكنني أشعر بأنه في طريقه للحدوث. إنني أتحول بشكل تدريجي إلى أصولي صحي.

منذ عدة أيام، راقبت رجلاً في الشّارع يفتح كيس رقائق الذّرة دوريتوس. من الواضح أنه وجد أن استخدام أصابعه من أجل رفع الرّقائق مثلثة الشّكل إلى فمه سيكون عملاً مجهداً جداً، لذا عمد إلى إقحام وجهه داخل الكيس وراح يأكل منه، مثل حصان. وبعد فترة قصيرة، أخرجَ رأسه كي يستنشق الهواء. كان وجهه مغطى ببودرة برتقالية متوهجة. اضطررت أن أشيح بنظري بعيداً عن هذا المنظر.

في وقت لاحق، كنت أجري حول البحيرة الاصطناعية فمررت بشخصين أوروبيين يسيران ببطء وينفثان دخان سيجارتيهما في طريق المهرولين. التفتُّ ونظرت إليهما بغضب كما ينظر سكان المدن في منطقة نيو إنجلاند إلى شخصية هيستر براين.

في بعض الأحيان، لا أستطيع السّيطرة على شعوري بأنني أفضل من الآخرين. كما حصل هذا الصّباح عندما كانت جولي تأكل حبوب فطورها المصنوعة من الشّوفان "هوني بانش أوف أوتس".

قلت لها: "كيف هو طعامك الخالي من السعرات الحرارية؟".

"لذيذ!".

ثم أضافت: "بدأْتَ تتصرف مثل مارتي".

إنها محقة. عندما زارتنا مارتي آخر مرة، قالت لجاسبر الذي كان يشرب كأساً من الحليب: "هذا طعام الرّضَّع. إنه لم يوجد من أجلك، بل من أجل العُجول الصغيرة. طعام الرّضَّع".

في الواقع، يتعزز شعوري بأن ما أقوم به هو الصّواب بحقيقة أن جسدي أصبح أفضل، ولياقتي أحسن؛ أو على الأقل أفضل من أحد النّجوم السّينمائيين البارزين.

أخبرني مدرِّبي توني أن مات ديمون يتمرَّن في نادينا. هذا مدهش، لأنه ليس نادياً فاخراً. هناك الكثير من الأندية الرّياضية في نيويورك تملك خزانات خشبية مزخرفة وفتيات لاستلام الأمانات الشّخصية وكافيتيريات تقدِّم عجَّة بياض البيض. أما النّادي الذي أرتاده فيتميز بجو أوروبي شرقي مثير للاكتئاب.

يقول توني إن مات ديمون يأتي إلى النّادي مرتين في الأسبوع ويتمرّن لمدة

نصف ساعة إلى أن يشعر بالإنهاك.

هنا الجزء الهام من القصة: إن تمرينه أقلّ صعوبة من تمريني. على الأقل بحسب توني الذي يقول "إنه لن يقدر على القيام بما تفعله أنت. الوثب السّريع وحده سينهكه".

هناك احتمال بأن يكون توني يقول هذا الكلام كي يرفع معنوياتي. وهناك احتمال آخر بأن يكون مات ديمون يتدرب من أجل لعب دور شخصية لا تتمتع بلياقة جيدة.

أحب أن أنقل هذه المعلومة لجولي التي أصبح ديمون نجمها المفضل منذ بضع سنوات بعد اعتبارها أن توم كروز معتوه.

الفصل الثّالث عشر

الأسنان

السعي لامتلاك الابتسامة المثالية

منذ أشهر وأنا أؤجل التّعامل مع أسناني؛ لأنني - مثل معظم النّاس - أخاف من أطباء الأسنان. لكنني أشعر بالتعاطف معهم، في الوقت نفسه. فمن غير الممتع أن تكون مكروهاً إلى هذه الدّرجة؛ أي أن تكون زيت كبد سمك القدّ في مجتمع الرّعاية الصّحية.

لكنني أخافهم على كل حال. ربما لأن بدايتي مع العناية بالأسنان لم تكن جيدة. عندما كنت في الصّف الخامس الابتدائي، كنت أزور طبيب تقويم أسنان يشبه في ساديَّته لورينس أوليفيير في فيلم رجل الماراتون. كان اختياره للمجلات في غرفة انتظاره مريعاً، فبدلاً من مجلة هايلاتس، كان يملك عدة نسخ من مجلة أنتيكس كي يتمكن كل الأولاد في عمر الحادية عشرة من التّعجُّب من خزائن المنازل التي تصنعها شركة تاونسيند.

لكنني لا أستطيع تجاهل فمي إلى الأبد. لأن الحقيقة المزعجة تقول إن أسنانكم ولثتكم مرتبطة على نحو وثيق بنظامكم القلبي الوعائي. فقد وجدت دراسة لجامعة إموري أن نسبة الوفيات أعلى - من 23 إلى 46 بالمائة - بين المرضى الذين يعانون من أمراض جذور الأسنان والتهابات اللّثة. قد تتسرّب بكتيريا الفم (يوجد نحو ألف نوع منها كامنة في شقوق أسنانك) إلى دمكم وتتسبب بالتهاب وتصلُّب الشّرايين.

ثمة رابط بين الأسنان النّظيفة والقلب الصّحي. ولهذا السّبب تشير التّقديرات - وإن لم تكن صلبة علمياً - إلى أن تنظيف الأسنان بالخيط يضيف إلى حياتكم 6.4 سنوات.

إنني موجود الآن في "منتجع للأسنان". وجدت عدة منتجعات شبيهة على الإنترنت وقررت أن أجرِّب واحداً منها. لم أكن أعرف ماذا سأجد، لكن كلمة منتجع بدت لي بأنها تبعث على الاطمئنان، وافترضت أن مثل هذه المنتجعات لا بد أن تكون متقدمة في مجال العناية بالأسنان.

ظننت أنه سيكون واحة هادئة في وسط مدينة نيويورك، يملأها صوت أجراس تيبيتية (نسبةً للتيبيب) ورائحة اللّيمون ومنظر أجساد متناسقة. وظننت أنني سأرتدي رداء استحمام أبيض مزغباً وخفّاً أبيض مزغباً، وأنني سأرتاح في حوض ماء ساخن، ولعلي سأحصل على عشب بحري يوضَع على وجهي. وبعد ذلك سيدلِّك طبيب الأسنان أسناني بليفة طبيعية برائحة اللاّفندر، ليس كالفؤوس الدّقيقة التي يستخدمها أطباء الأسنان العاديون الذين لا يعملون في المنتجعات. وأخيراً، سأغسل فمي بماء نبع طبيعي وأغادر المنتجع براحة وسرور.

ولكن، تبيَّن أن المنتجع لا يختلف كثيراً عن عيادة أي طبيب أسنان.

لكنهم، للإنصاف، يحاولون تزيينه قليلاً، إذ توجد بلورات كريستالية بيضاء وأرجوانية في غرفة الانتظار، وتمثال أحمر صغير. لكن الميزة الأشد شبهاً بالمنتجعات هي حصولي على مساج مجاني لمدة عشر دقائق لقدميَّ. فبينما أنا جالس على كرسي العلاج، فاغر الفم، مع قطعة قطن طبية محشورة تحت خدّي، هناك رجل أصلع يدلِّك أصابع قدميّ وكاحليّ؛ ليس سيئاً.

مع ذلك، ليس هناك أي التباس بخصوص أن هذا المكان عيادة تجري فيها عمليات على الأسنان والأضراس كريهة. يمكنكم أن تدهنوا الحمار الوحشي بالطلاء الزهري لكنه يبقى حماراً وحشياً.

ربما يتوجب عليّ التّوقف عن الشّكوى والتذمر. لقد قرأت منذ مدة قصيرة كتاباً ممتعاً ومرعباً ليست لديّ مساحة كافية لشرح معلوماته المرعبة، ولكن تأمّلوا هاتين الحقيقتين: كان الأطباء معتادين على اقتلاع الأسنان بواسطة ملزمة كبيرة مع

تثبيت الـرّأس المتلوّي للمريـض - غير المعطى أي مسـكّن - بين السّـاقين. وكان أطباء الأسـنان الإغريق يصفون مَني الضّفدع كمسـكّن لآلام الأسـنان. من هنا، إنّ المنتجع فردوس بالمقارنة مع ما سبق.

يقـدم المنتجع الأشـياء السّـارة الاعتياديـة - حشـوات، قنوات لبيـة - لكنني موجود هنا من أجل تنظيف أسـناني فقط وفق الطّريقة القديمة المعروفة. ومن أجل تجربة عملية جديدة أيضاً، أو على الأقل جديدة بالنسـبة إليّ: تبييض الأسنان. بثَّت محطة سي أن أن قصة حول مشروعي الصّحي الجاري ففتحت الإنترنت كي أطّلع على التّعليقات بشـأن التّقرير. في الواقـع، كان بعضها لطيفاً، لكـن التّعليق الوحيد الذي أذكـره هو التّالـي: "لديه أسـنان صفراء ويريـد أن يخبرني كيـف أكون بصحة ممتازة؟".

لن أصفها بالصفراء، لكنني أفضِّل وصفها بلون الزّبدة أو الشّوفان المجروش، أو شيء شبيه بألوان أزياء ج. كرو. بيد أن لصاحبة التّعليق وجهة نظر. ولهذا السّبب جئت إلى هنا.

يعصر طبيب الأسـنان - وهو رجل أصلـع قصير القامة مربوع الجسـد - مادة مبيِّضـة، ويدهـن شـفتيَّ بالفازلين، ثـم يُدخـل قطعـة فموية زرقـاء ضخمة شـبيهة بلجام هانيبال ليكتر. ثم يسـحب الجهاز الذي يبث الضّوء فوق البنفسجي ويلصقه بأسناني.

يقول لي إن الضّوء فوق البنفسجي سيمنح أسناني لوناً أبيض ناصعاً.

فأسأله: "أليشش الضّووء فوق - الب - نفش - جي خط - يراً؟".

يهز رأسـه ثم يقول: "لا، لا. هذا الضّوء فوق البنفسجي ليس خطيراً". ثم ينقر المفتاح فيبدأ الجهاز بالعنين.

بعد خمـس وأربعيـن دقيقة، أنظـر إلى المـرآة. إنهـا قطعاً أشـد بياضـاً ببضع درجـات. صحيـح أن أحداً لـن يخطـئ بين أسـناني وبيـن كومـة من ثلـج القطب المتجمد الجنوبي، لكنها أفضل من قبل.

عندما أصـل إلى المنزل، أبحث في غوغل عن درجة سـلامة تبييض الأسـنان بواسـطة الضّوء فوق البنفسـجي. لقد وجدتْ دراسـة بعنـوان علوم كيميـاء الضّوء

وبيولوجيا الضّـوء أن هذه العلاجات تعطـي المرضى أربعة أضعـاف جرعة موازية من الحمّام الشّمسي. يمكن للتجميل أن يكون خطراً.

نظرية الخيط وطريقة الاستخدام

خلال الأسـابيع التـي سـبقت موعدي فـي منتجع طبّ الأسـنان، قمـت بعدة زيارات إلـى طبيب أسـنان غربـي تقليدي، كمـا أجريـت مقابلة مع متحدث باسـم الجامعة الأميركية لأطباء الأسنان، وكان سـؤالي هو التّالي: كيف أحصل على أكثر الأسـنان صحةً في العالم؟ أما الجواب فيتكـوّن من ثلاثة أجزاء، اثنـان منها مثيران للإحباط؛ وهما تنظيف الأسنان بالفرشاة وبالخيط. لا يمكنكم الاستغناء عنهما.

قبل هـذا المشـروع، ربمـا نظفت أسـناني باسـتخدام الخيط ثلاث مـرات في حياتي. وجدت أن هذه الطريقة غير ضرورية. كنت أنظفها بالفرشاة، ألم يكن ذلك كافياً؟ للأسف، لا. أنتم بحاجة إلى تنظيف الفراغات بين أسنانكم من آلاف الأنواع من البكتيريا الآنفة الذّكر قبل أن تتسرب إلى مجرى دمكم.

هكذا بدأت بمشاركة جولي في اسـتخدام الخيط لتنظيف الأسنان. إنني أفعل ذلـك كل ليلة قبل الفرشـاة (يُفضَّـل ذلك قبـلاً، كي تطرد الفرشـاة لاحقـاً البكتيريا المزاحة من مكانها). هل كنتم تعرفون أن هناك جدلاً حول طرق استخدام الخيط؟ تنصح إحدى الفئات بسـحب الخيط عبر الفراغات بين أسنانكم كي لا تتسببوا بأي أذىً عندما تسـحبون الخيط باتجاه الأعلى. جرَّبت هذه الطّريقة إلا أنني عدت إلى الطّريقة الكسولة؛ أعلى وأسفل.

كما غيَّرت طريقة اسـتخدامي للفرشـاة أيضاً. اشتريت فرشـاة ناعمة وتعهّدت باسـتخدامها لمدة دقيقتين في كل مرة. دقيقتـان! هذا ليس أمراً صغيـراً. في العادة، كنت أفرك أسـناني لمـدة عشـرين ثانية فقـط. الدقيقتـان تتطلبـان مقـداراً عالياً من الصّبر.

"دعيني أعطيك درساً"، قلت لجولي ذات ليلة أمام مرآة الحمّام.

"لا تحرّكي الفرشـاة إلـى الأعلى ثم إلى الأسـفل كمـا لو أنـك تمحين كلمة مكتوبـة بقلـم الرّصـاص. ابدئي مـن اللّثـة بزاويـة 45 درجـة وادفعي الفرشـاة إلى

الأسفل. ثم ارفعي الفرشاة مجدداً إلى الأعلى نحو اللّثة ثم كرري ذلك".

أصغت لي ثم جرَّبت الطّريقة، وبعد ذلك قالت: "الآن هذا مفيد حقاً".

"يسعدني أن أسمع هذا الكلام".

"من الغريب أن تدرك أنك كنت تفعل شيئاً ما بطريقة غير صحيحة لمدة 40 عاماً".

أعرف ما تعنيه. قبل هذا المشروع، لم أكن أعلم مطلقاً بأنني كنت أفعل الكثير من المهام اليومية بطريقة غير صحيحة: المضغ، الذّهاب إلى الحمّام، تنظيف أسناني. هل أتثاءب بشكل صحيح؟ أعطس؟ يجب أن تقدّم المدرسة الثّانوية حصةً بعنوان الصّيانة الجسدية الأساسية 101.

والآن، إلى الجزء الثّالث الممتع من العناية بالأسنان: العلكة.

تشير عدة دراسات إلى أن مضغ علكة خالية من السّكر بعد الوجبات يمكن أن يساعد على منع تسوُّس الأسنان. وهذا يصح بصورة خاصة إذا كانت العلكة تحوي زايليتول؛ وهي مادة محلِّية لأن البكتيريا لا يمكنها تفكيكها. إن الدّول الإسكندنافية متقدمة علينا جداً في هذا الأمر. ففي فنلندة، على سبيل المثال، يُشجَّع أطفال المدارس على مضغ علكة محلاة بمادة زايليتول.

الفحص: الشّهر الثّالث عشر

الوزن: 71 كغ.

إجمالي الأميال المقطوعة مشياً في أثناء الكتابة: 810.

البطاطا المقلية الحلوة المسروقة من صحن ابني في وجبات صباحية متنوعة: 36.

إنني مواظب على تماريني الرّياضية، وأكلي الصّحي، وأدويتي، وطريقة تنظيف الأسنان. ولكن، ماذا لو كان كل ذلك هباءً؟ ماذا لو كان حمضي النّووي يحمل لي قَدَراً سيئاً، كأن أملك مرضاً خفياً سيقضي عليّ قبل نهاية العام؟

حثّني هذا القلق على البصق في أنبوب ضيِّق وإرساله إلى مختبر في

كاليفورنيا. وقد حصلت على نتائجي هذا الشّهر. ينبغي أن أكون ممتناً لوالديَّ لأنهما منحاني حمضاً نووياً جيداً نسبياً.

لا توجد أية مشاكل كبيرة. هناك خطر مرتفع بشكل طفيف يتعلق بإصابتي بجلطة دماغية، والتهاب المفاصل، ومتلازمة تململ السّاقين (*restless leg syndrome*). ولدي حساسية مفرطة تجاه مسيل الدّم وارفارين. ولكن، بصورة إجمالية، يشير الفحص إلى أنني خالٍ من العوامل المؤدية إلى أمراض مرعبة.

إذاً، الشعور بالامتنان هو رد الفعل المناسب. مع ذلك، إنني أركّز على نتيجة واحدة فقط، وهي أنني أملك العلامة الجينية rs 174575، تكوين وراثي AA. وهذا يعني، بحسب موقع المختبر على الإنترنت: "إن الرّضاعة من الثّدي ترفع درجة ذكاء الشّخص بمعدل ست إلى سبع نقاط".

لكنني لم أرضع من ثدي أمي. وهذا يعني أن درجة ذكائي أقل بست إلى سبع نقاط مما هي عليه. نظرياً على الأقل. هذا الخبر مزعج. ست إلى سبع نقاط؟ ليس مقداراً بسيطاً. لو لم تكن هذه حالي لعلي كنت سأقرأ المهابهاراتا بلغتها السّنسكريتية الأصلية. ولعلي كنت سأفك شيفرة خريطتي الوراثية بنفسي بدلاً من إرسال لعابي في أنبوب إلى المخبر عبر شركة الشّحن فيديكس.

ماذا أفعل؟ هل أرسل هذا الخبر إلى أمي كي تشعر بالذنب. في الواقع، من الصّعب إلقاء اللّوم عليها، ففي زمنها كان الحليب الصّناعي يُعتبَر مكافئاً لحليب الأم، إن لم يكن أفضل منه.

ربما ينبغي علي التّعويض. كأن أشاهد المزيد من الدّروس الأدبية لجامعة ييل على اليوتيوب، وأشتري كتاباً حول الحساب. ولكن، ربما هناك جانب مشرق لهذا الأمر، وهو أن درجة ذكائي هذه ربما تعني أنني أملك ذاكرة أسوأ. لعلي سأنسى بعد فترة قصيرة أنني أملك درجة ذكاء أقل.

جاءتني هذه المعلومة من خدمة تُدعى 23andme.com. لعلها أكثر الفحوص الجينية المطلوبة بواسطة البريد احتراماً.

مع ذلك، إن الفحص الجيني في العام 2011 لا يزال في طور البداية. اعتبِروه أفضل من أوراق التّارو، لكنه أقل موثوقية بكثير من الأشعة السّينية. لا يزال أمامه

طريق طويل قبل أن يصبح بالإمكان اعتباره أداةً تشخيصية دقيقة.

لكنه سينضج في النّهاية حتماً. بعد عدة سنوات، سيكون الفحص الجيني أداة صحية فائقة الأهمية، لأنه سيعطي أطناناً من المعلومات المفيدة. فإذا كان لدينا خطر مرتفع بالنسبة إلى الإصابة بسرطان الرّئة يمكننا تجنب التّدخين السّلبي. وإذا كانت لدينا حساسية مفرطة تجاه دواء معين، يمكن لأطبائنا أن يصفوا لنا جرعة أقل منه. سيكون أمراً عظيماً.

غير أنه سيكون خطيراً في الوقت عينه. هناك نوع كامل من المعلومات التي لا يمكننا فعل أي شيء حيالها؛ كالأمراض التي ليس لها أي علاج. والتعرُّض لعوامل بيئية - مثل حليب الثّدي - يكون الأوان قد فات لإصلاحها.

قرأت للتو كتاباً عظيماً، لكنه مخيف، بعنوان الأصول بقلم آني مورفي بول، حول الطّرق الكثيرة التي تتأثر بها الأجنّة بواسطة سلوك الأمهات. مسكينة جولي، سيعرف أبنائي كل أنواع الأشياء التي أخطأت فيها عندما كانت حاملاً. "هل تنفّست هواء نيويورك غير المفلترَ؟ بماذا كنت تفكرين؟".

إن فحص الحمض النّووي سيقدم لنا مشكلة من نوع شجرة المعرفة. بشكل عام، أظن أنني سأقضم تلك التّفاحة التي تحوي المعرفة الجسدية الكاملة. سوف أود الوصول إلى معلومات غير محدودة، بالرغم من المخاطر.

في الوقت الحالي، أحاول تقبُّل معلومة حليب الثّدي بصدر رحب. كما أذكِّر نفسي بأن هذه الاكتشافات لا تزال بعيدة جيدة عن أن تكون حقائق.

تكمن المشكلة في ندرة وجود علاقة ثنائية بين جين ما وصفةٍ وراثية معينة. ليس هناك جين واحد يحكم بأنك ستصبح أصلع، بل عشرات الجينات التي تتفاعل مع بعضها ومع البيئة. سيتطلب الأمر وقتاً لجمع أجزاء هذه الصّورة المجزّأة.

تقدم جهات خدمية معينة، مثل 23andme، بعض النّتائج التي يمكنكم الاعتماد عليها مباشرةً بغية تحسين صحتكم. وهذا يصح بصورة خاصة على المعلومات المتعلقة بحساسيتكم تجاه الأدوية. لكن ما تقدمه حالياً - في أغلب الأحيان - يتعلق بالفضول وبالمعلومات المستقبلية المحتملة أكثر مما يتعلق

بالحقائق المؤكدة.

كنت قد طلبت من جولي أن ترسل بصاقها إلى andme 23 أيضاً، فوافقت. مرة أخرى، كنا محظوظين، فبعيداً عن وجود احتمال عال للإدمان على الهيروين؛ وهي مشكلة بالتأكيد، إلا أنها خالية نسبياً من عوامل الخطر.

اتصلنا بالمستشارة الجينية معاً لنتأكد من أننا لم نغفل شيئاً. فطمأنتنا بأن جينات جولي بدت على ما يرام.

سألت المستشارة: "أريد أن أسأل حول نتيجة واحدة في حمضها النّووي".

فأجابت: "نعم؟".

"إنني مهتم بمسألة أنها تملك rs 1800497. وهذا يعني أن الأشخاص الذين يحملون هذا التّكوين الوراثي أقل كفاءة في تعلُّم كيفية تجنُّب الأخطاء".

"في الواقع، إنه اكتشاف يحوي نجمة واحدة فقط بجانبه، أي إننا نملك الحد الأدنى من الثّقة فيه".

قلت لها: "لكنه مثير للاهتمام فعلاً. هل تعتقدين أنها ليست كفوءة في التّعلُّم من الأخطاء؟". ثم أخبرها أن جولي تمحو دائماً حلقات من مسلسلنا المفضل قبل أن تسنح لي الفرصة لمشاهدتها.

قالت جولي: "إن زوجي يحاول الإيقاع بي".

حافظت المستشارة على جدّيتها قائلة: "إن هذا الاكتشاف آتٍ من دراسة وحيدة أُجريت على 26 ألمانياً. إنها عيِّنة صغيرة جداً". في الوقت الحالي - قالت المستشارة - إن rs 1800497 عبارة عن فضول أكثر منه معلومة قيِّمة حقيقية.

قلت: "حسناً، إنه مثير للاهتمام فقط".

بعد إنهاء المكالمة، تسألني جولي إن كنت أملك جين الغباء.

الفصل الرّابع عشر

القدمان

السعي للركض بشكل صحيح

أنا واحد من ستين شخصاً، نضع أيدينا على أكتاف بعضنا، ونشق طريقنا عبر حديقة في هارلم مثل صف كونغا (رقصة كوبية) من دون موسيقى غلوريا إستيفان.

نصف صف الكونغا تقريباً لا ينتعل أحذية. والكثير من أقدام الآخرين مغلفة بأحذية فايبرام حمراء أو سوداء أو صفراء؛ قفازات الأقدام التي يدعوها أولادي أحذية القرد. في حين قام آخرون بتصميم أحذيتهم الخاصة. لقد جلب شابان بعمر الجامعة نعلين مطاطيين مسطحين ووصلا بهما أشرطة جلدية قاما بلفّها حول بطني ساقيهما على طريقة المصارعين الرومان القدماء.

إنني موجود في مكان الاجتماع الخاص بمهرجان الجري الحافي السّنوي الأول في نيويورك، بقيادة كبير العدائيين الحفاة، الكاتب كريستوفر ماكدوغال، مؤلف كتاب وُلدت كي أركض.

سننطلق بعد قليل للجري عبر مانهاتن، لكننا نقوم بالإحماء الآن بالهرولة في حديقة ماركوس جارفي. استخدمَ المنظمون شخصين يرتديان بيجامتين رياضيتين من أجل النّقر على طبلين أفريقيين لوضعنا في جو الجري الحافي قبل التّوجه إلى وسط المدينة؛ بالرغم من أن المتواجدين هنا لا يحتاجون إلى ذلك في الحقيقة، فهم مُهتدون سلفاً.

تدور الأحاديث حول الوقت الذي أبصروا فيه النّـور، تلك اللّحظة التي ثاروا فيها على صناعة الأحذية ورموا قيودهم ذات الشّـرائط حسـنة التّصميـم والتبطين. تقول امرأة ترتدي سروالاً أحمر قصيراً: "قلت فقط اللّعنة عليه، وخلعت حذائي!". إنهم يتحدثون عن تحررهم من ثآليل القدمين وقوسي القدمين المؤلمين.

سأعمل على قدميَّ هذا الشّـهر لأنهما تمثلان خطراً صحياً كبيراً، وإن كانتا لا تُمنَحـان الاهتمام الذي تسـتحقانه. يعاني الأميركيون من تسـعة ملاييـن إصابة قدم في العام حسـب التّقديرات. ومع تقدّمي في العمر، يمكنني ترقُّب المزيد من أنواع القصور. في الواقع، تتحمل القدمان عبئاً ثقيلاً، فحتى الأميركي الكسـول يمشي ما يعادل طول محيط الأرض خلال حياته.

ألاحظ ماكدوغال. إنه رجل طويل القامة ينتعل حذاء فايبرام ويرتدي سـروالاً قصيراً أخضر غامقاً ويغطي رأسه الأصلع بقبعة.

أقدّم له نفسـي فأجده مرحِّباً وودوداً؛ ومتفاجئاً كأي شخص آخر من النّجاح الذي حققه كتابه، ومن الحركة التـي أثارها. لقد بيع منه ما يقارب مليون نسـخة. ويتمحور إصدار العام 2009 حول فكرة بسـيطة، وهي أن قدمي كل منّا قد تطورتا لتركضا عاريتين، وهو ما كان البشـر يقومـون به على مدى آلاف السّـنين. إلى أن جاءت سـجون الأقـدام المسـماة الأحذيـة. وفـي السّـتينيات، أدى هوس شـركة نايكي بالبطانة النّاعمة إلى ازدياد الأمور سـوءاً. فبدلاً مـن منع الإصابات – وهذا ما كانت تعـد به الأحذيـة الرّياضية – نجـد أنها تسـببت بها، في واقـع الأمر. لقد شـجّعونا على النّزول بقوة على الكعبين ما أدى إلى تركيز الضّغـط على الرّكبتين وأسفل السّاقين.

اشـتريت حذاء فايبـرام منذ بضعـة أشـهر. عندما جلبتـه إلى المنـزل، أطلقت جولي والأولاد ضحكة عميقة بسبب شكله على قدميَّ.

"مسكين آشـتون كوتشـر. لا يمكنه انتعاله". قالت جولي وهي تُريني سطراً في كتيِّب الإرشـادات يقـول إن أحذية فايبرام لا تناسـب الأقـدام المتصلة أصابعها بواسطة غشـاء. من الواضح أن أصابع قدمي كوتشـر متصلة ببعضها بواسطة غشاء. إن معرفة زوجتي بالثقافة الشّعبية ليس لها حدود.

ركضت بواسطته مرتين، لكنني لـم أقـرر بعـد إن كنـت أفضِّله علـى الحذاء الرّياضي. إن المطاط في أحذية فايبرام رقيق جداً بحيث تشعرون بالفعل وكأنكم تركضون في نيويورك حفاة القدمين. حفاة القدمين! في المدينة! ذلك يشبه اندماج شـارع كولومبوس بغرفـة نومكـم أو تحوُّله إلى شـاطئ كاريبي، ومن دون مسامير صدئة أو قروح.

إنني أرتديه الآن مـن أجـل الجري. أتمنى لـو كان باستطاعتي أن أصبـح ماكدوغالياً كاملاً، لكنني أخاف من الجراثيم، وأخشى التّماس المباشـر بين كعبي والرصيف، لذا فإن حذاء فايبرام مناسب لي.

يجمعنا ماكدوغـال لإعطائنـا لمحـة تمهيدية عـن التّقنية. يطلب منا النّزول بخفة على مقدمـة أقدامنا وأن ندع الكعب يلمس الأرض لمساً فقط. وأن نركض بخطوات صغيرة. إن الأحذيـة الرّياضيـة المبطنة تشجعنا على الرّكض بخطوات واسعة لأننا لا نشـعر بالألم عند ارتطام الكعبين بالأرض. لكن الإنسـان لم يُخلَق لفعل ذلك.

يقـول ماكدوغـال وهـو يطلب منـا أيضاً أن نرفـع أرجلنـا بـدلاً مـن خبطها بـالأرض: "تخيَّلوا أنكم تحملـون فطائر محلاة علـى الجزء العلوي مـن أفخاذكم، وأنكم تحاولون رفع ركبكم من أجل قلبها".

والأهم من ذلك ربما، يطلب منا أن نشعر بالمرح عندما نركض.

بهذا الشّعور ننطلق. نتجه غرباً على طريق 125، ونتجاوز محال تجارية وباعة متجولين يبيعون صور بوب مارلي. يبدو شـكلنا غريباً بعض الشّيء ونحن نقلب فطائرنا المحلاة المتخيَّلة. ويبدو أن المشاة يلاحظون ذلك.

"انتعلوا بعض الأحذية اللّعينة!".

"توقفوا عن الرّكض مثل مجموعة من الفتيـات!". (إن الجري بطريقة النّزول على أصابع القدمين أولاً فيه شيء من التّبختر الأنثوي بالفعل).

"الرجال البيض يستولون على هارلم!".

194

ندخل الحديقة ونصعد تلة صغيرة متجهين نحو البحيرة الاصطناعية. ألحق بماكدوغال وأركض بجانبه.

"انظرْ إلى هذا". يتوقف ليريني أسفل قدمه. إنها سوداء كالفحم.

أسأله: "ألا تخشى من الدّوس على أشياء معينة؟".

"هذا لا يزعجني. إنني أعيش في بنسلفانيا، ولهذا فإنني أدوس على جميع أنواع الأشياء. براز الخيول، سمِّ ما شئت". ثم ينصحني بتجنب الأجسام الحادة.

أطلب منه أن ينتقد طريقة ركضي.

"لديك خطوة كعب ثقيلة يا رجل!".

إنني أهبط بقوة على كعب قدمي. أحاول إمالة جسدي إلى الأمام أكثر. هذا يساعد نوعاً ما.

أخبره أنني أركض أحياناً على جهاز المشي في النّادي، وأخمِّن أنه سيجد ذلك سيئاً. أنا محق في تخميني.

"سترغب بمسابقة جهاز المشي، لذا فإنك تأخذ خطوات واسعة. إذا كنت مضطراً لفعل ذلك، فإن نصيحتي لك هي التّوجُّه إلى مقدمة الجهاز حتى تصبح وركاك أمام القضبان". بهذه الطّريقة، يقول ماكدوغال، ستكون خطواتي أصغر.

يبتعد ماكدوغال لمساعدة راكض آخر. وبعد بضع دقائق، بينما نحن نركض في أحد ممرات الحديقة، نصادف رجلاً قوي البنية يركض متجهاً نحونا.

يعبس الرّجل في أثناء محاولته الجري بين هذا النّهر الطّويل من الأشخاص الحفاة.

يصيح فيما يتجاوزنا: "أوه، هيااااا!".

فأقول: "واو، بدا غاضباً".

تقول امرأة حافية: "أعتقد لأنه كان ينتعل حذاءً".

نضحك.

أحب أن أكون عضواً في المافيا الحافية. أما بالنسبة إلى المتعة الصّرفة للركض التي يتحدث عنها ماكدوغال، فإنني لا أشعر بها في الحقيقة.

طبيبة القدمين صاحبة الاسم المناسب

بعد أسبوعين، انتهى بي المطاف في عيادة الدّكتورة كريستا آرتشر، وهي جراحة قدمين محترمة في نيويورك. إنها تظهر غالباً في البرامج التّلفزيونية الصّباحية للتحدث حول، مثلاً، كيفية تخفيف الضّرر النّاجم عن ارتداء الكعوب العالية إلى أقصى حدٍّ ممكن.

جئت إليها لأطلب نصيحتها في ما يتعلق بامتلاك قدمين صحيتين مثاليتين، ولكي أستطلع رأيها بخصوص الجدل العظيم حول الجري الحافي.

هل ينبغي عليّ التّمرُّن من دون حذاء؟

"لست مؤيدة". تقول الدّكتورة آرتشر إنك إذا كنت لا تملك أي مشاكل تتعلق بالقدمين، وإذا كانت قدماك نموذجين للكمال البيوميكانيكي، فليست هناك مشكلة في الجري حافياً. ولكن، إذا كنت تملك أية انحرافات، أي إذا كانت قدماك تميلان إلى الدّاخل أو إلى الخارج كثيراً، فعليك انتعال الحذاء الرّياضي عندئذ.

"إن الجري يُلقي حملاً كبيراً على القدمين؛ ثلاثة أضعاف ثقل الجسد على القدم الأمامية".

ولكن، أليست القدم مصممة كي تجري حافية. "هذا لا يعني أنها الطّريقة المثلى لفعل ذلك"، تقول الدّكتورة آرتشر، "اعتدنا على استخدام المودمات الهاتفية. فهل ينبغي علينا البقاء عليها. إذا كنت تعاني من قصر النّظر، فهل ينبغي عليك تجنُّب النّظارة لأنها ليست طبيعية؟".

وتقترح عليّ تدعيم حذائي الرّياضي ببطانة لدنة، لأني أهبط بقسوة على كعبي قدميّ، كما قال ماكدوغال.

سأعود إلى الدّكتورة آرتشر خلال لحظات، ولكن دعوني أقول هذا أولاً: بعد التّحدث إلى أطباء آخرين وقراءة كل شيء تمكّنت من الوصول إليه حول الموضوع، يمكنني القول بثقة إن هيئة المحلفين لا تزال تتداول حول مسألة حركة حفاة الأقدام. لا ينبغي نبذ الحركة واعتبارها مجرد موضة سخيفة، لأنها تملك أرضية منطقية نوعاً ما. ولكن، بالمقابل، لا ينبغي على الجميع تبنّيها. إن

الطّب يصبح شخصياً أكثر فأكثر، والقدمان ليستا استثناء. لا ضير في التّجربة. في هذه الأيام، إنني أركض من دون حذاء مرة بعد كلّ أربع مرات أركض فيها منتعلاً حذائي.

لنعد إلى عيادة الدّكتورة آرتشر. أخلع حذائي وجاربيّ من أجل الفحص. تنظر إلى كعبيَّ المغطيين بطبقة ثخينة من الجلد القاسي والمتشقق.

"واو".

سأحتاج إلى إضافة مهمة أخرى إلى لائحتي الضّخمة من التّوصيات اليومية: تقشير كعبيَّ في الحمّام.

أقول لها إنها كانت يجب أن ترى قدميّ قبل أسبوع واحد فقط، عندما أخذتني جولي إلى أول جلسة عناية بالقدمين لي كجزء من مشروعي الصّحي، وقد أمضت المرأة خمس دقائق في تقشير كعبيّ.

فسألتني: "هل يعجبك ما قمت به؟".

"ليس تماماً". إن وجود امرأة راكعة عند قدميّ جعلني أشعر مثل حاكم على مستعمرة بريطانية.

تقول: "يجب أن تكون حذراً من جلسات العناية بالقدمين".

في هذه الجلسات – بحسب الدّكتورة آرتشر – إنكم تغمرون أقدامكم في مستنقع من الجراثيم. إن فوّهات نفث المياه في حوض غسل القدمين تكون مسدودة بقطع من جلد زبائن سابقين. "يُصاب النّاس بالفطريات من جلسات العناية بالقدمين". تقول آرتشر.

تؤكد لي آرتشر أنها إذا أرادت أن تذهب إلى هناك، فإنها ستأخذ معها مبردها ومقص أظافرها ومنعِّم أظافرها. في الواقع، ستطلق آرتشر علاجاً للفطريات، مكوَّناً من زيت ما، يمكنني وضعه على أظافر قدميّ قبل وبعد جلسة العناية بالأظافر.

"يجب ألاّ تدعهم أبداً يقصُّون طبقة الجلد المحيطة بقاعدة الظّفر، لأنها دفاع جسدك ضد البكتيريا". أؤكد لها بأن طبقة الجلد هذه لن يمسها أحد.

الفحص: الشّهر الرّابع عشر

الوزن: 70.5 كغ.

الكلمات الجديدة المتعلّمة من أجل الحفاظ على حيوية الذّهن: 301 (كلمة اليوم: Cyanosis، وتعني الحالة التي يصبح فيها لون الجلد أزرق).

الكينوا المستهلكة منذ بدء المشروع: 20 كغ.

الثقل المرفوع من وضعية القرفصاء (15 تكراراً): 162 كغ.

إنني أكتب الآن في مكتب مستأجَر يقع في قبو أحد الأبنية. كنت بحاجة إلى الابتعاد عن أولادي الأحباء، ولكن الذين لا يعرفون حدوداً.

إنها زنزانة رطبة وكئيبة لا تفتقر إلا إلى قيود الأرجل. أما بالنسبة إلى الجانب الإيجابي، فهي شديدة البرودة. في بعض الأحيان، أضطر للعمل مرتدياً معطفاً ثقيلاً، وأكتب مرتدياً قفازاً من دون أصابع.

الجسد البارد يحرق مزيداً من السعرات الحرارية. تشير دراسة نُشرت في مجلة أوبيسيتي ريفيوز، بقلم بروفيسور في جامعة لندن، إلى إمكانية تحميل جزء من الملامة في وباء البدانة على رفع درجة حرارة منظم الحرارة. لقد ارتفعت درجة حرارة غرف النّوم الأميركية من 27 درجة في العام 1987 إلى 32 درجة في العام 2005. عندما يكون الجو بارداً، نضطر لحرق المزيد من الوقود للحفاظ على درجة حرارة أجسادنا. كما أن ذلك ينشِّط شيئاً يُدعى الدّهن البني؛ الأكثر سهولة في الحرق من الدّهن الأبيض.

ينصح كتاب صديقي تيم فيريس عمل أسبوع في أربع ساعات بالعلاج بواسطة البرد من أجل فقدان الوزن. يقول فيريس إن وضع كيس من الثّلج على الجزء الخلفي من الرّقبة سيساعد في هذا الشّأن. أو إذا كنت بديناً حقاً، فيُفضَّل الاستحمام في الثّلج لمدة عشر دقائق. أكره عدم وجود طاولة مكتب موصولة بجهاز مشي في زنزانتي، لكنني أرتجف على الأقل.

على سبيل المصادفة، لم تتسبب ظروفي القطبية بإصابتي بالزكام، وهذا منطقي، لأنه حتى بن فرانكلين أشار منذ أكثر من قرنين إلى أن البرد لا يتسبب بالزكام.

لكن جميع أفراد عائلتي مصابون بالزكام. لوكاس وزين وجاسبر وجولي، كلهم يعطسون ويصفرون عند التّنفس.

ليس أمراً ممتعاً أن تكون محاطاً بمجموعة من المرضى، وأنا أشعر بالسوء خصوصاً تجاه لوكاس الذي يرشح مثل مكيف الهواء المجنون في الطّابق الذي يقع فوق طابقنا. مع ذلك، هناك جزء مني يشعر بالرضا عن النّفس.

يبدو أن كل هذا التّعرُّق والأكل الصّحيح وتخفيف التّوتر يأتي أُكُله. لربما هذا هو وضع المرء عندما يكون متمتعاً بصحة جيدة. إنه أمر عظيم.

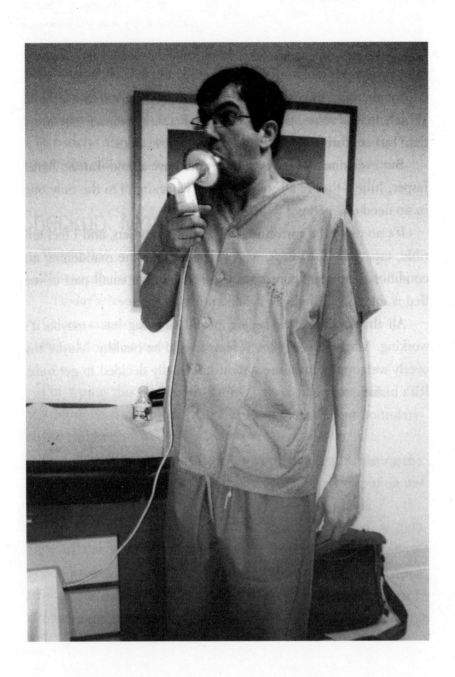

الفصل الخامس عشر

الرئتان

السعي للتنفس بشكل أفضل

عادة، نأخذ أولادنا إلى متحف الجنس البشري الواقع في حي ساوث ستريت سيبورت.

إنه يعتني بالتفاصيل أكثر مما توقعت. لعله لا يناسب طفليَّ التوأم البالغين من العمر أربع سنوات. لعله لا يناسبني أنا أيضاً. في قسم العظام، ثمة صندوق زجاجي يحوي عظم حوض صغير لما يبدو أنه طفل في شهره السّادس.

تحدِّق المرأة الواقفة بجانبي في الصّندوق الزّجاجي وتلاحظ البقايا ثم تقول، بكل جدية: "أووه، هذا ظريف جداً". بالنسبة إليّ إنه ليس ظريفاً أبداً، بل إنه مخيف. هل يُفترَض بنا أن ننسى أن طفلاً مات كي نرى هذا الغول المفرح.

لحسن الحظ، إن أولادي ليسوا منزعجين كثيراً، فهم مهتمون أكثر بوعاء بلاستيكي مليء حتى مستوى الخصر بعلب سجائر. إنهم يحبون الألوان والتصاميم الموجودة على العلب.

هناك لوحة بجانب الوعاء كُتب عليها: "كلما دخَّنت علبة سجائر تفقد ثلاث ساعات وأربعين دقيقة من عمرك". يُشجَّع المارّون على رمي علب سجائرهم في شق الوعاء واستعادة ساعاتهم المفقودة.

"لماذا يدخن النّاس؟". يسأل جاسبر خلال توجهنا إلى الغرفة المجاورة.

فتجيب جولي: "في الواقع، أنت تعلم كيف يحب زين رضّاعته؟ إنه الشّيء

نفسه مع البالغين والسجائر. إنها تجعلهم يشعرون بشكل أفضل. إنها تمنحك شيئاً تفعله بفمك. ويُفترَض أنها مهدِّئة أيضاً".

ما الذي تقوله؟ ربما يجب عليها أن تضيف أن السّجائر تملك نكهة منعشة، كما لو أنك تستنشق هواءً جبلياً.

رمقتها بنظرة حادة ثم قلت: "لست مضطرة لتسويقها بهذه القوة".

"صحيح، لم أعبِّر عن ذلك بشكل صحيح".

إنني أركِّز على رئتيَّ هذا الشّهر. فمن دون هذين العضوين اللّذين يزنان خمسة كيلوغرامات، ويحويان شعباً تنفسية بطول 1,500 ميل و500 مليون كيس هوائي دقيق، لم أكن لأكون موجوداً كي أقلق بشأن التّدخين.

لقد قرأت الكثير حول التّدخين، ما جعلني أتمنى لو أنني كنت مدخناً. لأنني في هذه الحالة كنت سأحقق تقدماً هائلاً إذا أقلعت عن التّدخين خلال مشروعي الصّحي. لكنني، للأسف، دخّنت سيجارتي الوحيدة عندما كنت في الخامسة عشرة من عمري، وأمضيت الدّقائق العشر التّالية في الاستفراغ وأنا ممسك بكلتا يديّ صفيحة قمامة على الرّصيف.

هكذا جعلتني السّجائر أمرض على المدى القصير؛ الأمر الذي أنقذني من المرض بسببها على المدى الطّويل. لا تزال السّجائر تمثل السّبب - القابل للمنع - الأساسي للوفيات في أميركا، حيث إنها تقتل 440,000 شخص في العام. لكن الجانب المؤسف هو أن السّجائر يمكن أن تكون مفيدة في إيقاف وباء البدانة، لأن النّيكوتين أحد مثبطات الشّهية المثبتة. تُظهر بعض الدّراسات أن المدخنين في العموم أنحف منا نحن غير المدخنين.

ولكن، للأسف، إن مضار السّجائر تفوق أي خسارة وزن ناجمة عنها؛ تماماً كما يفوق الاختناق منافع تمديد العمود الفقري عندما تشنق نفسك من عارضة ستائر.

علم الشّهيق والزفير

كنت أتنفس بشكل غير صحيح طوال حياتي. ولكن، بصورة تقريبية، ووفقاً لحساباتي، لقد أخذت 220,752,000 نَفَس غير صحيح.

بالنسـبة إلى العارفيـن بأصول التّنفـس، تتكون مشـكلتي من شـقين: أولاً، أنا أتنفس بشكل غير عميق. وثانياً، أنا أتنفس من فمي.

دعوني أتناول هاتين المشكلتين كل واحدة على حدة.

لطالما كنت أتنفس عبر فمي. عندما أستمع إلى مقابلات سجّلتها في السّابق، فإنها تبدو لي وكأن دارث فادر موجود في الخلفية. كنـت أتمنى أن أعلم هذا العام أن التّنفس عبر الفم جيـد لكم، حتى أتمكّن من الإعلان عـن منافعه وإطلاق حركة التنفس عبر الفم.

لكنه ليس كذلك، للأسـف. أما بالنسـبة إلى الأنف، فهو يكيِّف الهواء، حيث إنـه يدفِّئـه ويرطِّبـه ويجنِّبـه البكتيريا الضّـارة. يملـك الأنف عـدة خطـوط دفاعية، تتضمـن الشّـعر العـادي، والشـعر الدّقيـق، وعظامـاً تُدعـى العظـام الخذروفيـة، والمخـاط. وإضافة إلـى ذلـك، يؤكد بعـض الأطبـاء أن التّنفـس عبر الأنـف ينتج أوكسيد النّيتروز الذي يوسِّع الأوعية الدّموية ويزيد امتصاص الأوكسجين.

هناك أيضاً التّنفس العميق. بحسـب الدّكتـور أندرو ويل، خبيـر الطّب البديل الأكثر موثوقية، إن التّنفس العميق "يبطئ معدل نبض القلب، ويخفض ضغط الدّم، ويحسِّن الدّورة الدّموية".

قررت أنني بحاجة إلى بعض الـدّروس في التّنفس العميق. فـي البداية، ذهبت لمقابلـة صاحب أشـهر رئتين فـي أميـركا، ديفيد بليـن، الذي يملـك الرّقم القياسـي العالمي في احتباس النَّفَس، حيث إنه فعل ذلك لمدة 17 دقيقة و4 ثوانٍ. لقد استخدم طريقة تُدعى ضغط الرّئتين، وفيها تستنشـق أكبر قدر ممكن من الهـواء ومن ثم تقوم بسحب أربعة استنشاقات قصيرة أخرى (أعرف أنها جملة مكررة جداً، ولكن إذا كان هناك وقت مناسب لاستخدامها، فهذا هو: رجاءً، لا تقوموا بذلك في المنزل).

التقيت بليـن عندما أجريـت مقابلـة معه لصالـح مجلة إسكواير. ذهبـت إليه متشـككاً، لكننـي وجدته لطيفـاً، فضـلاً عن أنـه مهـووس بالصحة (يتكـون عصيره الصّباحي الذي قلّدته عدة مرات من "فصّين من الثّوم، وملفوف صيني، ولفت نيء، وأوراق لفت مسلوقة، وسبانخ، ونصف تفاحة، وليمونتين حامضتين، وفلفل حار").

عندما وصلت إلى مكتبه، كان بليـن على الهاتف يجري حديثـاً صباحياً يومياً

حول عرض قـادم. "أجل، هـذه آخر مـرة آكل فيها زجاجاً. لقد وعـدت خطيبتي. إنه يسبب ضرراً فظيعاً. إنه يمزق معدتي، ويزيل كل طبقة المينا من أسناني". بعد الاتفاق، يغلق بلين الهاتف.

يقدم لي قطعة زنجبيل ضخمة؛ يُفترَض أنها تمنع سـرطان والتهاب القولون. كان من الفظاظة أن أقول لا.

"امضغه فقط، ومصّ العصير، ثم ابصقه". يبدأ في مضغ قطعة كبيرة بأسنانه الخالية من طبقة المينا.

أسأله حول ما يجب علي فعله للحصول على رئتين صحيتين ومثاليتين.

"إذا كنت تريد الهواء الأنظف، فيجب عليك الانتقال إلى تاسمانيا أو القارة القطبية الجنوبيـة. ولكـن، إذا كان ذلك ليس ممكناً، فينبغي عليـك الحصول على فيلتر هواء ماركة IQ، إنها الماركة التي استخدمها الرّياضيون في أولمبياد بكين".

وماذا بشأن التّنفس العميق؟ لست بحاجة إلى حبس نَفَسي لربع ساعة، لكنني أود أن أتنفس بشكل أعمق.

يأخذ بلين نَفَساً ويقول: "اشعرْ بالهواء يملأ رئتيك". فأفعل. "الآن، اشعرْ بالهواء يملأ معدتك، كتفيك، كل مكان". أحاول أن أتخيل جسـدي بأكمله يمتلئ بالهواء. أحبسه قليلاً ثم أزفر. لكن بلين لا يزفر بعد.

"الآن، دعنا نقوم ببعض التّمددات". نمد أذرعنا.

يسـألني: "هل أعجبك الزّنجبيل؟". إنه يملك مذاقاً طيباً أكثر مما كنت أتوقع. لم يزفر بلين حتى الآن.

قبـل مغادرتي، تحدثنا أكثر حول مقالة إسكواير. بالطبع، زفر بليـن في نهاية المطاف. أعجبتني نصيحته حـول محاولة إيصال الهواء إلى كل شـق في جسـدي العلوي لكنني أردت رأياً آخر.

حصلت عليه من مـدرّب للصوت يُدعى جاستين ستوني. جعلني سـتوني أستلقي على الأرض وأضع يـدي على بطني، وأشـعر بانتفاخه عندما أستنشق الهواء. "لا تحاول حتى أن تستنشق. ادفع بطنك إلى الأعلى فقط وستحدث فراغاً، وسيدخل الهواء. عندما تزفر، ابسط بطنك".

204

تبيَّن أن هذا التّنفس البطني يغيِّر الحياة تغييراً طفيفاً؛ لكنه يبقى تغييراً. عندما أركض، أستخدم هذه الطّريقة فيقلُّ لهاثي بالفعل. إنها تجنِّبني ذلك الشّعور الكريه بحرقة الصّدر. أنا أستخدمها الآن على جهاز المشي الموصول بطاولة مكتبي. إنني أدفع بطني إلى الخارج عند الشّهيق كي يشبه بطن آل غور، ثم أعيده إلى وضعه الطّبيعي عند الزّفير.

لحظات زِنية

لا يمكنني أن أترك موضوع التّنفس العميق من دون أن أذكر التّأمل الذي أصبح - مثل اليوغا والاعتقاد بالحرية الشّخصية - سائداً. يمارس مشاة البحرية التّأمل بأرجل متصالبة، واضعين بنادقهم على أحضانهم، كجزء من تدريبهم. وابني البالغ من العمر ست سنوات يمارس تمارين التّنفس في المدرسة (رغم أن كلماتهم ليست هندية تماماً "شمّوا الزّهرة، انفخوا الشّمعة"). أما بالنسبة إلى المنافع الصّحية، فهي مؤكدة: يخفف الاكتئاب ومرض القلب، ويحسّن التّركيز.

كنت أمارس التّأمل مرتين في الأسبوع. في البداية، تعلّمته من مركز زِني في فيليج عندما كنت أكتب مقالة حول فن فعل شيء واحد في كل مرة. أمارسه في غرفة الجلوس في اللّيل، بعد خلود جولي للنوم، حيث أجلس على الأرض وأحدق إلى الحائط لعشر دقائق.

لكنني أحاول مؤخراً التّأمل كل يوم. وبسبب قيود الوقت، انتهى بي الأمر بالقيام بما أسميه التّأمل الظّرفي. حيث إنني أتأمل في أي مكان أجد فيه خمس دقائق؛ في الباص، في النّفق، في أثناء انتظاري إشارة المرور.

لست وحدي في هذا الشّأن، فقد وجدت موقعاً بوذياً على الإنترنت يقدم إرشادات حول كيفية التّأمل في بيئة صاخبة. جرَّبتها حينما كنت أخضع للتصوير بالرنين المغناطيسي منذ فترة قريبة (كنت أصوِّر نفسي بسبب تشوش في النظر لازمني لفترة وجيزة، وقد تبيَّن أنه ليست هناك أي مشكلة). والآن، لنفترض أنكم لم تخضعوا للتصوير بالرنين المغناطيسي، فاعلموا أنه صاخب، على نحو كوميدي إلى حدّ ما. وبالرغم من أن الموظف المساعد يعطيك سدادتين للأذنين، إلا أن ذلك لا

يحجب الصّوت بشكل كامل. لجهاز التّصوير المغناطيسي مجموعة من الأصوات التي تشبه - من دون أي ترتيب معين - جهاز الطّنين للجواب غير الصحيح في برامج الألعاب، قرْعاً ملحًّا على الباب، صوت جهاز مودم من العام 1992، زمجرة دب بني، ورجلاً ذا صوت أجش يصرخ قائلاً ما يبدو مثل "مُبرِّد الأم!".

تتمثل الطّريقة في ترك الضّجة تمر عبر دماغك من دون إيقافها أو تفسيرها. لا تحاولوا إعاقة الموجات الصّوتية. لاحظوها فقط بينما هي تطوف عابرةً، وقولوا، أليس هذا ممتعاً. يطلب منا الموقع ألا نفكر في أصول الأصوات، وأن نركِّز فقط على الألحان والاهتزازات. مبرِّد - الأم. مبرِّد - الأم".

نَفَس من الهواء المنعش

في يوم أربعاء، أتوجه برفقة جولي لزيارة جدي ولتناول الغداء معه. نجده متمدداً، كالعادة، على كرسيه، ومرتدياً قميصاً أحمر ذا كمَّين طويلين. يبدو أكبر عمراً. معصماه نحيلان كمقبض عصا مكنسة، وعيناه دامعتان.

إنه يتنفس بصعوبة، وهذا مفهوم، لأن الرّئتين تنهاران مع التّقدم في العمر. إنهما تفقدان الأكياس الهوائية والأوعية الشّعرية، كما أن الحجاب الحاجز يضعف، والعضلات تصبح أقل مرونة.

تنحني جولي لتقبّله، فيقول بين الأنفاس: "مرحباً عزيزتي".

يسألني عن أولادي، لكنني أستطيع التّخمين بأنه لا يتذكر أسماءهم.

ثم يقول: "على ماذا تعمل يا أ. ج؟".

أخبره بأنني كنت أكتب حول الرّئتين، ثم أقول: "كما تعلم، لقد ساعدتَ رئات النّيويوركيين".

"صحيح؟".

"جميع مشاريع النّقل العام التي عملتَ عليها. لقد ساعدتَ على تخفيف التّلوث".

"أوه، صحيح؟".

يبدو مسروراً، ولكنه مرتبك. لقد قرر منذ عدة سنوات - وهو الدّاعم القديم

لقطارات الأنفاق ونظام الباصات – أنه ينبغي على النّقل العام أن يكون مجانياً، مثل الماء والراديو. والنتيجة ستكون انخفاض عدد النّاس الذين يقودون السّيارات، وانخفاض الدّخان والأبخرة، وزيادة الفعالية. لقد موّل دراسة حول الموضوع، وضغط على عمدة المدينة.

"سيحدث ذلك قريباً"، يقول جدي بتفاؤله الاعتيادي، وربما الوهمي.

فأقول: "آمل ذلك".

إن تلوث الهواء في نيويورك سيئ، لكنه يمكن أن يكون أشد سوءاً. فقد وجدتْ جمعية الرّئة الأميركية أن المدينة تأتي في المرتبة السّادسة عشرة من حيث السّوء بالنسبة إلى تلوث الأوزون (بيكرسفيلد في كاليفورنيا حلّت في المرتبة الأولى) وفي المرتبة الحادية والعشرين بالنسبة إلى التلوث الجزيئي (لوس أنجلوس فازت باللقب).

يتسبب تلوث الهواء بجميع أنواع المشاكل، منها النّفاخ، والربو، والأمراض القلبية. وتقدِّر منظمة الصّحة أن 2.1 مليون إنسان يموتون من أمراض لها علاقة بتلوث الهواء كل عام. لكنه مجرد تقدير عام. وليس واضحاً كم عدد النّيويوركيين الذين يموتون.

أفضل ما يمكنك فعله هو الحفاظ على بيتك نظيفاً. لا تستخدم الشّموع أو المنتجات المعطّرة. نظِّف مكيِّف الهواء كل عام. ويقول بعض الأطباء إنه يجب علينا أن نفتح النّوافذ لمدة خمس عشرة دقيقة في اليوم، لأن الهواء في داخل البيوت قد يكون أشد قذارة من الهواء في الخارج. وإذا كنت تعاني من مشاكل رئوية، فاشترِ فلتر HEPA. أما إذا كنت ملتزماً حقاً، فاشترِ قناع جراحة من نوع N95، وهو نوع خاص يبعد الجزيئات.

تقول جولي: "يبدو أنك نجوت من التّلوث، يا جدي".

يجيب مبتسماً: "ما زلت أقاوم".

أقول: "في الحقيقة، لقد اخترتَ مكاناً جيداً للعيش يا جدي". أخبره بأن نيويورك، بالرغم من التّلوث، تملك معدل حياة مرتفعاً على نحو يدعو للاستغراب: 78.6 بالمقارنة مع المعدل الوطني 77.9. أما بالنسبة إلى السبب،

فالنظريـات متنوعة في هذا الخصوص، لكـن معظمها تتفق على أن جـزءاً كبيراً من السّبب يعود للقدر الذي يمشيه النّيويوركيون. بحسـب تعبير مفوض الصّحة العامة السّابق في المدينة: "نيويورك أشبه بنادٍ رياضي كبير".

أتابع حديثـي قائـلاً: "بالرغم من أنـك كنت تسـتطيع إنجاز ما هـو أفضل من ذلك. مثل أوكينـاوا". تملك المقاطعـة اليابانية الجنوبية أعلى عدد من الأشـخاص الذين تخطَّت أعمارهم مائة عام، وذلك بفضل خليط من العوامل (هضاب شـديدة الانحدار للمشـي، الكثير من العمل الشّـاق السّـنوي حتى للمسـنين، ونظام غذائي قليل الدّهون وعالي البروتينات ومنخفض السّكر... إلخ).

"أو كان بوسـعك أن تكون عضواً في طائفة اليوم السّابع في سان دييغو". وهي مجموعة أخـرى من الأشـخاص ذوي الأعمـار الطّويلـة، ويعـود الفضل في ذلك، جزئياً، إلى العلاقات الأسرية المتينة والغذاء الخالي من اللّحوم.

يقول جدي: "ماذا؟".

"طائفة اليوم السّابع، إنها جماعة. يمكنك الانضمام إليها".

"أعتقد أن الوقت قد فات".

الفحص: الشّهر الخامس عشر

الوزن: 71 كغ.

علب العلكة التي مضغتها منذ فصل الأسنان: 48.

التأمل في كل يوم: 10 دقائق.

عدد دقائق التّأمل الفعلي كنقيض للتفكير في شيء تافه: 2.

وزني 71. انخفض معدل سـلوكي الجلوسي إلى أربع سـاعات في اليوم. هل سبق وذكرت كم أحب المشي على جهاز المشي؟ إنني أكتب عليه، وأنظف أسناني بالفرشاة عليه، وأتناول مكملات زيت السّمك عليه. إنه يمنحني شعوراً بأنني أنجز شـيئاً مهماً. لقد قطعـت خلال عملي علـى هذا الكتـاب 710 أميال، وآمـل بتجاوز ألف ميل مع نهايته.

الفصل السّادس عشر

المعدة، إعادة نظر

السعي المتواصل لاتباع النّظام الغذائي المثالي

إنني أتناول الكثير من الأطعمة ذاتها كل يوم، ولست واثقاً بأنها فكرة صائبة. إليكم لائحة طعامي اليومية للشهر الماضي:

الفطور: بياض بيضتين مقلي بزيت الكانولا، قبضة من الجوز، صحن من الشّوفان المجروش والعنّاب العضوي، فريز، وزيت بذور الكتان.

الغداء: سَلَطة سبانخ وبروكولي وملفوف أحمر وفليفلة مخلوطة وبازلاء وبندورة وأفوكادو وقلوب الأرضي شوكي، وأحياناً بذور عباد الشّمس. من دون تتبيلة.

وجبة العصر الخفيفة: لبن خالٍ من الدسم مع بطيخ وعنب. ثلاث ملاعق من الحمُّص.

العشاء: كينوا، هليون مبخّر، كعكة السّبانخ الخاصة بالدكتور برايجر، وسلمون مشوي مع عصير اللّيمون ثلاث مرات في الأسبوع.

إنه نظام غذائي متوسطي معدّل؛ النّظام الغذائي الذي تدعمه أغلب الدّراسات. لا أمانع في التّشابه. إنه غذائي البسيط المريح.

لكن، من أجل التّجربة الشّخصية، أعتقد أنه يتوجب عليّ أن أجرِّب عملياً بعض الأنظمة الغذائية التي قرأت عنها. ولهذا السّبب، خلال الأسبوعين المقبلين، أتعهد بتجربة قطبي العالم الغذائي: الغذاء النّباتي النّيء، ونظام أتكنز.

المأكولات النّيئة

بمـا أن مارتي موجـودة في المدينـة، نتفق علـى الالتقـاء في مطعـم نباتي في منطقة إيست سايد يُدعى كاندل 79. أريد مرشداً حول الأكل النّيء. نجلس معاً في الزّاوية الخلفية.

تنزعـج مارتي مـن السّـموم التـي تبثهـا الشّـموع، فتطلب إبعـاد الشّـمعة عن طاولتنا.

تقول النّادلة: "إنها ليست شمعة حقيقية، إنها كهربائية".

"مع ذلك أفضِّل إبعادها. التّلوث الكهرمغناطيسي".

بعد تنفيذ رغبتها، أطلـب نصيحتها حول التّحـوُّل إلى الأكل النّـيء، فتجيب: "سوف تضطر للتغلب على كرهك لإعداد طعامك الخاص".

يفتـرض بـي الحصـول علـى خـلاط، وقطّاعـة، ومجفِّفـة كهربائيـة للأغذية، ومسـحوق السّـبيرولينا (spirulina powder)، وأشـنات خضراء مزرقـة، وملح من الهيملايا أو من بحر سيلتيك.

وأحتاج إلى عصّارة، ولكن ليس أي عصارة، فأنا أحتاج إلـى واحدة بمحرك أوجيـر (auger gear)، ولا تحتوي على شـفرات، لأن الشّـفرات تؤكسـد الأطعمة وتخفض قيمتها الغذائية.

وصلت هذه العصّـارة الخاصة بعد يومين. وبعد سـاعة مـن وصولها عمَّدتها بالدم من إصبعي التي جرحتها من دون قصد عندما كنت أركّب الأجزاء معاً.

أخرجـت أكياس الخيـار العضـوي واللفت والجـزر والكوسـى (zucchini). وضعت الكوسـى في العصارة وضغطت على الزّر. لا شـيء. ضغطـت بقوة أكبر، فسمعت صوت دوران وارتطام بينما كانت العصارة تلتهم الكوسى وتُخرج جدولاً باهتاً من الخضار من النّاحية الأخرى. عظيم. إنني أعصر!

بعد تدمير عـدة أنواع مـن الخضـروات، أقـرر أن العصـر هو طريقـة تحضير الطّعام المفضلة بالنسـبة إليّ. هناك شـيء جذاب في إخضاع نبات بريء لمثل هذا العنف. إنه أمر منحرف.

يستغرق العصـر 45 دقيقـة، لكـن الكثيـر من هـذا الوقـت يضيع في تنظيف الأجزاء التي لا تُحصى للخضروات المتنوعـة. تذكَّرت مـا قالته مارتي، وهو أن الأكل النّيء يستهلك الوقت بصورة مذهلة. قـد تظن أن عدم الطّبخ يوفِّر الوقت، لكنك مخطئ. يمكنني أن أطبخ عشـر وجبات بواسطة المايكروويف في الوقت الذي يستغرقه تقشير البازلاء الإنكليزية.

خـلال الأسبوعين التّالييـن، أستمر في العصر وتناول السَّلَطة، وتجفيـف الخضروات الذي يشبه "طبخها" بدرجة حرارة 56 مئوية؛ وهـي الدرجة القصوى قبل تخريب الأنزيمات الصّحية.

إليكم تقييمي:

الجانب الإيجابي: أشـعر أنني أكثر خفة ونظافة. واكتشفت أن الأطعمة النّيئة، إن أُعـدَّت بطريقة صحيحـة، يمكن أن تكـون لذيذة. أمضيت سـاعات في تصفُّح مواقع الأطعمـة النّيئة على الإنترنت وتنزيل طـرق التّحضير. بالنسـبة إلى سَلَطة الأفوكادو والمانجو، إنها رائعة.

الجانب السّـلبي: أحس بالجوع طوال الوقت، وبدأ النّحـول يبدو عليّ، حتى إن أحد أصدقائي سـألني: "ما هو سبب هـذا الشّكل المانوركسـي (manorexic، وتُطلَق على الأشخاص الذين يعتقدون أن النّحول جذاب)؟". في النّهاية، خسرت كيلوغرامـاً ونصف (لذا، إذا كان فقدان الوزن هو هدفك، فعليك التّفكير في الطّعام النّيء). وفي جانب آخر، لقد جعلني أشـعر بالدوار والتشوش. وأيضاً، بما أنك سألت، كان هذان الأسبوعان الأسبوعين الأكثر امتلاءً بالغازات في حياتي. شعرت بالرغبة بالاتصال بالدكتور جوتسمان من أجل إجراء جراحة معينة.

ستقتلني مارتي لقول ذلك، لكن الدّلائل العلمية المعروفة التي تدعم النّظام الغذائي النّيء ليسـت قوية جـداً. صحيح أن هناك أدلة كثيرة تدعم النّظام النّباتي، لكن الجـزء المتعلق بالأطعمـة النّيئة غير مثبت تمامـاً. مع ذلـك، إن اتُّبع بشكل صحيح، ومع ما يكفي من البروتين ومكمـلات B12، فإنه بالتأكيد أفضل من النّظام الغذائي الأميركي النّموذجي.

الحرب على المواد الكربوهيدراتية

على الجانب الآخر من الطّيف، هناك الأنظمة الغذائية منخفضة المواد الكربوهيدراتية، عالية البروتين، مثل نظام أتكنز ونظام الإنسان البدائي. قبل البدء، سألت جون ديورانت - رجل الكهف المقبول من التّمرين في الطّبيعة - إذا كان يود الإجابة عن أسئلتي، فاقترح أن نتقابل في مطعم شواء كوري في وسط المدينة.

في مطاعم الشّواء الكورية - في حال لم تذهب إلى واحد منها من قبل - إنك تعدُّ طعامك بنفسك على شواية بحجم صحن فريسبي وسط طاولتك. نار ولحوم، إنه جو شبيه بالعصر الحجري تماماً، باستثناء النُدل، والمياه الغازية، والحمامات المنفصلة حسب الجنس.

ديورانت رجل كهف وسيم، ذو شعر طويل يعقده أحياناً على شكل ذيل فرس، وذو لحية مشذبة بعناية. إنه يعمل في مشغِّل إنترنت، لكنه سيترك هذا العمل لاحقاً لكي يصبح "رجل كهف محترفاً" - بحسب تعبيره - ويكرس وقته من أجل تأليف كتاب.

لقد ظهر في برنامج تقرير كولبرت، وقال مازحاً إن صديقته ستكون مصابة بمرض "celiac disease" - العجز عن امتصاص الدّهون - وغير قادرة على أكل الحبوب. بعد البرنامج، بعثت أربعون امرأة يعانين من حساسية من الحبوب رسائل إلكترونية إليه.

يقترب النّادل، فيطلب ديورانت أمعاء بقر في حين أطلب سمكاً وخضروات.

أسأله إن كان قد أكل يوماً لحماً نيئاً مثل فلاد، فيجيبني: "إنني آكل اللّحم النّيء بطرق مقبولة اجتماعياً. هناك عدد مدهش من الطّرق: سوشي، ساشيمي، وستيك تارتار".

في المنزل، يملك ديورانت ثلاجة لحوم بطول متر واحد تحوي لحوماً عضوية وأضلاع لحم بقر. لكن هذا مجرد جزء من غذائه.

"هناك تصوُّر غير صحيح يفيد أننا نأكل اللّحوم فقط، لكننا نأكل الكثير من الخضروات والبيض وبعض المكسرات". وتكمن الفكرة في تجنُّب منتجات

الحليب وبذور النّباتات العشبية، والبطاطا، والحبوب التي طُوِّرت فقط خلال عشرة آلاف سنة ماضية.

كيف يجعله نظام الإنسان البدائي الغذائي يشعر؟

"أفضل بكثير. بشرتي أفضل. ولا أُصاب باضطرابات المزاج كما اعتدت في السّابق. وخسرت 10 إلى 12.5 كغ".

لقد جعلني غذاء الإنسان البدائي أشعر بشبع مدهش. إن البروتين والدهون أشد أنواع الأطعمة إشباعاً. لهذا السّبب يمكن أن تكون الأنظمة الغذائية الفقيرة بالمواد الكربوهيدراتية شديدة الفعالية في ما يتعلق بفقدان الوزن، فجسدك ينتج إنسولين أقل، ما يؤدي غالباً إلى إخماد الجوع.

يجب أن أعترف بأن ديورانت قد لا يوافق على بعض خياراتي. في اللّيلة الأولى، جرَّبت لحم العجل الذي بدا مثل صاروخ ديزي كاتر في معدتي. إضافة إلى ذلك، إن حملة عمتي مارتي التي دامت عقوداً تبث شعوراً بالذنب في داخلي عندما آكل اللّحوم. لذا، حوَّلت مصادري من البروتين إلى البيض والسمك والمكسرات. مع ذلك، لاحظت اختلافاً في الطّاقة، حيث انخفض كسلي الاعتيادي في فترة بعد الظّهر كثيراً.

كما هو الأمر بالنسبة إلى الأكل النّيء، إن الأدلة العلمية التي تدعم النّظام الغذائي البدائي لا تزال غير قاطعة. ربما سيساعدك في فقدان الوزن إذا كنت بديناً، كحال معظم الأنظمة الغذائية قليلة المواد الكربوهيدراتية، ولكن تأثير هذا النّظام الغذائي على مرض القلب ليس واضحاً. كما أننا لا نعرف إن كان هذا هو النّظام الغذائي الذي كان أجدادنا يتناولونه بالفعل، كما تقول ماريون نيسل - المشكِّكة في هذا النّظام - فالنباتات من مطابخ ما قبل التّاريخ لم تكن لتخلِّف آثاراً متحجرة.

حياة غير مرفّهة كثيراً

أجريت تجربة غذائية واحدة أخرى، وهي عيش حياة خالية من السّكر. لم يكن السّكر مطلقاً مادة يفضِّلها أخصائيو الصّحة أو الآباء أو أطباء الأسنان، لكن سمعته الآن تعاني انحداراً شديداً، لدرجة أنه يتحدى التّبغ بصفته عدو الصّحة

العامـة الأول. وقـد تسـارعت وتيرة حركة سـمّية السّـكر بفضـل مروِّجيْـن مقنعيْن همـا روبرت لاسـتينغ؛ بروفيسـور طـب الأطفـال فـي جامعـة كاليفورنيا في سـان فرانسيسكو، وجاري توبيس؛ المؤلف والكاتب في صحيفة نيويورك تايمز. وتكمن الحجة فـي أن السّـكر مهمـا كان نوعه - سـكر مائـدة أبيض، شـراب الـذرة عالي الفركتوز، عصير فاكهـة - ليس مجرد سـعرات حرارية فارغة، بل إنه يسـبب ضرراً كبيراً للكبـد والبنكرياس ويجعل الخلايا مقاومةً للإنسـولين؛ الأمر الذي يؤدي إلى مرض السّكري والبدانة. في لغة ملصقات مصدات السّيارات، "سكر = موت".

هنـاك الكثير مـن المدافعيـن عـن السّـكر الذين يقولـون إن السّـكر جيـد إذا اسـتُهلك باعتدال. منهم الدّكتور ديفيد كاتز من مركز الطّب الوقائـي التّابع لجامعة ييل، حيث يبيِّن أن السّـكر مصدر الطّاقة الوحيـد للطائر الطّنّـان، "فكيف يمكن أن يكون وقود الطّائر الطّنّان شريراً؟".

إنّه شـرير جداً؛ وفقاً للمتشـددين من كارهي السّـكر الذين ينصحـون بتجنب الفاكهة عالية السّكر (الأناناس، البطيخ، البرتقال)، ويشيرون إلى دراسات تُظهر أن السّكر مادة تسـبب الإدمان، حيث إنها تُحدث التّأثير نفسـه الذي يحدثه الكوكايين في الدّماغ.

الحقيقـة المحبطة التـي أفضِّلها تقـول إن مجـرد التّفكير في السّـكر قد يكون ضاراً على صحتك. يقـول توبيـس إن الأفكار المتعلقـة بالحلويات تطلـق رد فعل بافلوفياً يتضمن إفراز اللّعاب وعصارة المعدة، والأسوأ من ذلك الإنسولين.

كما هو الحـال دائماً مـع المسـائل الغذائية، يتكـون الجدل حول السّـكر من فوضـى غير واضحة مـن الأدلة. لكننـي أعتقـد بالفعل أن هنـاك احتمالاً جيـداً بأن يكون السّكر أسوأ بكثير مما كنا نعتقد منذ أمد بعيد. لذا فإنني سأتخلى عنه لمدة لا تقل عن أسبوعين. لن تكون هناك عصائر، ولا حبوب شوفان للفطور، أو أي شيء يحمل اسمه اللاحقة المخيفة "وز" (من غلوكوز).

سـيكون هذا الصّيام الإجباري قاسـياً. عندما تحدثت مع توبيـس، اقترح عليّ اسـتراتيجية "بعيد عن العين، بعيد عن الذّهن". أي إبعاد جميع أنواع الحلويات عن المنزل. "الامتناع الكامل عن المواد الكربوهيدراتيـة المكررة والحلويات قد يكون

في نهاية المطاف أسـهل من محاولـة أكلها باعتـدال". لكن توبيس يملـك أطفالاً، ولهذا فإن ذلك لن يحدث في حياته. ولا حياتي.

لنأخذ المانجو المجففة على سـبيل المثال. يُسـمَح لأولادي بأكل شـريحتين في اليوم. لكنني مدمن عليها أيضاً، حيث إنني ألتهم نحو عشرين شريحة في اليوم.

تملك المانجو المجففة مظهر الصّحة، وهذا سـبب اختيـاري لها في الأصل. لكنها في الواقع أشياء مخادعة تصادفَ أنها تنمو على الأشجار. حيث تنقل شرائح المانجو المجففة تلك سـتين غراماً من السّـكر إلـى دمي كل يـوم؛ أي نحو خمس عشرة ملعقة شاي من السّكر.

لكن قـوة إرادتـي تخونني في هـذه المسـألة. فقد جرَّبـت عدة اسـتراتيجيات من أجل التّخلـص من عـادة أكل المانجو هـذه، كأن أضعها في أبعـد مكان ممكن عن مسـتوى نظري؛ أي أخبئها مثلاً خلـف صينية على الرّف العلـوي. احزروا ماذا يحصل؟ أجدها دائماً.

كما أعدتُ تغليف شـرائح المانجـو، بوضع كل واحدة منها فـي كيس صغير. لقد نجحت هذه الاسـتراتيجية في الواقع، لأنني شـعرت بالذنب لفتح خمسة عشر كيسـاً من أجـل الحصول علـى خمس عشـرة حصة فـي اليـوم. غير أنهـا أصبحت مستهلكة للوقت إلى حدٍّ كبير، من دون ذكر استهلاك الأكياس.

في بعض الأحيـان، قبل الخـروج مـن المطبخ، كنـت أنظر إلى صـورة أ. ج. الهرمة وأقول لنفسـي: "هل يجب أن أفعل ذلك به؟". في الواقع، أعتقد أنه سـيغفر لي. لقد وجـدت أن أ. ج. الهرم أفضـل في تحفيزي علـى الحركـة - الذهاب إلى النّادي الرّياضي، المشي على جهاز المشي، أكل خيارة - منه في إيقاف رذائلي.

منذ عدة أيام، حققت تقدُّماً. اسـتمعت إلى البرنامـج العلمي راديو لاب حول العادات السّـيئة، وكان يُجري لقاء مع توماس شـيلينغ؛ عالم الاقتصـاد الحائز على جائزة نوبل في الاقتصاد، وصاحب فكرة ذاتنا الحالية في مواجهة ذاتنا المستقبلية.

تحدَّث شيلينغ حول استراتيجية مناهضة للتدخين بدت مثيرة للاهتمام. فقلت لنفسي إنها تستحق المحاولة.

عندما وصلت جولي إلى المنزل، طلبت منها خدمة.

"إذا أكلتُ شريحة مانجو جافة أخرى هذا الشّهر، أريد منك أن تهبي ألف دولار من مالي للحزب النّازي الأميركي".

"الحزب النّازي؟ ولماذا ليس أوكسفام؟".

"إنه ليس رادعاً كافياً. أريد شيئاً يجعلني أشمئز حتى المعدة".

"آه، صحيح".

دخلت جولي الجو بسرعة. كتبت شيكاً موجهاً للحزب النّازي، ووقّعته، وكتبت في خانة التّعليق "هبة من أ. ج. جاكوبس". لوَّحتْ به أمامي أمامي قائلةً: "لا تأكل أياً من شرائح المانجو المجففة تلك، مهما كانت لذيذة".

هذا ما يُعرَف باسم عَقْد أوديسيوس. في الأوديسا، طلب بطلنا الذّكي من بحّارته أن يربطوه بالسارية كي لا يقفز عن السّفينة عندما يسمع غناء حوريات البحر المغري. يجب عليك عدم الوثوق في ذاتك المستقبلية. كن مستعداً لضعفها.

أحمد اللّه على أوديسيوس، لأن هذه الاستراتيجية واحدة من أشد الاستراتيجيات التي صادفتها فعاليةً. لم آكل أي شريحة مانجو مجففة طوال أسبوعين.

ما زلت أفتح الخزانة وأنظر إلى تلك الشّرائح، وتسيل من فمي بعض قطرات اللّعاب البافلوفية. لكنني لن أضع أي واحدة منها في فمي.

مضى أسبوعان ولم آكل شريحة واحدة. إنني بطل. لكنهما أسبوعان مفيدان، فقد شعرت بطاقة أكبر، وآلام أقل، وتمرين أفضل. بالطبع، لا ينبغي تجاهل التّأثير الوهمي، لكنني أصبحت أكثر عداءً للسكر بسبب هذه التّجربة الصّغيرة.

مع ذلك، أنا رجل ضعيف في الأساس. لذا، بعد انقضاء الأسبوعين، بدأت باستخدام بديل للسكر يُدعى ستيفيا. يقول كارهو السّكر إنه يمكن أن يزيد مقاومة الإنسولين. لكن معظم النّاس يعتقدون أنه الأكثر صحيّة. يمكنك شراء ستيفيا على شكل علب صغيرة من البودرة. وبما أنها تملك مذاق الفانيلا، فأنا أستمتع بالشوفان المجروش المطعَّم بشيء من الفانيلا، وبهريس البروكولي الذي يبدو مذاقه - إلى حدٍّ ما - كمذاق الآيس كريم.

في آخر تحدٍّ للسكر أقوم به، قررت أن أجرِّب أيضاً استبعاد الكلمات الحلوة

من لغتي. يجب عليّ عدم تمجيد مذاق السّكر بمناداة جولي باسمها التّدليلي: "يا حلوة". ولكن، بما أن مناداتها "يا مالحة" ليست رومانسية كثيراً، استقررت على "يا قرعة" (من نبات القرع) رغم أنه رسمي نوعاً ما. لكنها وافقت.

الفحص: الشّهر السّادس عشر

الوزن: 70.5 كغ (انخفض إلى 69 عندما أكلت الطّعام النّيء).

عدد الأميال المقطوعة خلال كتابة هذا الكتاب: 1012 (حطمت الحاجز المنشود).

عدد الوجبات التي تحوي ملفوفاً صينياً هذا الشّهر: 12.

عدد الوجبات التي تحوي ملفوفاً صينياً من العام 1968 حتى 2009: 0.

أكبر عدد خطوات في يوم واحد: 21,340 (مشيت إلى حي ترابيكان إضافة إلى الكثير من أعمال التّنظيف المنزلية).

انضممت هذا الشّهر إلى أبي وأمي في أثناء تمرينهما – كلٌّ في مكانه الخاص. تُظهر الدّراسات أن تمضية الوقت مع العائلة مفيدة للصحة؛ على فرض أنك تحب عائلتك، مثلي أنا، والحمد لله.

أخذتني أمي إلى الاستوديو الذي تؤدي فيه تمارينها الخاصة بالمرونة والتوازن (بيلاتس). توجد في المكان مجموعة من الأجهزة المصنوعة من الجلد والخشب والكابلات. يبدو أنها صُمِّمت من قِبل رئيس محاكم التفتيش الإسبانية المخيف. لكن التّمرين نفسه لم يكن مخيفاً. قالت لي أمي: "نحن نركض في أثناء الاستلقاء". كنت مضطراً للموافقة معها على أنه شيء عظيم.

أما تمرين أبي فقد كان تمريناً تقليدياً على جهاز المشي وتعزيز القوة الجسدية في نادٍ قريب من مكتبه الواقع في وسط المدينة.

لم أتخيل مطلقاً أنني سأتمرن مع والديّ، وذلك لأنهما لم يكونا شديدي الحماسة للتمارين الرّياضية عندما كنت يافعاً، بل كانا يشددان أكثر على الفكر. كان أبي ينفق وقته في قراءة موسوعة بريتانيكا وتأليف كتب في القانون. (إنه يملك

الرّقم القياسي في أكبر عدد من الهوامش في إحدى المواد القانونية: 4,824).

لم تكـن الأنشـطة الرّياضية تشـغل حيزاً هامـاً في أجندتهما. ولم يشـرعا في الانغماس في التّمارين الرّياضية إلا مؤخراً، عندما تقدَّما في العمر.

بيد أن تأثيرات الماضي عميقـة الجذور، إذ غالباً ما أشـعر بالذنب لأنني أنفق الكثير من الوقت على جسـدي. ألا ينبغي عليّ أن أكون مشـغولاً في تطوير عقلي بدلاً من عضلات ظهري؟

SPORT

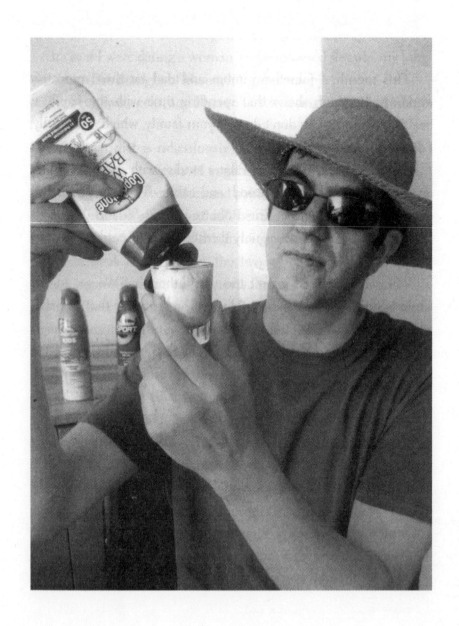

الفصل السّابع عشر

الجلد

السعي لإزالة العيوب

أجريت بحثاً حول المراهم والمواد الكيماوية والبخّاخات المتنوعة التي يستخدمها النّاس على وجوههم في إطار سعيهم لامتلاك جلد صحي، أو جلد يبدو كجلد صحي.

ويا لها من لائحة مذهلة! تتراوح بين الأشياء اللّذيذة والمقرفة إلى حدٍّ لا يوصف.

في الفئة المشهية: اللّبن، اللّيمون، زيت الجوز، العسل، اللّوز، الأفوكادو، النّعناع، القرع. إن الجباه في بيفرلي هيلز تُغذّى بشكل أفضل من العامل العادي في أي دولة استوائية.

وفي المقابل، يدفع بعض النّاس أيضاً لقاء تطبيق مجموعة مخيفة من المفرزات الجسدية على وجوههم. هناك منتجع في نيويورك سينشر براز طيور على مساماتكم مقابل 200 دولار. وسيلمّع منتجع آخر جلدك بوساطة مضاد أكسدة يُدعى سبيرمين - الموجود في الأصل في المني - وهو يُصنَّع الآن في النّروج. كما أن العلاجات الوجهية التي تستخدم إفرازات الحلزون متوفرة أيضاً. يبدو أننا لم نبتعد كثيراً عن الأزمنة الإليزابيثية؛ عندما انتشرت صرعة تنظيف الجلد بواسطة بول الجراء.

خلال سنواتي الإحدى والأربعين لم أضع أي شيء لذيذ أو مقرف على

وجهي، باستثناء محلول تسمير البشرة وطلاء الوجه خلال حرب التّلوين. ولماذا أفعل؟ كنت أعتقد أن الجلد قادر على العناية بنفسه. لا تهتم بالتفاصيل.

لكنني مؤخراً أصبحت مذعوراً لأنني الرّجل الأخير في العصر الحديث من دون أي برنامج صحي للعناية بالجلد. كنت في حمام محطة بين قبل التّوجه إلى بنسلفانيا عندما سمعت رجلين يتحدثان. سترتان جلديتان، أوشام هارلي، بطنان كبيران يحجبان حزاميْ السّروالين. إنهما إما راكبا دارجة نارية أو شرطيان متخفيان شديدا الحماسة.

"الشمس تقتلني. إنني أستخدم الكريمات المرطبة كالمجنون. أستخدم كل شيء لعين. أستخدم الصّبّار اللّعين، كله".

هز الآخر رأسه بتعاطف ساخط.

كجزء من المشروع، أنا مضطر للاهتمام بجلدي. إن سرطان الجلد هو النّوع الأكثر شيوعاً بين أنواع السّرطان في العالم. هنالك مليونا حالة في العام في الولايات المتحدة وحدها، وفقاً لجمعية السّرطان الأميركية. وعلى مستوى أكثر سطحيةً، كما يمكن لصديقيَّ في محطة بين أن يقولا لك، إن جلدك يخبرك بعمرك. ولهذا السّبب، إن هذا الشّهر شهر الجلد.

التنعيم

ولكن، ما هي المنتجات التي ينبغي عليّ استخدامها. تُقدَّر قيمة صناعة العناية بالجلد بحوالى 43 مليار دولار، ومستوى الاحتيال مرتفع على نحو مدهش. يقدِّم الطّبيب والصحفي بين جولداكر نقداً شاملاً لصناعة الكريمات الجلدية في كتابه علم رديء. إنهم يضعون مكوِّنات علمية ظاهراً مثل "حمض نووي معالَج بشكل خاص لنطف السّلمون". فإذا امتص جلدك الحمض النّووي للسلمون فعلاً، بحسب جولداكر، فإنك قد ترى حراشف سلمون تنمو على جلدك، الأمر الذي قد يروق لإحدى الجماعات الخاصة.

إن الخيارات المتعلقة بالعناية بالبشرة مدوَّنة (انظر الملحق). لكن جولداكر

يقول إن كل المرطبات متشابهة تقريباً، مالم تكن تعاني من مشكلة جلدية. في الوقت الحالي، إنني أستخدم محلول أفيينو الذي تستخدمه زوجتي.

أما بالنسبة إلى التجاعيد، فهي قصة مختلفة. من بين عشرات الخيارات الواقية من التّجاعيد، فإن قلة منها نافعة في الواقع، وأهمها تريتينوين، المعروف على نطاق واسع باسم ريتين أ. يساعد هذا الحمض الجلد على الاحتفاظ بالكولاجين، وقد تكون له منافع صحية إضافة إلى تلك التّجميلية. فبحسب صحيفة نيويورك تايمز، إنه يُستخدَم لعلاج خلايا جلدية ما قبل سرطانية، حيث أظهرت بعض الدّراسات أن الخلايا الشّاذة عادت إلى حالتها الطّبيعية بعد سنتين من الاستخدام.

بناءً على طلبي، وصف لي طبيبي الأخصائي بأمراض الجلد أنبوب ريتين أ. إنه غالٍ بشكل غير معقول – 80 دولاراً – لدرجة أنني فكرت في تقديم طلب تعويض فقط من أجل إضحاك موظف التّأمين.

بدأت بوضع الكريم حول عينيّ وعلى جبهتي. مرّ أسبوع بكامله. لم ألاحظ أي شيء. أسبوعان. لا شيء. بعد الأسبوع الثّالث... شيء ما؟ وبعد الأسبوع الرّابع، شيء ما حتماً.

التشققات العميقة حول عينيّ بقيت، لكن الشّقوق الصّغيرة امتلأت، مثل بالون منفوخ.

وبما أنه لا يمكن أن يكون تأثيراً وهمياً، سألت جولي.

فقالت: "تبدو أصغر عمراً. هذا غريب".

"بوسعكِ استعماله إذا أردتِ".

"لماذا؟ هل تعتقد أنني بحاجة إليه؟".

في الواقع، لقد استعملت جولي أنبوبي في النّهاية، لكن تأثيره كان معاكساً. فقد تورّم جلدها وتصبّغ باللون الأحمر. وعندما أعادت إليّ الأنبوب، قالت: "سوف تضطر للتعامل مع ذاتي الهرمة المجعّدة".

عدت لوضعه كل ليلـة. ورحت أراقب التّجعيـدات الدّقيقة فـي جلدي تزول مثل بصمة يد علـى الرمل تواجـه موجة مدٍّ. لقـد أمضيت قدراً محرجـاً من الوقت أمـام المـرآة متفحِّصاً البشـرة حـول عينيّ. لـم أظن يومـاً أننـي سـأهتم بتجاعيدي الدّقيقة.

مع ذلك، إنه شـعور رائع أن تراقب مثل هذا السّبب والنتيجة الواضحين. ضع الكريم تختفِ التّجاعيد. إنه يشبه الفوتوشوب، ولكن في الحياة الواقعية.

بعد ذلك، بدأت بدراسة بقية وجهي. ماذا سـأصلح غير ذلك؟ ماذا بشأن هذا الذّقن؟ إنه يتجه بنعومة نحو الحنجرة مشكلاً ذقناً/ حنجرة.

أو ربما أنفي غير المتماثل بشكل طفيف؟ ربما ينبغي عليّ إصلاح هذا.

لكنني دائماً أُخرج نفسـي من هذه التّفاهة، مذكّراً نفسي بأن التّفاهة قادرة على التّسبب بالإدمان أكثر من المخدرات التي تُأخَذ عبر الوريد.

يمكننـي ملاحظة كيـف يمكـن أن يؤدي هذا السّـعي نحـو الكمال الجسـدي إلى الجنون. إضافة إلى ذلك، إن لريتين أ آثاراً جانبية سـلبية. إنه يجعل الجلد أكثر قابلية للاحتراق من الشّمس لأنه يسمح بدخول المزيد من الأشعة فوق البنفسجية. والله وحده يعرف ما هـي الآثار الجانبية غير المرئية الآن والتي سـتظهر مع الزّمن؛ هذا مع إغفال حقيقة أنه مكنسة نقود.

هكذا، ذات يوم أربعاء، وضعت الرّيتين أ في الجزء الخلفي من خزانتي. ربما سـأبدأ باسـتعماله مجدداً من أجل جولة التّرويـج للكتاب. كمـا تعلمون، لأغراض تجارية.

العصر البرونزي

عندما كنت طفلاً، نادراً ما لمس الواقي الشّمسي جسـدي. كنت أعشق اللّون الأسـمر. ونتيجة لذلك، تشـبه بشـرتي الآن لوحة من الثّقـوب وآثار قوائـم الأبقار واللطخ.

لقـد ذُكِّرت بذلـك خلال عطلـة حديثـة العهـد قابلنا فيها سـائحة قالـت إنني

وجولي نبدو شابين. ابتسمنا، إلى أن رد زوجها – وهو طبيب جلد – قائلاً:

"لا، إنهما لا يبدوان شابين. يمكنني رؤية الكثير من الضرر الجلدي. كمية كبيرة".

خمَّن بأننا في الأربعينيات، وكان مصيباً. لكن جولي لم تغفر له ذلك حتى الآن، حيث قالت له حينئذ: "مالم تكن تعمل في كرنفال، فاحتفظ بتخميناتك بشأن العمر لنفسك".

لكنه محق بخصوص الضّرر اللاّحق ببشرتنا.

لهذا السّبب، قررت إلقاء الملامة على كوكو شانيل. فخلال البحث عن تسمير البشرة عن طريق التّعرّض لأشعة الشّمس، وجدت أن مصممة الأزياء الفرنسية تُعتبَر عرّابة البرونزاج الحديث. خلال قرون، كان البيض من أبناء الطّبقة العليا يتجنبون الاسمرار خوفاً من أن يُشتبَه بأنهم كانوا يعملون في الحقول مثل أي فلاح عادي. ولكن، في العام 1923، كانت كوكو شانيل تمضي عطلة على متن يخت صديق أرستقراطي، ولوحظت على ظهر اليخت ببشرة سمراء داكنة (كان اليخت إما في الرّيفيرا أو بحر الشّمال، اعتماداً على أي مصدر ستصدِّق). وسرعان ما أصبحت البشرة السّمراء بلون الكراميل صيحة العصر، والدّليل على أنك كنت قادراً على دفع نفقات عطلة منقوعة بالشمس.

بعد اطلاعي على هذه القصة، واعتقادي أنها ليست أسطورة، أضفت كوكو شانيل إلى لائحتي الخاصة بالأشرار الخمسة في مجال الصّحة. فكِّروا: كم عدد حالات سرطان الجلد القاتلة التي تتحمل مسؤوليتها هذه المرأة. آلاف؟ ملايين؟ لعل هذا الحكم قاس جداً. ربما لا ينبغي عليّ أن أغضب من هذه المرأة الأنيقة، مبتكرة القبعات ذات الرّيش وأثواب السّهرة لمارلين مونرو. ربما يجب ألا نحمِّلها المسؤولية وحدها. لكن كوكو شانيل ارتكبت أخطاء خطيرة أخرى، فقد ارتبطت بعلاقة مشينة مع جاسوس نازي خلال الاحتلال، واتُّهمت بالتعامل مع العدو من قبل الحكومة الفرنسية لاحقاً (لقد نجت من المحاكمة فقط بفضل تدخُّل أصدقائها

في العائلة الملكية البريطانية). وهذا يجعل حياتها متناقضة على نحو يثير السّخرية، فهي متورطة بشرَّيْن متناقضيْن: السّيادة البيضاء والتسمير.

كانت كوكو شانيل بحاجة إلى الكثير من الواقي الشّمسي. كما هو حال معظمنا. عندما نضع نحن الأميركيون الواقي الشّمسي، فإننا نقلل من تطبيق المادة، حيث نستخدم ربع الكمية الصّحيحة، وفقاً لأطباء الجلد.

توصي أكاديمية علم الجلد الأميركية بكأس صغيرة مليئة بالواقي الشّمسي كل ساعتين إلى أربع ساعات. ينبغي عليك أن تضعه بصرف النّظر عن الطّقس - سواء أكان الطّقس غائماً (ثمانون بالمائة من الأشعة فوق البنفسجية تخترق الغيوم) أو حتى في الشّتاء (وخاصة مع الثّلج لأنه يعكس ضوء الشّمس).

لهذا السّبب، في صباح يوم سبت، قبل إيصال أولادي إلى حفلة ذكرى ميلاد أحد أصدقائهم، عصرت أنبوب الواقي الشّمسي الخاص بي (كوبرتون سبورت واسع الطّيف، الذي يقي من الأشعة فوق البنفسجية طويلة الموجة وقصيرة الموجة، إضافة إلى احتوائه على مضاد أكسدة) إلى أن ملأ كأساً صغيرة، ثم غمست إصبعي فيه وبدأت بنشره على جسدي.

تتسع الكأس الصّغيرة لنحو 28 إلى 42 غراماً. من الصّعب إدراك كم هي كبيرة هذه الكمية ما لم تجرِّبها بنفسك. هيا جرِّبها، سأنتظر. ما زلت أنتظر. أرأيت؟ لعلك منهك من عصر أنبوب الواقي الشّمسي، صحيح؟

كان لدي ما يكفي من الواقي الشّمسي لتغطية جسدي أربع مرات. بدوت مثل منافس يخوض بطولة مستر يونيفرس في كمال الأجسام، ولكن فقط من دون عضلات معدة بارزة.

بوضع الواقي كل ساعتين، أفرغت وجولي زجاجة كاملة سعة 192 غراماً في يوم واحد. وأفرغنا نصف زجاجة أخرى تقريباً على الأولاد.

ستُصدَم عمتي مارتي عندما أخبرها بذلك، لأنها تعتقد أن واقيات الشّمس مليئة بالمواد السّامة. صحيح أنني أتجنب الواقيات المعطَّرة التي يمكن أن تحتوي

على الفشالات، لكنني - في ما عدا ذلك - أتجاهل الخطر. آسف يا مارتي، مرة أخرى.

كما أن مناصري الفيتامين د متشككون أيضاً في الواقيات الشّمسية. خلال الأشهر القليلة الماضية، أصبح الفيتامين د الأشهر بين جميع الفيتامينات؛ ليدي غاغا المكمِّلات. ويقول المعجبون به - مثل الدّكتور سارفراز زيدي، أستاذ الطّب في جامعة كاليفورنيا في لوس أنجلوس - إن نقص الفيتامين د مرتبط بالسرطان ومرض القلب والبول السّكري ومرض الكلية والإعياء المزمن والربو ومشاكل الأسنان والاكتئاب، إضافة إلى الكثير الكثير من الأمراض الأخرى.

نحصل على الفيتامين د - إذا لم نحسب المكمِّلات - من أطعمة مثل الأسماك المدهنة (السلمون، السّردين) والتعرُّض للشمس الذي يتيح لنا تركيبه بأنفسنا. يقول المعجبون بالفيتامين د إننا نستخدم الكثير من الواقي الشّمسي ونخفض مستوياته داخل أجسادنا.

إن الخلاف بين أخصائيي الجلد ومناصري الفيتامين د مثال على مشكلة يعاني منها الطّب بأكمله، ألا وهي تحيُّز الاختصاص. معظم الخبراء يرون العالم من خلال موشور اختصاصهم.

لهذا السّبب، استناداً لنصيحة لجنتي الاستشارية، إنني أتبع طريقاً وسطاً، حيث أعرِّض طرفاً من أطرافي غير مطلي بالواقي الشّمسي لأشعة الشمس كل يوم لمدة خمس عشرة دقيقة. أبدِّل الأطراف لتقليل فرص التّعرُّض الزّائد للشمس لأي من أطرافي الأربعة.

الشامة

من بين عيوب جلدي الكثيرة، لديّ شامة على جانب أنفي.

لو أنني كنت أعيش في فرنسا منذ 250 عاماً، فإن هذه الشّامة كانت ستُعتبَر حَسَنَة حقيقية. لقد قرأت في الموسوعة أن الشّامات كانت رائجة في عهد لويس الخامس عشر. ففي تلك الفترة، شاع بين النّساء الأنيقات والرجال الأنيقين الذين

كانوا يريدون تركيز جمالهم وبياض بشرتهم استخدام رقع سوداء صغيرة من قماش التّفتا اللاصـق. كان الأذكياء منهم يملكون الكثير من تصاميـم الرّقع ليختاروا منها. بالنسـبة إلى محبي البسـاطة، كانت هناك بقع بسيطة. أما بالنسـبة إلى هواة الموضة حقـاً فقد كانـوا يملكون رقعاً على شـكل نجـوم وأهلّـة (جمع هـلال)، وحيوانات وحشرات وشخصيات متقنة التّصميم. وكان مكان اللّصق مهماً أيضاً، إذ كان يُعتبَر أنّ لهذه الرّقـع لغتها الخاصة: الرّقعة الموجودة عند زاويـة العين ترمز إلى العاطفة، في حين أن الرّقعـة في منتصـف الجبهة تشير إلى الكرامـة. كانت النّسـوة يحملن علب الرّقع معهن، في حال أردن لصق واحدة جديدة خلال حفلة رقص ملكية.

أما بالنسـبة إلى شامتي، للأسـف، فهي ليست على شـكل زرافة أو عنكبوت، بل مجرد بقعة سوداء عادية بحجم رقاقة شـوكولاته ولونها. ولسوء الحظ، بدلاً من إثارة ابتسامات غنجية ورفرفة رموش بين النّسـاء، فإنها تلهم بالتحديق لفترة طويلة على الحدود بين الفضول والفزع.

بعد زيارة لطبيـب الجلد - ليـس الطّبيـب المهين، بـل صديقة لطيفـة للعائلة تُدعى إيلين لامبـروزا - أقرر إزالتها، بالإضافة إلى الشّامة الموجـودة على ظهري التي كانت أكثر مدعاة للقلق بالنسبة إليها. في الواقع، لأنها غير طبيعية.

الشـامة كتلة من الخلايا الجلدية التي تنتج الميلانين التّصبغي الأسـود المائل إلى البني. يملك البالغون ذوو البشـرة البيضاء حوالى ثلاثين شامة على أجسادهم. وهذه ليسـت مشـكلة صحية صغيرة، حيث يموت 200,000 شـخص فـي العام من سرطان جلد ناجم عن الشّامات.

بعد بضعة أيام، أتوجـه إلى عيادة جـراح تجميلي. يضع الجـراح تلك النّظارة التي يبرز منها تلسكوبان صغيران ويتفحص شامتي قبل إطلاعي على التشخيص.

"هذا الشّيء بحجم بروفيدينس!".

حسناً، على الأقل اختار مدينة متوسطة الحجم.

استغرقت الجراحة عشـرين دقيقة. لم يكن باسـتطاعتي رؤية مـا كان يجري، لكنني أحسست بوخزة إبرة، وسمعت صوتاً يشبه كشط مبرد، وشممت رائحة جلد يحترق، وشعرت بخيط يشد منخري.

كان الدّكتور لطيفـاً، ومن الواضح أنه كان بارعاً في مجالـه. وكان كثير الكلام أيضاً. وبما أنني عرفت - خلال بحثي حول موضوع إجراء أكثر من مهمة في وقت واحد - أن الدّردشـة يمكن أن تؤثر على الأداء، أجبت على أسئلته بكلمات مكونة من حرف صوتـي واحد. لا، لـم أتحدث البولنديـة. لكنني شـعرت بالذنب لكوني مقتضباً لدرجة يمكن اعتبارها قلة تهذيب.

عندمـا وصلـت إلى المنـزل، كانـت جولـي جالسـة وراء مكتبهـا تدفع بعض الفواتير. رفعت رأسـها ونظرت إليّ لبضع ثـوانٍ كما لو أنها كانـت تحاول أن تحلّ معادلة ثنائية الدّرجة.

"هل استأصلت شامتك؟".

هززت رأسي موافقاً.

"لم تخبرني؟ من دون إنذار؟ من دون نقاش؟".

رفعت كتفي ثم أخفضتهما.

"إنها جزء منك. كانت معك طوال 42 عاماً".

رأيت دموعـاً تترقرق فـي عينيها. إنّها دمـوع حقيقية. لـم أتوقّع هـذه العاطفة بسبب كتلة من الميلانين. أحسست بالنرفزة.

"إذاً، كان ينبغي عليّ الاحتفاظ بها؟".

"لا، إنني سعيدة لأجل ذلك. سعيدة للغاية. لم أشـأ مطلقاً أن أقول ما كان يجول في خاطري بخصوصها قبل...".

إذاً، كانـت دموع ارتياح وتفاجؤ، وليسـت دموع حزن. شـيء مثير للاهتمام. نحن متزوجان منذ أكثر من عقد، لكن جولي لم تثر يوماً مسـألة شامتي خشية إيذاء مشاعري. ما هي الآراء السّرية الأخرى التي يمنعها تهذيبها من الإفصاح عنها؟

بعد أسـبوع، اتصلت الدّكتـورة لامبـروزا لتطلعني علـى نتائج تحليـل العينة. كانت شامة الأنف حميدة، لكن تلك الموجودة على ظهري...

"إنها غير نمطية".

هه. هذا لا يبـدو جيداً. غيـر نمطي صفة مقبولـة عندما يتعلق الأمـر بالأذواق السّينمائية، ولكن في المجال الطّبي، أريد أن أكون مملاً ونمطياً قدر الإمكان.

"لم تصل إلى درجـة وصفها بالسـرطانية. لم يكن هناك ما يكفـي من الخلايا غيـر النّمطيـة لاعتبارهـا ورمـاً ميلانيـاً. لكنها تبقـى غيـر نمطية. من حسـن حظك أنك تكتب هذا الكتـاب وأنك أخذت موعـداً مع أخصائي أمـراض جلدية"، قالت الدّكتورة.

لو لم أكشف عليها، لربما كانت ستتحول إلى سرطان خلال بضع سنوات.

إنها نداء صغير آخر حـول الموت يدعونـي لأن أصحو؛ نـداء صحوة صغير، لكنه مؤثر. إن جسدي مليء بالعيوب، وواحد منها سيقتلني.

الفحص: الشّهر السّابع عشر

الوزن: 72.5 (إنه يرتفع مجدداً).

عدد مرات الذّهاب إلى النّادي هذا الشّهر: 12 (أمر مخزٍ).

رسائل "أنا ممتن" الإلكترونية المتبادلة مع أمي: 27.

رقم شخصي للأطعمة سـوبر صـحية المتناوَلة في وجبة واحدة: 11 (سَلَطة كشمش أسـود، وفليفلة حمراء، وما يُسـمَّى بجرثومة القمح (wheat germs)، وفطـر شـيتاكي مطبوخ، وعنّـاب، وأفـوكادو، وبذور الرّمان، وعدس، ومانجو، وزيت بذور الكتان، ولوز).

أدركت أن 80 بالمائة من هذه السّـنة تتعلق بالدافع. ويمكن تلخيص النّصيحة الصّحية في خمس كلمات: كُلْ أقل، تحرَّك أكثر، استرخِ. لكن السّـؤال هو، كيف تفعل ذلك؟ وهذا هو كفاحي.

كيف تُسـكت الصّوت الصّادر عن عقلك والذي يقول: إنك لست بحاجة إلى الذهاب للنـادي اليوم. هنـاك دائماً يـوم غد. هيا يـا صديقي، إنه مجـرد طبق واحد من البطاطا المقلية. أجل، من أجلك فقط! (يذكّرني صوتـي الدّاخلي ببائع حصائر تركي لحوح جداً في سوق تركية).

سيكون الدّافع موضوع الشّـهر التّالي، لأنني أصبحت أكثر كسـلاً على جبهة التّمرين. فأنا أركض ثلاث مرات فقط في الأسبوع، بدلاً من الجري يومياً كما كنت

أفعل في ذروة نشاطي.

يعمل صديقي تشارلز دوهيغ - صحفي في نيويورك تايمز - على تأليف كتاب حول تطوير عادات حسنة. أخبرني أن العنصر الحاسم يتعلق بمكافأة نفسك. ولهذا السّبب، أصبحت أكافئ نفسي بعد كل تمرين بتمضية عشر دقائق في تفحص موقع الإشاعات غير الأخلاقي والتافه، ولكن المسلّي إلى حدٍّ كبير، على شبكة الإنترنت، TMZ.com. إنه أمر مساعد، مثل صورتي الهرمة. لكنني أحتاج إلى أكثر من ذلك.

الفصل الثّامن عشر

القلب، إعادة نظر

السعي لإجراء التّمرين الأمثل

أقرر أن حلَّ مشكلة تراخي برنامج تمريني الرّياضي يكمن في تجربة أنشطة جديدة. لحسن الحظ، إن عدد الخيارات المتعلقة بالتمارين الرّياضية مذهلة.

هكذا، أقوم بتجربة بعض أنواع التّمارين المختلفة. أجرِّب مزيجاً سادياً من التّمارين الهوائية وتمارين اليوغا والباليه يُدعى فيزيك 57؛ الذي تفضِّله كيلي ريبا. وأجرِّب اليوغا، ثم اليوغا المضادة للجاذبية، وفيها تنتقل بين وضعياتك في أرجوحة برتقالية تشبه الشّرنقة متدلية من السّقف.

وأحضر دروساً للأمهات (والآباء) الحديثات تُدعى تمرين عربة الأطفال، وفيه أدفع عربة زين الماكلارين، وفي الوقت نفسه أركض وأقفز وأتمطط وأتلقى النّظرات من المارّة في سنترال بارك. كما أجرِّب تمرين كروس - فيت، وهو تمرين قاس في نادٍ قليل التّجهيزات التّقنية ومليء بقضبان رفع الأثقال والكرات الثّقيلة (medicine balls). يُشجَّع فيه على التّمرُّن حتى الإنهاك. ويُدعى الرّمز الجالب للحظ لتمرين كروس - فيت، بيوكي.

أعطاني أحد المدربين تمرين الجندي الرّوماني، وهو عبارة عن سحق جذوع أشجار في سنترال بارك بواسطة مدقة معدنية ضخمة. كانت ردة الفعل النّمطية من المارّة: "هيي، هل أنت ثور؟".

واليوم، إنني أجرِّب تمريناً آخر، وهو الرّقص على السّارية. كما ذكرت سابقاً،

إنه التمرين الأكثر شعبيةً في النّادي الذي أرتاده، ولهذا فكّرت في تجربته.

قبل البدء، دعونا نوضِّح أمراً: ليس للرقص على السّارية أي علاقة بالتعرّي. إن الرّقص على السّارية شكل من أشكال الفنون؛ مثل الباليه، أو نوع من الرّياضة؛ مثل الجمباز، ولكن فقط مع تدوير الحوض. لكنه ليس فاسداً أخلاقياً.

لا شك أن حجتهم هذه مموّهة قليلاً، ولكن بعد جلسة الرّقص على السّارية التي أجريتها، يمكنني القول إن فحوى تلك الحجة صحيح، فالتعلُّق والالتفاف سيجعلان بطينيْ قلبك يخفقان بقوة.

عندما أصل ألاحظ - بفضل سنوات من التّدريب كصحفي حاد الملاحظة - أنني الرّجل الوحيد، بين خمسين امرأة. سيتبيَّن لي أن هذه النّسبة شائعة في معظم الدّروس التي أحضرها، وليس فقط في الدّروس المتعلقة بالرقص. فبالنسبة إلى اللياقة البدنية، يحبِّذ الأميركيون تعزيز نمطين سائدين: تفضِّل النّساء التّواجد في مجتمع. أما الرّجال، فأفراد قساة.

تقودنا المدرّبة، وهي لاتينية ذات شعر قصير جداً، عبر سلسلة من حركات التّمدد وتدوير الورك الإحمائية. أبذل طاقة كبيرة في محاولة عدم التّصرف بشكل متوتر أو الشّعور بالتوتر، فأنا في نهاية الأمر موجود هنا كمحترف. غير أن عدة عوامل تصعِّب عليَّ تحقيق هذا الهدف. على سبيل المثال، تكرر المدربة عبارات مثل "افتحوا الساقين كثيراً!". كما أن الألبسة لا تساعد مطلقاً.

بعد خمس عشرة دقيقة من الإحماء، نختار سارية. أشعر بالذعر عندما أكتشف أنه لن يُمنَح كل واحد منا ساريته الفردية الخاصة، بل يجب أن نتشارك السّارية مع ثلاث راقصات أخريات. أُخصَّص لسارية موجودة في الزّاوية مع ثلاث نساء يرتدين أحذية عالية الكعب مختلفة الألوان (أحمر، أسود، أبيض).

تصعد آنا (أحمر) أولاً، وهي نصف آسيوية نصف سويدية. كُتِب على قميصها - تي شيرت - "لديّ قلب يعمل من أجل السّلام".

تُمسك بالسارية وتنفذ التّعلُّق الخلفي، والكرسي، والقفز، ثم الانزلاق على طريقة نزول رجال الإطفاء. تلف ساقيها حول السّارية ثم تنزلق من الأعلى إلى الأسفل، مقوّسة الظّهر.

وبعد ذلك تأخذ منشفة وتمسح السّارية كلها. لو كان الدّكتور تيرنو هنا، لأحسّ بالفخر.

حان دوري الآن. أحاول أن أتذكر إرشادات مدربتنا: "حافظوا على أوراككم بعيدة عن السّارية عندما تتسلقون، لأنكم ستبدون متلهفين جداً. وإذا كنتم لا ترتدون أحذية عالية الكعب، تذكّروا أن تضمّوا أصابع أقدامكم".

حاولت كل ما بوسعي، لكن أدائي – كما يمكن لكم أن تتوقعوا – كان يشبه أداء صبي مصاب بالربو في الصّف الرّابع يحاول تسلُّق الحبل في صف الرّياضة.

قالت آنا: "إنني متأثرة لمجرد أنك تحاول". أدرك ما تقصده: هذا ما أقوله عندما يحاول لوكاس قراءة كلمة مكونة من خمسة أحرف.

"أعتقد أنني كشطت جلدي من السّارية"، أقول لها مشيراً لبطن ساقي الحمراء، فتهز آنا رأسها بإيماءة العارف.

"انظرْ إلى هذه"، تشير آنا إلى ساقيها الملطختين بكدمات بنية، "ستعتاد على هذا. إني لم أعد أشعر بها الآن".

يتبيَّن لي لاحقاً أن آنا رئيسة الاتحاد الأميركي للرقص على السّارية، وهي ستقيم مسابقات وطنية في الشّهر المقبل. عندما تكتشف أنني أعمل في مجلة إسكواير، تقول لي إنها تحب أن تغطي المجلة الحدث، وتكتب لي رقم هاتفها على قصاصة ورقية.

وعندما أصل إلى المنزل، أُري جولي أنني حصلت على رقم أهم مؤسسة للرقص على السّارية، فتقول: "أنا فخورة بك جداً!".

الهدف

لا يكف الأصدقاء عن محاولة تجنيدي في تدريباتهم الرّياضية الخاصة. "أوه، سوف تحب الرّومبا"، أو تدوير قرص الهولا هووب (hula hoop)، أو التّمارين الهوائية الرّوحية، أو أي شيء من هذا القبيل.

235

حملتني جولي على الانضمام إلى درس في ناديها. أمضت المدربة كل الحصة جالسة بارتياح على كرسيها في الغرفة صارخةً بنا كي نرفع عضلاتنا الأليوية (عضلات المؤخرة). وجدت ذلك كريهاً. إذا كنت ستصرخين كي نرفع عضلات مؤخراتنا، فعلى الأقل حرِّكي عضلة أو اثنتين بنفسك، صحيح؟ كما أن بدانة المدربة زادت من امتعاضي.

إن استراتيجية التّنويع تعطي أثراً عكسياً. أحتاج إلى طريقة أخرى كي أحفِّز نفسي على التّمرُّن. لعلي بحاجة إلى هدف. جميع كتبي المتعلقة باللياقة البدنية تتحدث عن الأهداف. أنت بحاجة إلى هدف، ويُفضَّل أن يكون هدفاً مصرَّحاً به علناً وبصوت عالٍ؛ هدفاً يؤدي الفشل في تحقيقه إلى مستويات عالية من الإذلال. ولكن، ما هو هذا الهدف؟

تجيبني جولي ذات ليلة: "لماذا لا تجرب القيام بسباق تحمُّل ثلاثي؟".

"لا أعرف، إنه لا يبدو صحياً كثيراً".

في بداية سنتي فكّرت في سباق التّحمُّل الثّلاثي، لكنني أهملته. حتى إنني شاهدت عدة مقاطع فيديو على اليوتيوب حول السّباقات الثّلاثية، منها واحد وُضع على أنه فيديو تحفيزي. أظهر الفيديو متسابقين يتعثرون وينهارون على الطّريق ويرتعشون. وكانت هناك امرأة على حمّالة. ذلك النّوع من التّحفيز لا ينجح معي.

في العام 2010، مات خمسة عشر شخصاً في أثناء خوضهم سباقاً ثلاثياً، إما من نوبات قلبية أو غرقاً. ورياضيو الألعاب الثّلاثية يؤذون مفاصلهم. كما تشير بعض الدّراسات إلى أن الرّياضات التي تتطلب تحمُّلاً مفرطاً تنقص العمر.

لكن جولي واصلت الضّغط.

"لست مضطراً لخوض تلك السّباقات التي تجعلك تتقيأ دماً. بوسعك خوض سباق أصغر".

لعلها محقة. سباق أصغر يعني تمريناً على أي حال. وإضافة إلى ذلك، يمكنني أن أخبر أصدقائي بأنني أنهيت سباق تحمُّل ثلاثيًّا، أجل. إنه سيجعل مني رجلاً.

عندما بحثت في الإنترنت، وجدت مئات السّباقات الثّلاثية بمسافات متنوعة. منذ نشوئها في فرنسا في العام 1903، نمت السّباقات الثّلاثية لتصبح صناعة عالمية تُقدَّر قيمتها بنحو 500 مليون دولار في العام في شتى أنحاء العالم. (تضمَّن ذلك السّباق الثّلاثي الأول سباق قوارب بدلاً من السّباحة؛ الأمر الذي يبدو أكثر جفافاً وأشد متعة).

بالطبع، هناك بطولة الرّجل الحديدي الثّلاثية؛ السباحة لمسافة 5 أميال، ركوب دراجة هوائية لمسافة 100 ميل، والجري لمسافة 26 ميلاً. ولكن، هناك أيضاً سباقات بالكاد أشد إجهاداً من الجري حول الحي.

جولي محقة، يمكنني خوض أحد هذه السّباقات. ولكن، أي واحد. هناك السّباق الثّلاثي الذي يجري بالكامل في منشآت مغلقة؛ على أجهزة مشي، ودراجات ثابتة، وفي مسبح صغير. ولكن، كما نعرف، إن التّمرين الدّاخلي ليس صحياً بقدر التّمرين في الهواء الطّلق. وأنا أريد تعريض نفسي لقوى الطّبيعة.

وجدت سباقاً سيُقام في جزيرة ستاتن في 5 أيار، أي بعد شهرين فقط. إنه سباق يمكن تحمّله بسهولة: 12 ميلاً على الدّراجة الهوائية، وثلاثة أميال جرياً، وربع ميل سباحة في مياه مفتوحة. إنه تحدٍّ معتدل الشّدة. وبما أن المستشارين الخاصين بي كانوا يثرثرون دائماً حول أي شيء معتدل، قررت أنه أكثر السّباقات الثّلاثية الممكنة صحيةً.

في اليوم التّالي، أعلنت لجولي وأصدقائي وأولادي أنني "سأخوض سباقاً ثلاثياً".

أتصل بصديقة جولي، آنا، وهي رياضية مميزة ومشاركة سابقة في عدة سباقات ثلاثية، وأخبرها بأنني سأنضم لجماعتها وأطلب منها نصيحة في هذا الخصوص.

فتجيب: "خضت سباقاً ثلاثياً في أوائل أيار. المياه شديدة البرودة. إنها فظيعة. لقد بكيت".

هذا لا يبدو سباقاً معتدلاً.

الفحص: الشّهر الثّامن عشر

الوزن: 71.5 كغ .

تمرين الضّغط حتى الإنهاك: 100 مرة .

نسبة الفواكه والخضروات العضوية: 60 بالمائة .

عدد الأيام التي فعَّلت فيها برنامج فريدوم (يمنع دخول الإنترنت، وبالتالي يخفّض التّوتر ويحسِّن التّركيز): 19 .

عدد الأيام التي أعدت فيها إقلاع حاسوبي لإيقاف تفعيل برنامج فريدوم: 15 .

يكمن إنجازي الكبير في هذا الشّهر في إجرائي مقابلة مع جاك لالان. إنه في السّادسة والتسعين من عمره ولا يزال نشيطاً. صحيح أنه لا يجرُّ 70 قارباً خلفه في أثناء السّباحة عبر لونغ بيتش هاربر، كما فعل في ذكرى ميلاده السّبعين، لكنه لا يزال نشيطاً.

تطلَّب مني تحديد موعد المقابلة بعض الوقت لأنه رجل مشغول جداً. عندما راسلته في المرة الأولى، وصلتني هذه الرّسالة الإلكترونية من مساعدته: "سيكون جاك متواجداً في نيوجيرسي طوال الأسبوع لتصوير برنامج دعائي لعصّارة جديدة. سنعود إليك في الأسبوع المقبل. بدوام الصّحة، كلير". بالنسبة إلى الأعذار التي تلقيتها، إن إعلان العصّارة هو المفضل لدي.

بعد تحديد الموعد، اشتريت تذكرة طائرة لمقابلته في منزله في سـان لويس أوبيسبو، كاليفورنيا، الـذي يحـوي صالتين للتدريب وحوض سباحة لا يـزال يستخدمه يومياً.

كنت أعرف أن جاك لالان ركب قطار اللّياقـة البدنية في وقـت مبكر، لكنني لم أعرف أي نـوع من المتمردين كان. "اعتقدَ النّـاس أنني قليل الخبرة ومجنون. وكان الأطباء ضدي. قالوا إن التّدرُّب بالأثقال يمكن أن يصيب النّاس بنوبات قلبية ويفقدهم الرّغبة الجنسية".

كان في البداية مدمناً علـى الأطعمة الرّديئة، لكنه وجد طريق الهداية في سـن الخامسـة عشـرة عندما حضر محاضـرة حـول الصّحة. ومنـذ ذلك الحيـن، أصبح نظامه الغذائي يتكون من فواكه وخضروات نيئة وسـمك وشوفان مجروش وبياض البيض؛ إنه يشـبه نظامـي الغذائي كثيراً. كمـا أن نمطي حياتينا متشـابهان، باسـتثناء أنه كان يتجنب القهوة، ويشـرب ربع ليتر من الدّم يومياً (لفتـرة قصيرة على الأقل، عندمـا كان أصغـر عمـراً). أوه، كما جـرَّ 70 قاربـاً خلفه سـباحةً في ذكـرى ميلاده السّبعين.

إن تعليقاتـه مضحكـة وملهمـة أيضـاً: "خمـس عشـرة دقيقـة للإحمـاء؟ هل يُجري الأسـد إحماءً عندما يكون جائعاً؟ آه، هناك ظبي قـادم. من الأفضل أن أقوم بالإحماء. لا! إنه يذهب إلى هناك مباشرة ويأكل الظّبي اللّعين". طبعت هذا الكلام ووضعته على جداري بجانب المقطع المقتبس من كارل ساجان.

الركن الثّالث في نمط حياة جـاك الصّحي هو النّوم، فهو يخلـد إلى النّوم بين التّاسـعة والعاشـرة مسـاء (أعتقد أن هذا ليس مفاجئاً أو غريباً لأنه يقـرب من عامه المئة). لكنه حافز جيد. أنا بحاجة إلى العمل على صحتي اللّيلية.

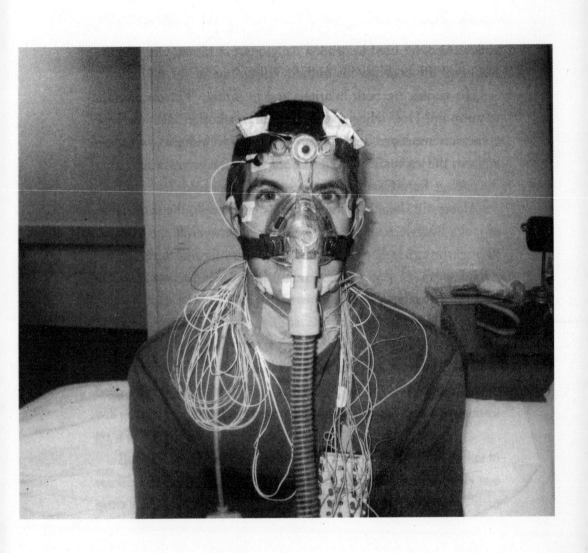

الفصل التّاسع عشر

داخل جفن العين

السعي للوصول إلى النّوم اللّيلي المثالي

إنني أحسـد الدّلافين، ليس لرشـاقتها أو قوتها، وإنما لطريقة نومهـا. إذ تُغفي الدّلافين نصف دماغهـا في كل مـرة. أي عندما يكـون النّصف الأيمن مـن دماغها نائماً، فإن النّصف الأيسـر يكون صاحياً؛ وبالعكس. لقد طـوَّرت هذه المهارة لأنها تحتاج إلى أن تكون واعية كي تعود إلى السّـطح كل بضع دقائق من أجل استنشاق الهواء.

لماذا لم نطـوِّر نحن البشـر مثل هذا النّظـام؟ إنه أمـر محبط جـداً. فكِّروا في الأشـياء التي يمكن أن نفعلهـا خلال نومنا النّصفـي. كل الفواتير التي كان بوسـعي دفعها، واجتماعات إسكواير التي كان يمكنني حضورها.

بدلاً من ذلـك، نحن محكومون بهذا النّظـام الغبي، نظـام العينين المغمضتين والفم المفتوح والغياب عن العالم. إنني أكره النّوم.

لكن جولـي، في المقابل، نصيـرة كبيرة للنوم الـذي تعتبره هوايتهـا المفضلة. إنها تتحدث عن نوم ليلة هانئة بسعادة غامرة، مثل عاشق جاز يتحدث عن مقطوعة منفردة يؤديها مايلز دافيس في مسـرح بلو نوت. بوسـعها النّوم لمدة 14 سـاعة في اليوم. وهي تُلقي اللّوم في كل مشـكلة صحيـة تواجه عائلتنا على قلـة النّوم؛ زكام، إنفلونزا، التهاب، مرفق مجروح: أنت بحاجة إلى المزيد من النّوم.

وما يحزنني هو أنها ليسـت مخطئـة كلياً، حيث تُظهـر المزيد من الدّراسـات

أن هناك تأثيراً قاتلاً لقلة النّوم. فهي تساهم في مرض القلب وتضعف جهازنا المناعي. في الولايات المتحدة، تحدث 100,000 حادثة سير لها علاقة بالنوم كل عام. كما تؤثر قلة النّوم على وظيفتنا الإدراكية، إذ تنقص نسبة ذكائنا ما قد يصل إلى عشر نقاط.

أنام نحو ست ساعات في اللّيلة، وأمضي معظم نهاري متعباً، كما لو أن هناك ثقلاً وزنه عشرة كيلوغرامات يضغط على قمة رأسي.

إليكم مثال عن مدى إنهاكي: خلال الأسابيع القليلة الماضية غفوت عدة مرات خلال قراءة بعض الكتب لأولادي. يشعرني بالفخر أن أقول إن هذه القيلولات لم تمنعني من إنهاء الكتب. كل ما في الأمر أن الحبكة كانت تملك نفحةً دادويّةً (نسبة لحركة أدبية وفنية في أوائل القرن العشرين) زائدة.

لست واثقاً مما تعنيه عبارة خزانة الإنذارات الثّلاثة، ولكن عندما سمعت نفسي ألفظها في أثناء قراءة الدب كوردُروي، عرفت أنني دخلت مرحلة حركة العين السّريعة. هززت نفسي كي أصحو، ثم غفوت مجدداً.

لو كنت جيداً في النّوم، لكنت ربما أشد ولعاً به. لكنني فقط لا أملك موهبة جولي في هذا المجال. إنني أشخر، وأذهب للنوم في وقت متأخر جداً، ولا أغفو بسهولة عندما أصبح في السّرير أخيراً. هذه هي التّنانين التي يتوجب عليّ قتلها.

ليلة صاخبة في المنزل

تخبرني جولي دائماً أنني أشخر بمستويات نافخة أوراق الشّجر الكهربائية. إضافة إلى أنني أنتفض بعنف في السّرير كما لو أنني في نوبة صرع. وأميل إلى احتلال مساحتها من الفراش على نحو غير شرعي، حتى لو كنا في أحد الفنادق على واحد من تلك الأسرّة الملكية الضّخمة التي يبلغ عرضها 14 قدماً.

وقد أدى ذلك إلى سر زواجنا المخجل، والذي سأكشفه هنا - آمل أنك لن تحكم علينا - نحن لا ننام معاً غالباً. لا أتحدث عن ممارسة الجنس، بل أتحدث عن دخول أطوار حركة العين السّريعة في الغرفة نفسها.

منذ نحـو خمس سـنوات، أخبرتني أنهـا لم تعد قـادرة على الاحتمـال. ومنذ ذلك الحين أصبحت أنفق معظم اللّيالي في مكتب المنزل.

منذ شهرين، نشرت نيويورك تايمز مقالة حول الأزواج الذين ينامون في أسرّة منفصلة في اللّيل؛ يبـدو أننا جزء من تيار ما. في اسـتقصاء أجرتـه الجمعية الوطنية لبنّائي المنازل، تبيَّن أن 60 بالمائة من المنازل التّقليدية سـتملك غرف نوم مزدوجة بحلول العام 2015.

لكن هذا الأمر لا يزال مستهجناً نوعاً ما. بالنسبة إليّ، سأكون سعيداً للخروج من غرفتـي المنفصلة. أما جولـي فهي متـرددة قليلاً. غيـر أن كلينا نعتقـد أن للنوم المنفصل فوائد، فهي ليسـت مضطرة للاستماع إلى شـخيري، وأنا يمكنني الذّهاب إلى السّرير متى شئت من دون الشّعور بالقلق من إمكانية إزعاجها.

ولهذا، أنا لسـت متأكـداً ممـا إذا كنا سـنعود يوماً ما للنوم في السّـرير نفسـه. ولكـن، بصـرف النّظر عـن هـذا الأمـر، أنـا بحاجة إلـى إصـلاح السّبب الأصلي للانفصال اللّيلي؛ أي الشّخير.

يُربَط الشّـخير بمجموعة من المشـاكل الفظيعـة: الإعياء بالطبـع، ولكنه يُربط أيضاً بمـرض القلب والاكتئـاب وحوادث السّـيارات. يحدث الشّـخير عندما تُعاق طرقك التّنفسية. وقد يكون السّبب تراجع اللّسان إلى الحلق، أو عدم دخول الهواء عبر المجاري الأنفية، أو وجود أنسجة دهنية في الحلق.

قد يكون الشّـخير أيضاً أحد عـوارض توقف التّنفس خلال النّـوم، وهي حالة أشد خطورة حيث تُسَدُّ الطّرق التّنفسية ويتوقف النّائم عن التّنفس بشكل كلي لمدة عدة ثوان، وربما دقائق.

قمت بزيارة الدّكتور سـتيفين بارك، وهو معارض قوي للشخير ومؤلف كتاب نوم، مُعاق. دسَّ مسـباراً في أنفي وفي حلقي ثم جلس على كرسـي من دون مسند وأفشـى الخبر لي. يوجد في أنفي حاجـز منحرف، أو بالأحرى، شـديد الانحراف، ومتلـوٍّ مثل طريـق لومبـارد في سـان فرانسيسـكو. "إنه منحـرف حقاً. هناك شـكل

هندسـي معقد". ودعاني أيضاً بالمتنفس عبر الفم؛ الأمر الذي حاولت تذكير نفسي بأنه تشخيص وليس إهانة.

"يمكنني أن أقـول الآن إنـه ليس هناك علاج بسـيط. فبالنسـبة إلـى المصاب العادي بالشخير، إنها نزهة".

خلال الأسبوعين التّاليين، جرَّبت ليس أقل من 20 علاجاً، مثل:

- علاج كرة التّنس:

يكون الشّـخير في أقصى حالاته حدَّة عندمـا تنام على ظهـرك، حيث يتراجع اللّسـان إلى حلقـك ويسـد الهواء. مـن الأفضـل أن تنام علـى أحد جانبيـك. ومن العلاجات الكلاسـيكية لهـذه الحالة إخاطـة كرة تنس علـى ظهر بيجامتك. لسـت بارعاً فـي الخياطة، لكنني أعرف جيداً كيف أسـتخدم الشّـريط اللاّصـق، لذا قمت بلصق كرة تنس بقميصي الدّاخلي من الخلف.

لكـن المشـكلة أنني نمـت علـى ظهـري بالرغم مـن وجود كـرة التّنـس. من الواضح أننـي لو كنـت فتاة في تلـك الحكايـة الخرافية التـي تتحدث عـن البازلاء والفراش، لما سُمح لي أبداً أن أتزوج الأمير. إنني أشـعر بارتياح كبير في الأوضاع غير المريحة.

- الوسادة:

أطلـب وسـادة خاصـة مضـادة للشـخير مقابـل 60 دولاراً. إنهـا تُبقي رأسـي مرتفعاً، ما يساعد الطّرق التّنفسية على البقاء مفتوحة.

نجحت وسادة الرّقبة قليلاً. فأنا أسجِّل لنفسـي كل ليلة وأستمع للتسجيل في الصّباح (شعرت وكأنني أنتهك خصوصيتي). لكن جولي لا تكذب، إذ إنّ شخيري صاخب جـداً. أما الخبـر الجيد فهو أننـي لاحظت انخفاضاً في الشّـخير بنسـبة 10 بالمائة. تقدُّم!

- تمارين اللّسان:

أشرع في تطبيق نظام من التّمارين المضادة للشـخير تستهدف تقوية عضلات

اللّسـان والحلق (رغم أن الأدلـة العلميـة الدّاعمة لهـذا النّظام ضعيفـة). أنفذ هذه التّماريـن في اللّيـل أمام المـرآة لمدة عشـر دقائق: تـزمُّ الشّـفتين وتثبـت على هذا الوضع قليـلاً ثم تبتسـم وتثبـت قليلاً، وبعـد ذلـك، تحرِّك لسـانك مـن زاوية إلى أخرى. تراني جولي أحرِّك لسـاني فتقول: "أي نوع من المواقع تشـاهد؟". تريد أن تعرف.

- **الديدجيريدو:**

طلبت أداة موسـيقية يسـتخدمها سـكان أسـتراليا الأصليون، وهي بطول 120 سنتم. هناك دراسات لعلماء معترَف بهم حقاً، منها واحدة نُشرت في المجلة الطّبية البريطانية تفيد أن العزف على الدّيدجيريدو يقوّي عضلات الحنجرة، ويساعد على علاج الشّخير.

أعرف من دليل الإرشادات أن الدّيدجيريدو أقدم آلة نفخ موسيقية في العالم، تُصنَع بواسـطة النّمل الأبيض عندما يُفرِّغ جوف أحد أغصان شجرة الأوكاليبتوس. أستغرق يوماً كاملاً لأعرف كيف أضع شفتي كي أحصل على الصّوت الطّنان الذي يشبه الصّوت المنذر الذي تصدره البواخر في أثناء الضّباب.

هل ساعدتني الدّيدجيريدو؟ يصعب قول ذلك، لكن صديقتي شانون أخبرتني أنها تبقي جيراني صاحين، فتمنعهم من الشّخير.

- **شريط التّنفس الصّحيح:**

هذا هو الشّريط الذي تلصقه على أنفك من أجل توسيع فتحتي الأنف. أجرِّبه في اللّيل. وعندما تراه جولي على أنفي، تقول مشيرة إلى فتحتيْ أنفي المتوسعتيْن: "تبدو غاضباً". لكنني أحب الهواء الذي أستنشـقه من أنفي. إنه يمنحني شـعوراً بالطاقة. أخشى ألا أقدر على النّوم، غير أنني أنام. وعندما أستمع لمسجلتي الرّقمية في الصّباح، أسمع صفيراً، ولكن ليس شخيراً صريحاً. تقدُّم أكبر!

عيادة النّوم

إذا كنت أريد أن أوقف الشّـخير كلياً، فيجـب أن أتخذ إجـراءات أكثر جدية.

يقترح الدّكتور بارك أن أقوم بزيارة معهد اضطرابات النّوم الشّهير في نيويورك لإجراء فحص ليلي.

في المعهد، يقودني موظف إلى غرفة ذات جدران بيضاء فارغة من أي شيء إلاّ السرير. الأشياء الملونة الوحيدة في هذه الغرفة هي الأسلاك الصّفراء والحمراء والخضراء والبنفسجية والبرتقالية؛ التي ينفق الموظف 45 دقيقة في لصقها برأسي وصدري وساقيَّ. أبدو مثل مجرم مدان في عملية إعدام بهيجة. وهناك أيضاً أنابيب في أنفي وأمام فمي.

يراقب الأطباء كل شيء: معدل نبض القلب والأوكسجين ونشاط الدّماغ والزفير الأنفي. أتلوى وأنتفض في السّرير لمدة ساعتين قبل أغط في النّوم أخيراً، ثم أستيقظ شاعراً بالقذارة وأعود بخجل إلى المنزل. وبعد يومين، يتصل الدّكتور بارك بي.

أسأله: "لقد استيقظتُ بضع مرات. كم مرة؟".

فيجيب الدّكتور بارك: "استيقظت مائة وخمساً وثمانين مرة".

لا أعرف ما أقول. هذا يعني 180 مرة أكثر مما خمّنت.

يظل صوت الدّكتور بارك هادئاً. فبالنسبة إليه، هذا ليس سيئاً، لأن المرضى الذين يعانون من حالة انقطاع التّنفس خلال النّوم يستيقظون مئات المرات. لكنني مع ذلك أعاني من "حالة طفيفة" من توقف التّنفس خلال النّوم.

في إحدى المرات، توقفت عن التّنفس لمدة 42 ثانية، فانخفض مستوى الأوكسجين لدي. وهذا أمر مقلق، إن لم نقل أكثر من ذلك. إن انقطاع التّنفس خلال النّوم مشكلة كبيرة، حيث يساهم في مرض القلب والإعياء والأذى الدّماغي.

والعلاج الأفضل لهذه الحالة شيء يُدعى جهاز CPAP (أي ضغط إيجابي مستمر في الطّرق التنفسية). تضع قناعاً على وجهك متصلاً بخرطوم يقذف هواء في أنفك وفمك لإبقاء الطّرق التّنفسية مفتوحة.

أعود إلى المعهد من أجل تمضية ليلة أخرى. تثبِّت الموظفة - أليسون هذه المرة - القناع على وجهي وتفتح الهواء. أشعر مثل كلب منزلي يبرز رأسه من نافذة سيارة.

هل يُفترَض بي أن أنام على هذا النّحو؟

تجيبني أليسون مؤكّدة: "ستعتاد عليه". ثم تطفئ الضّوء.

أنتفض وأتلوى. تدخل أليسون وتقول بنبرة جدية: "إنك تتلوى مثل سمكة. أنت بحاجة إلى اختيار موضع والبقاء عليه".

تأخذ الماء وتُبعد هاتفي الخلوي كي لا أتمكّن من النّظر إلى السّاعة.

وأخيراً، أغرق في النّوم لمدة ثلاث ساعات. تصلني النّتيجة في اليوم التّالي: لقد نجح القناع. إذا ارتديت جهاز CPAP، فإنه يقضي على شخيري فعلياً.

ولكن، قبل أن أطلب واحداً، أنا بحاجة إلى إجراء دراسة أخرى على النّوم. أريد أن أعرف إذا كان وضع رزمة من الوسائد والشرائط الأنفية سيضع حداً لتوقف التّنفس خلال النّوم. أعد بتحديد موعد.

النوم بشكل أسرع

إنني أشاهد برنامج الدكتور أوز الآن، كما أفعل غالباً خلال الدّقائق المطوّلة التي أقوم فيها بتظيف أسناني بالفرشاة والخيط. يقدم الرّجل رأياً جيداً، حيث يقول إن عبارة الغرق في النّوم مضلّلة لأنها تجعل عملية النّوم تبدو سلبية جداً. ولكن، في الواقع، ينبغي عليك أن تعمل وتخطط لكي تنام. يجب عليك أن تتصدى للمهمة. لعل عبارة القفز إلى النّوم يمكن أن تعبّر بشكل أفضل.

أتصل بالدكتور مايكل بروس - اختصاصي في النّوم ومؤلف كتاب تصبحون على خير - للحصول على بعض الإرشادات. ويتبيّن أنه يملك الكثير منها، مثل الاستحمام؛ لأنه يخفض حرارة الجسم، وعصير الكرز الحامض؛ لاحتوائه على الميلاتونين وهي مادة كيماوية تنظّم النّوم. يتوجب عليّ إطفاء التّلفزيون والكمبيوتر لمدة ساعة قبل النّوم، لأن هذه الأجهزة تنتج ضوءاً أزرق معيقاً للميلاتونين.

لكن، ما هي حيلة النّوم الأنجع؟ حلُّ مسائل رياضية من الصّف الثّالث الابتدائي. طلب مني الدّكتور بروس أن أحاول العدَّ تنازليًّا منقصاً ثلاثة في كل مرة. وخلال بضع ثوان (400، 397، 394...)، شعرت وكأن ذراع تبديل التّروس

في دماغي تتحرك إلى وضع اللاّ تعشيق. أتمنى أن تستمر فعالية هذه الطّريقة، وألا يصبح دماغي معتاداً عليها، مثل الباكتيريا المقاومة للمضادات الحيوية التي أقرأ عنها باستمرار.

النوم لمدة أطول

وهناك أيضاً هذا السّر المعقّد: إنني أخلد للنوم في وقت أبكر.

لطالما اعتقدت أنه باستطاعتي تدريب نفسي على النّوم لمدة ست ساعات وفطم نفسي عن السّاعات السّبع والنصف التي أحتاج إليها لأشعر بالراحة. وعندما أخفقت وأحسست بالإنهاك، ألقيت بالملامة على كسلي.

لقد أخرجني الدّكتور بروس من هذا الموقف الصّعب بقوله إن كل واحد منا يملك حاجة نوم خاصة مرتبطة بتكوينه. في العموم، من ست إلى ثماني ساعات، مع أن هناك محارباً خاض الحرب العالمية الأولى اشتُهر بحاجته إلى ساعة نوم واحدة فقط.

لا يمكنك تغيير حدودك. هذا لا يشبه ممارسة الغولف. إنه لا يصبح أسهل مع الممارسة. إن لم تحصل على زمنك المخصص لك، فإنك بذلك ستؤذي صَحتك وتضعف أداءك في العمل.

غيَّرت توقيت نومي من الواحدة من بعد منتصف الليل إلى الحادية عشرة والنصف ليلاً. وكان هذا فعل ثقة. كنت بحاجة إلى الثقة بأن ذاتي المستقبلية ستكون أكثر فعالية غداً إن خلدت للنوم في وقت أبكر. كنت بحاجة إلى إقناع نفسي بأن إرسال بريد إلكتروني بعد منتصف اللّيل غير مثمر. يبدو لي أنني لم أكن أثق بنفسي تماماً.

أصبحت أفضل في الالتزام بموعد نومي الجديد بعد شراء أداة تُدعى "زيو مدرِّب النّوم الشّخصي" مقابل 199 دولاراً. هذه هي نسخة افعلها بنفسك من عيادة النّوم. تقوم بربط عصابة رأس غير ظاهرة نسبياً قبل الخلود للنوم، فتقوم هذه العصابة بقياس أمواجك الدّماغية وتسجّل المدة التي استغرقتها في النّوم، ونوعية نومك (نسبة نوم حركة العين السّريعة إلى النّوم الخفيف إلى النّوم العميق). وبعد

ذلك تحسب خوارزمية زيو درجتك اللّيلية، أو ما يُسمّى ZQ.

ما فعله عدّاد الخطوات لنشاطي المتعلق بالمشي فعله زيو لنومي؛ لقد حوَّله إلى لعبة. أصبحت تنافسياً مع نفسي. كانت أول نتيجة ZQ 44 (سيئة)، وبعد أسبوع وصلت إلى 68 (ليست سيئة). الخبر الجيد بالنسبة إلى صناعة النّشر يكمن في أن قراءة كتاب غير إلكتروني لسبع دقائق قبل إطفاء النّور رفع نتيجتي؛ إذ ساعدني ذلك على النّوم بسرعة وعمق أكبر.

استعارت جولي جهاز الزّيو وحققت درجة 99 في ليلتها الأولى. ما يقرب من ساعتين من النّوم العميق المقوِّي. لم أرها مسرورة إلى هذه الدّرجة مع أي إنجاز آخر. "كنت أعرف أنني نوَّامة عظيمة. أنا بحاجة إلى خوض منافسة في النّوم".

هزّت أمها رأسها بفخر وقالت: "إنها الطّفلة الرّضيعة الوحيدة في العالم التي كانت تنام طوال اللّيل منذ أن وصلت إلى المنزل من المستشفى".

الفحص: الشّهر التّاسع عشر

الوزن: 71.5.

معدل ساعات النّوم في اللّيل: 7.5.

معدل ساعات الجلوس في اليوم: 4.

الوزن المرفوع في تمرين الصّدر: 80 كغ (15 تكراراً).

عدد المواقع الإلكترونية الصّحية المقروءة في اليوم: 6.

إن وضعي جيد، لكن جدي لم يكن كذلك. أخذت لوكاس وزين لزيارته، وحالما دخلنا المنزل، عرفت أن صحته متدهورة.

كان جالساً على كرسيه، وفمه مفتوح أكثر من العادة، وجلده أكثر ارتخاء، وبالكاد كان يستطيع تغيير موضعه من دون مساعدة.

يسألني لوكاس: "هل هو متجمد؟".

أحاول التّمويه بالادعاء أن لوكاس كان يسأل عن درجة الحرارة: "لا، إنه ليس بارداً. السّخّان شغّال. أنا متأكد بأنه دافئ".

"يبدو متجمداً"، يكرر لوكاس.

أحمد الله لأنّ سمع جدي ضعيف.

يرفع جدي رأسه ويبتسم قليلاً، ثم يقول: "ماذا تكتب في هذه الأيام يا أ. ج؟".

أخبره حول كتاب الصّحة. يلتقط لوكاس بالوناً أخضر موجوداً في الزّاوية، فتخبرني عمتي جين أن المعالج الفيزيائي أعطاه لجدي. يُفترَض به أن يضربه في المكان كي يتحرك دائماً.

"أعده إلى مكانه يا لوكاس. إنه لجدك".

فتقول جين: "لا، يمكنه اللّعب به. العبْ مع جدك".

يضرب لوكاس البالون لجده فيعيده جدي له بضربة أخرى من يده، ويستمران على هذا النّحو بضع دقائق مع ضحكات لوكاس وابتسامات جدي.

يا له من أمر غريب أن يصبح المرء مثل الأطفال عندما يكبر في العمر! تقوم عمّاتي - لديه خمس بنات، لذا فإن هناك واحدة منهن متواجدة دائماً معه - بمسح ذقن جدي بمنديل عندما يريِّل. وعندما تبدأ عيناه بالذبول، يقول: "من هو الصّبي الذي يشعر بالتعب؟".

الشيخوخة عبارة عن عملية فقدان للسيطرة بشكل بطيء وطويل.

الإنسان في مرحلة الرّضاعة يكون فاقداً للتحكم أيضاً. أحس بالغرابة دائماً عندما يقول النّاس سعيد كطفل رضيع. حقاً؟ أحيانا تكون ممتعة، كأن ترى أبويك يقومان بأشياء مضحكة. ولكن في أحيان أخرى، تبدو فترة الرّضاعة فظيعة، إذ إنك تعتمد بشكل كلي على الآخرين. عليك في بعض الأوقات أن تصرخ وترفس كي يأتيك الموز المهروس. لكن النّعمة تكمن في أن الأطفال الرّضَّع لا يعرفون معنى الاستقلالية. أما كبار السّن فيعرفون تماماً ما يفقدونه.

الفصل العشرون

المثانة

السعي لمعرفة ما يجب أن أشربه

أنفقت الكثير من الوقت على معرفة ما يجب أن آكله، ووقتاً قليلاً على ما يجب أن أشربه. في هذا الشّهر، سأغير هذا السّلوك.

طلبت شيئاً يُدعى مطهِّر بلو برينت، وهو برنامج الامتناع عن الطعام المعتمِد على السّوائل، والرّائج في هذه الأيام، والمدعوم من مجموعة من المجلات النّسائية وعدد قليل من مشاهير الصّف الثّاني (إليزابيث هاسلباك!).

طلبته عبر الإنترنت، وفي اليوم التّالي وصلني صندوق يحوي 36 زجاجة كافية للامتناع عن تناول الطعام الصلب لمدة ثلاثة أيام. في الحقيقة، إنها كافية لي ولجولي، لأنني أقنعتها بمشاركتي ببرنامج الامتناع عن الطعام المعتمد على السوائل.

تأتي الزّجاجات بخمسة ألوان: أصفر فاتح (ليمونادا مع رحيق نبات الأجافي والفلفل الأحمر)، وأبيض (حليب اللّوز)، وأخضر للخضروات (كرفس، سبانخ، لفت، إلخ)، وأحمر (تفاح، جزر...إلخ)، وأصفر غامق (عصير الأناناس وعصير التّفاح والنعناع).

من المحتمل أن يكون هذا العصير هو الأغلى في تاريخ العصائر. آمل أن تكون كل واحدة من تلك اللّيمونات في اللّيمونادا الحارّة قد تلقّت مداعبات خبيرة تدليك شياتسو عندما كانت لا تزال على الشّجرة، لأننا نتحدث عن 400 دولار

للشخص الواحد.

في الصّباح، أُعطي جولي عصيرها وننقر زجاجتينا البلاستيكيتين معاً، "بصحتِك!" "بصحتَك!".

نبتلع جرعة كبيرة من الزّجاجة الخضراء.

أسألها: "ما رأيك؟".

"إنها تتناوب بين كونها منعشة وكونها تجعلني أريد أن أتقيأ".

بحلول العاشرة صباحاً، أشعر بالجوع قليلاً، قليلاً فقط. أخرج من المنزل لأقوم ببعض الواجبات، ثم أعود بعد ساعة لأجد جولي في غرفة نومنا. إنها... تمضغ؟

"ماذا يوجد في فمك؟".

تهرب مسرعة، وهي تضحك. فألحق بها قائلاً: "افتحي فمك!".

"آآآآآه".

لا أعرف ما هو، لكنها ابتلعت الدّليل. أنذرها بألا تعيد الكرّة.

حان وقت اللّيمونادا الحارّة. نقرع زجاجتينا مجدداً ونأخذ جرعة كبيرة. إنها حلوة ولكن مع طعم فلفل حار.

"ما رأيك؟".

فتجيب: "هذا لا يناسبني. إنني أحب الطّعام حقاً".

أمضي النّهار في قراءة كتبي الصّحية في المكتبة، ثم أعود إلى المنزل في الخامسة عصراً. أجد جولي جالسة في غرفة المعيشة، ولوكاس في حضنها. إنه في حالة خمول تلي نوبة غضب. وهي لا تبدو أكثر سعادة منه.

"أعاني من صداع. أنجزت نصف عملي فقط. لست سعيدة".

أهز رأسي بأكبر قدر ممكن من الحيادية.

"سأتناول بقايا طعام هندي".

إذاً، انتهى الأمر بالنسبة إلى جولي. لقد أمضت تسع ساعات فقط منذ امتناعنا عن الطعام المقرر لثلاثة أيام، من دون حساب الغش.

أواصل الامتناع عن تناول الطعام الصلب في اليومين التّاليين. وأبدأ

باستساغة العصير أكثر فأكثر، وخصوصاً حليب اللّوز؛ السّميك والقريب من طعم اللّبن. يمكنني الشّعور به يطرطش في معدتي الخاوية.

يقول بعض الأشخاص إن الامتناع عن تناول الطعام الصلب والاعتماد على العصائر يصفّي الذّهن، ويمنح المرء طاقة جديدة. لسوء الحظ، بالنسبة إليّ، إنه يخلّف ثلاثة آثار فقط:

الجوع. أشعر بجوع شديد لدرجة أن لعابي سال لدى رؤية الخس. أكرر، الخس.

سوء المزاج. في إحدى اللّحظات، اتصلت بخدمة الزّبائن في شركة بلو برينت كلينز لأنني اعتقدت أنهم أرسلوا لي المطهر الخطأ. لقد صرخت على الموظف بغضب. ولكن، تبيَّن أنني كنت مخطئاً؛ الأمر الذي جعلني أشعر بالسوء لدرجة كبيرة. هل يمكنك أن تتخيل زبائن أكثر تذمّراً من النّيويوركيين الجائعين؟

والتشوُّش. في اليوم الثّالث، استغرقت دقيقة تقريباً لكي أطلب رقم هاتفي.

عندما انتهى الامتناع الطوعي عن تناول الطعام الصلب، اشتهيت شيئاً جامداً؛ شيئاً يمكن أن يكسر نافذة إذا رُمي عليها بقوة كافية. وقد استقر بي المقام على حبة بطاطا قمت بشيِّها في فرننا، وكانت رائعة وغير سائلة؛ رغم أنها قد لا تكون مثالية صحياً (مليئة بالمواد النّشوية).

مضى أسبوع على الفترة التي اعتمدت فيها على السوائل. أفتقد بالفعل إلى حليب اللّوز الذي يمكن أن يكون واحداً من أفضل المشروبات التي شربتها في حياتي. ولكن، هل أشعر حقاً بأنني خالٍ من السموم. في الواقع، لا.

لعلي لم أمتنع عن الطعام الصلب بذهن مفتوح إلى الحد الكافي. لكن المشكلة بالنسبة إليّ تتعلق بقلة الأدلة العلمية التي تدعم الاعتماد على العصائر. ولكن، هناك بعض الأدلة التي تؤكد على منافعه شرط اعتماده بشكل متقطع. فبحسب دراسة أجراها المعهد الوطني حول التّقدُّم بالعمر، إن الامتناع عن تناول الطعام الصلب الدّوري يمنحك النّتائج المقاومة للتقدُّم بالعمر نفسها التي يعطيها تخفيض السّعرات الحرارية.

ولكن، ماذا عن الادعاءات المتعلقة بالتطهير؟ بحسب مقالة لكاثرين

زيراتسكي - أخصائية أغذية مسجّلة تعمل مع مؤسسة مايو للأبحاث الطّبية - حول زيف التّطهير، "معظم السّميات المأكولة تُزال بفعالية وكفاءة بواسطة الكليتين والكبد وتُطرَح عبر البول والبراز".

لا أعتقد أنني سأطلب طلبية أخرى من بلو برينت. ربما سيكون ذلك مدعاة للراحة بالنسبة إلى موظفي خدمة الزّبائن.

العلاج بالماء

إن السّائل الأكثر صحةً (بالطبع، مالم تكن رضيعاً بحاجة إلى سائل اللّباء الذي يفرزه ثدي الأم بعد الولادة قبل تشكُّل الحليب) هو السّائل الأشد بساطة؛ أي الماء. ماء خال من السّكر، غير معزَّز بالفيتامينات. لقد خُلقنا لنشربه.

ما الكمية التي يجب أن نشربها في اليوم؟ أنا متأكد أنك سمعت بأننا يجب أن نشرب ثماني كؤوس في اليوم. في الواقع، تبيّن أن هذا الكلام يستند إلى أدلة مزيفة. بحسب مايو كلينك: "إذا كنت تشرب ما يكفي من السّوائل بحيث لا تشعر بالعطش إلا نادراً، وكنت تطرح ما بين لتر إلى لترين أو أكثر من البول عديم اللّون أو الأصفر الفاتح في اليوم، فإن ما تستهلكه من السّوائل كاف على الأرجح". وهذا مريح لأنني لست بحاجة إلى عدّ الزّجاجات؛ بند أقل على لائحتي من المهام اليومية المتزايدة.

ولكن، أي نوع من الماء هو الأكثر صحةً؟ لسوء الحظ، تبيّن أن هذا السّؤال يمثل مشكلة معقدة على نحو يثير الاستغراب قادني إلى عملية بحث مذهلة.

أولاً، علمت أنه ليس ذاك الذي يتدفق من صنبورنا. أجرى صديقي تشارلز دوهيغ تحقيقاً واسعاً حول سلامة شرب الماء لصالح صحيفة نيويورك تايمز عام 2009. "ما يقرب من 19 مليون أميركي يمكن أن يمرضوا كل عام فقط بسبب الطّفيليات والفيروسات والبكتيريا في مياه الشّرب". تسعة عشر مليون؛ من الجراثيم فقط. وهناك أيضاً المواد المسرطنة: "إن بعض أنواع السّرطان - مثل سرطان الثّدي والبروستات - ارتفعت خلال السّنوات الثّلاثين الماضية، وتشير البحوث إلى أنها من المُحتمَل أن تكون مرتبطة بملوِّثات مثل تلك الموجودة في

مياه الشّـرب". قد يكون الماء مثيراً للقلق، حتى لو كان يحقق معايير وكالة الحماية البيئية. قد يكون المـاء ضمن الحدود القانونية بالنسـبة إلى الزرنيـخ، لكنه مع ذلك يشكل خطراً مماثلاً لتلقّي 1,664 أشعة سينية.

كنت أشرب من ماء الصنبور طوال حياتي. كنت أعتقد أن الحكومة لن تسمح بتدفق السّـموم مـن الصنابير. لكنني أثق فـي الحكومة بشـكل عام. إنني النّقيض القطبـي لأحزاب الشّـاي. ليسـت لديّ مشـكلة مـع الدّولـة الرّعويـة، لكـن الدّولة الرّعوية في هـذه الحالة كانـت تثرثر علـى الهاتف الخلـوي متجاهلـةً الطّفل الذي يلعب بأعواد الثّقاب.

هناك خيار آخر: المياه المعلّبة في زجاجات. تقـول إليزابيث رويت في كتابها هوس الزّجاجـات إن المياه المعلّبـة تجارة تُقـدَّر قيمتها بنحو 60 مليـار دولار. إنه خيار جيد، لكنه ليس أكثر أماناً من مياه الصّنبور.

إن الضّوابـط المتعلقة بالميـاه المعلّبـة لا تقل مثاليـةً عن تلـك المتعلقة بمياه الصّنبور. في العام 2006، نشرت دولة فيجي إعلاناً يقول: "كُتب على البطاقة فيجي لأنها ليست معلّبة في كليفلاند". لا تعبثوا مع كليفلاند، فالمدينة قد اختبرت مياهها ولم تجد زرنيخاً يمكن قياسـه، في حيـن أن فيجي وجـدت 6.3 ميكروغرامات من الزّرنيخ في اللّتر الواحد؛ تحت المستوى القانوني، صحيح، ولكن هناك زرنيخ.

تكمن المشـكلة الأخـرى للميـاه المعلّبـة – على الأقل فـي الجانـب الغربي التّقدُّمي مـن نيويورك – في النّظـرات الغاضبة التـي تتلقاها من الجيـران. إن حمل زجاجة غير قابلة للاسـتعمال مجدداً جريمة بيئية. أخبرني صديق لي، نصف مازح: "إذا فتحـتَ زجاجة مـاء من شـركة أكوافينا وأصغيـت بانتباه، يمكنك أن تسـمع الأرض تبكي".

لذا، من أجل مستوى توتري، سـأصرف النّظر عن المياه المعلّبة. طلبت من الدّكتـور دوهيـغ أن يدلّني إلـى كأس الماء المثلى مـن حيث الصّحة فـي نيويورك، فقـال: "اذهب إلـى مطعم بيـور للأطعمـة النّيئة. إنـه المطعـم الوحيد الـذي يفتخر بعرض نظام الفلترة لديه في لائحة طعامه".

أذهب مع جولي إلى المطعـم، لكنها متـرددة حيال تكبُّد هـذا العناء من أجل

شرب كأس ماء، حيث تقول محذرةً: "يُفضَّل أن تكون كأس مياه مميزة".

فأجيبها: "سمعت أنها تشبه قطرات النّدى لشدة نقاوتها".

عندما نصل إلى هناك، تخبرني المالكة سارما ميلنغاليس، وهي حسناء شقراء ومتعاملة سابقة في بورصة وول ستريت: "كل شيء في المطعم من الماء. الخضروات تُغسَل فيه. حتى إنه يوجد في المراحيض".

تقترح جولي شعاراً: "بيور للأطعمة والشراب؛ حيث يمكنك شرب مياه المرحاض".

تضحك سارما، لكنها تعترض قائلة إنها تحب الماء جداً لدرجة أنها تجعل كلبتها المهجّنة من نوع بيت - بول تشرب منه أيضاً.

يصب النّادل كأسين لنا. فأحتسي جرعة منه وأقلّبه في فمي متذوقاً طعمه مثل خبير بارع.

وتأخذ جولي جرعة أيضاً، ثم يرتفع حاجباها وتقول: "إنه جيّدٌ حقاً".

أقول موافقاً: "جيد فعلاً".

كنت أظن أن شرب الماء له طعم شرب الماء. فهو متشابه مثل أنواع الأسبرين أو أفلام مايكل باي. لكنني مخطئ، فهذه الكأس لذيذة فعلاً.

يدَّعي نظام تينسوي للفلترة بأنه يمتص المواد الملوِّثة (الكلور، الأسمدة، مبيدات الحشرات) وفي الوقت نفسه يعزز الماء بالمعادن (كالسيوم، مغنيزيوم، زنك، بوتاسيوم، أيونات سلبية... إلخ). ولكن، ينبغي عليّ أن أذكر أن هناك أبحاثاً نادرة تتساءل إذا كان الماء المعزَّز بالمعادن أفضل لكم أم لا.

أحب أن أركِّب نظام تينسوي في منزلي، لكن المشكلة الوحيدة هي أنه يكلف 15,000 دولار.

أسأل دوهيغ عما يجدر بي فعله، فيقول إن الماركة الفضلى التي لن ترغمك على أخذ قرض ثانٍ تُدعى بور، وهي تتكون من أوعية بلاستيكية تحوي في داخلها فلترات كربونية قابلة للتبديل. لكن دوهيغ يضيف بأن ماء نيويورك جيد جداً، ثم يقول: "إذا كنت تعيش في نيوجيرسي، فستحتاج إلى نظام أكثر تعقيداً، مثل نظام الإنفاذية المعكوسة".

مع ذلـك، أشـتري فلتر بـور. ولكـي أتأكد مـن أنـه يعمـل، أسـتخدم مخبرياً ليفحص ماء صنبوري ويقارنه بمـاء الفلتر. بالفعل، إنه يُخرج الزّرنيخ وشـيئاً يُدعى ميثان ثلاثي الهلوجين، الذي يُربَط بسـرطان المثانة. بالطبع، هناك مشـكلة واحدة: إذا نسـيت أن أبدِّل فلتر بور بعد شهرين، فإنه سـيبدأ بترشـيح المواد الكيماوية إلى الماء ويسمم عائلتي.

راحة الماء البارد

هناك معضلة واحدة أخيرة حول الماء: ما هي درجة الحـرارة الصّحية المثلى للماء؟

الكثير مـن الناصحيـن - والكتب - أكَّـدوا بقوة أن المـاء الفاتر هـو الأفضل للصحـة. ومـن الأسـباب المزعومـة: المـاء الفاتـر يهـدّئ المعـدة، وقـد يقـي من السّرطان.

هذا خبر جيد، لأنني منذ سـنوات أكنُّ كرهاً غير عقلاني للمياه المثلجة. كنت أجدها مزعجة ومسبِّبة للصداع.

كنت شديد الشّغف بالماء الفاتر لدرجة أنني كتبت مقالة جامعية حول الرّجل الذي فـرض المشـروبات المثلّجة علـى العالم: فريدريـك تيودور، وهـو رجل من بوسـطن في القرن التّاسـع عشـر اشـتُهر بلقب ملك الثّلج. كان تيودور عبقرياً، فقد اشـترى إحدى عشـرة بركة مجمدة في نيو إنجلند، وقام بتقطيعها - خلال الشّتاء - إلى قطع هائلة الحجم من الثّلج ثم شَـحَنها جنوباً. أحدث تيـودور طلباً على الثّلج حيث لم يكن موجوداً، وحقق للمشـروبات المثلّجة شعبية واسعة، إذ قام بترويجها في كوبا والمارتينيك وجنوب الولايات المتحدة.

وما أثار قلقي سـماع أن الماء البارد قد يكون أفضل للصحة، لأنه يساعد على إنقاص الـوزن؛ إنه يملك سـعرات حرارية سـلبية. إليكم كيف يشـرح البروفيسـور برايان وانسيك من جامعة كورنيل هذا الأمر في كتابه أكل طائش: "بما أن جسـدك يضطر لاسـتخدام الطّاقة من أجل تسـخين مشـروب مثلَّج، فإنك في الواقع تحرق سـعرة حرارية واحدة لكل أونصة (يعـادل 0.0284 لتـراً) ماء مثلج تشـربها. أي إن

مشروباً سعته 32 أونصة (1 لتر تقريباً) سيتطلب منك 35 سعرة حرارية لتسخينه. إذاً، إذا شربت الكؤوس الثّماني (سعة كل كأس 8 أونصات) الموصى بها في اليوم، وإذا ملأت هذه الأونصات البالغ عددها 64 (تعادل ليترين تقريباً) بالثلج، فإنك ستحرق سبعين سعرة حرارية في اليوم".

سبعون وحدة حرارية! هذا يعادل مشي ميل كامل. لهذا السّبب، بدأت بوضع الثّلج في زجاجة المياه المحمولة المفلترة بالفحم والخالية من مادة بيسفينول أ (BPA)، فقط من أجل محيط خصري.

الفحص: الشّهر العشرون

الوزن: 71 كغ.

معدل غرامات السّكر في اليوم: 25.

عدد فناجين القهوة في اليوم: 1.5.

عدد مرات الانتقال بنجاح إلى الشّاي الأخضر: 7.

عدد مدرِّبي اليوغا الذين كانوا لئيمين بصورة تدعو للدهشة: 2.

يتبيّن أن الخوف من الفشل أمر رائع، فهو يحفِّزني على التّدرُّب يومياً من أجل خوض سباقي الثّلاثي. أتناوب على الجري وركوب الدّراجة الهوائية والسباحة.

أقنعت نفسي أنني أعرف ما أفعله، بفضل نسختي من كتاب دليل المبتدئ للسباق الثّلاثي.

عندما أقود دراجتي الهوائية حول سنترال بارك، لا أضغط بكل ساق على حدة، بل أقوم بالدوس دورةً كاملة، محافظاً على الضّغط في جميع الاتجاهات، أسفل، أعلى، أمام، خلف. كما تعلم، مثل متسابق ألعاب ثلاثية.

عندما أسبح في حوض السّباحة، أقوم بلفّ جسدي من جانب إلى آخر، وأُنزل ذراعي في الماء كما لو كنت أرتدي معطفاً؛ بعكس صفع الماء صفعاً، كما اعتدت أن أفعل في السّابق. مرة أخرى، مثل متسابق ألعاب ثلاثية.

عندما أركض، فإنني أقوم بما يُدعى التّدريب المتقطع عالي الشّدة (HIIT). تكمن الفكرة الرّئيسة هنا - وهي مُسنَدة بالكثير من البحوث العلمية - في أنه من الأفضل لك أن تتدرب كأرنب بري، وليس كسلحفاة. بكلمات أخرى، أن تجري بسرعة عالية لمدة قصيرة - دقيقة، مثلاً - ثم تمشي أو تهرول لمدة 75 ثانية للراحة، وبعد ذلك تجري بسرعة من جديد. وتكرر هذا النّموذج ثماني إلى تسع مرات.

لقد أظهرت دراسة نُشرت في مجلة جورنال أوف فيزيولوجي أن أولئك الذين يمارسون هذا النّظام ثلاث مرات في الأسبوع يحققون منافع لا تقل عن المنافع التي يحققها أولئك الذي ينفقون 45 دقيقة في ممارسة تدريب هوائي متواصل؛ أي جري متوسط السّرعة.

إن فعالية نظام HIIT أكبر، لكنه يتطلب وقتاً طويلاً، الأمر الذي يمكن أن يمثّل مشكلة. عدت إلى المنزل هذا السّبت من تدريبي عالي الشّدة محمرَّ الوجه ومبتلاً بالعرق.

تقول جولي مرحِّبة: "أهلاً بعودتك. لقد فوّتَّ عرضاً رائعاً".

في الفترة الأخيرة، يقدّم التوأم لي ولجولي عرض برودواي التّجريبي المبتكر بين الحين والآخر. وهما يختاران نسخة مرتجلة من حكاية خرافية. لكن الجزء الأهم من الإنتاج هو البيانات التي تسبق العرض؛ حيث يتقدم لوكاس خطوة أمام الأريكة ويصرِّح بفخر كبير، قائلاً: "سيداتي وسادتي، من فضلكم أغلقوا هواتفكم الخلوية".

يضيف زين قائلاً: "ولا تصوير بواسطة الفلاش لأنه يربك الممثلين".

وبعد ذلك يهنئ كل واحد منهما الآخر على حسن أدائه.

لكنني اليوم فوّتُّ تصريحات ما قبل العرض والعرض نفسه معاً.

فأسألهما: "هل يمكنني مشاهدة عرض ثانٍ؟".

يهز التوأم رأسيهما رافضيْن الطّلب. إن مزاجهما لا يسمح لهما بذلك.

اللعنة! أكره تفويت هذه العروض التّاريخية. صحيح أنني سأشاهد إحدى مسرحياتهما لاحقاً، لكن هذا يلقي الضّوء على أمر يزداد وضوحاً باضطراد، وهو

أن مشروع الصّحة يأخذ من وقت عائلتي، وهذا ليس صحياً ربما.

قرأت مؤخراً مقالة في مجلة وول ستريت جورنال بعنوان تدريبٌ التَهَمَ زواجي، وهي تتعلق بأرامل (نساء ورجال) التّمارين الرّياضية. وتستشهد المقالة بمعالجين نفسيين يتحدثون عن حالات أدى فيها إدمان إحدى الزّوجات على التّدريب إلى انفصالها عن زوجها، وعن أزواج يتغيبون عن تناول الطعام مع العائلة من أجل إجراء تمرين صباحي في النّادي، ونساء يفوِّتْن مواعيد رومانسية من أجل القيام بعدة دورات حول المضمار.

بكلمات أخرى، قد يحوِّلك الهوس بالصحة إلى سافل أناني.

لكن، هناك أنصاف حلول. فأنا أحاول التّمرن مع عائلتي كلما سنحت لي الفرصة. وأؤدي مهامي الخارجية حاملاً زين على كتفي، أو أهرول خلف لوكاس خلال قيادته السكوتر الخاص به.

وهناك أيضاً هذا السّبب الجوهري: إنني أتمرّن كي أكون متواجداً مع أولادي عندما يكبرون. لعلكم بحاجة إلى أن تكونوا أنانيين باسم الإيثار.

الفصل الحادي والعشرون

الغدد التّناسلية

السعي للحصول على المزيد من الحيوانات المنوية

نويت زيارة طبيب أمراض مسالك بولية منذ محاولتي المشؤومة لتحفيز حياتي الجنسية. والآن قادني القَدَر - ومجلة إسكواير - إلى الدّكتور هاري فيش.

قابلت الدّكتور فيش في ندوة حول الصّحة أقامتها مجلة إسكواير. كان فيش - وهو طبيب مسالك بولية بارز، وضيف منتظم على برنامج الدّكتور أوز، ومؤلف كتاب الساعة البيولوجية الذّكورية - يعطي محاضرة حول صحة الرّجال. إنه بطول 183 سم، ذو قوام جيد وضحكة مجلجلة. إنه ينضح بهورمونه المفضل، التّستوستيرون.

بعد انتهائه من إلقاء محاضرته، أقترب من فيش وأخبره بأنني مهتم بزيارة عيادته، فيرحب بي أشد ترحيب.

يقول فيش: "عندما أُجري فحص بروستات - إنه سهل - أستخدم إصبعاً واحدة، ربما اثنتين؛ إن احتجت إلى رأيٍ ثانٍ" - يُطلق ضحكته القوية - "أحب هذه النّكتة. سمعتها من سائق سيارة أجرة".

بعد أسبوع، أقصد عيادته الموجودة في شارع سليك بارك. وأنا الآن جالس قبالته بجانب طاولة مكتبه.

"العضو الذكري مسبار صحة الجسد. ما ينفع القلب ينفعه. إنها الأوعية الدّموية نفسها. هل نجري فحصاً؟ هيا، دعنا نجري فحصاً".

نتجه إلى غرفة الفحص الملاصقة لمكتبه، وأُنزل سروالي بينما يقوم فيش بارتداء قفاز. خلال فحصه لي، أدير رأسي وأنظر بعيداً؛ تقريباً مثل أوباما في صورة شيبارد فيري. إنها محاولة مني للإبقاء على ذرة كرامة وعزة نفس.

يقف فيش، ويقول: "لديك خصيتا رجل عجوز يا صديقي. ثمرة فاكهة متدلية". لكن المشكلة ليست جمالية، على حدّ قوله، بل إن تلك إشارة إلى ضعف التّستوستيرون.

"لقد جئتَ إلى هنا معتقداً أنك تتمتع بصحة ممتازة، لكنك لست كذلك. أعني، إنك جيد. ولكن، يمكنك أن تكون بصحة أفضل بكثير. الأمر يتعلق بالوقاية. بعد عشرين عاماً، ستصبح على هذا النّحو". يميل فيش كتفيه ويمشي جارّاً قدميه جرّاً على الأرض. وقبل أن نتفق على ما سنفعله، يقول فيش إنّه يتوجب عليّ إجراء تحليل للحيوانات المنوية.

"حسناً. بمن سأتصل لأجري هذا التّحليل؟".

"ما رأيك بالآن؟".

يتبيّن أن هناك مخبراً ملاصقاً للعيادة. لم أكن مستعداً، ولكن يصعب قول لا لفيش.

في المخبر، تعطيني الموظفة أنبوباً أو شيئاً من هذا القبيل، وتقودني إلى غرفة صغيرة. لعل السّبب ضعف تستوستيروني، لكن هذه الغرفة تبدو الأقل إثارة للرغبة الجنسية في العالم.

وعندما أُغلق الباب، ينتابني الفزع لأنني أكتشف أن الجدران ليست مضادة للأصوات. ألاحظ طاولة صغيرة عليها كومة من مجلات بلايبوي؛ الأمر الذي أجده ناجماً عن تفكير منطقي. لكن هذه المجلات باهتة ومجعَّدة، وتعود إلى زمن لم يكن هيو هيفنر يحتاج فيه لأدوية بفايزر لمساعدته على ممارسة الجنس.

تطلّب الأمر بعض الوقت. سوف أتجاوز التّفاصيل، ولكن دعني أشرح ما حدث بالشكل التّالي: لقد بقيت في الدّاخل فترة طويلة؛ لدرجة أن الشّخص الموجود في المخبر قال عندما خرجت: "هنيئاً لك".

بعد بضعة أيام، اتصل الدّكتور فيش وقال: "تستوستيرونك منخفض!".

كانت نبرتـه واثقة جداً، بل شـبه متفائلة؛ الأمر الذي أربكنـي فلم أعرف كيف أردّ. كان تستوسـتيروني يبلغ 245، في حين أن المعدل بالنسبة إلى رجل في عمري يقع ما بين 300 و1100.

يبدو التّستوسـتيرون المنخفض أمراً سـيئاً ومحرجاً. ولكن، ماذا في ذلك؟ ما المشـكلة في أن أكـون، لنقل، في الجانـب الفني. فأنا لسـت أتطلـع للانضمام إلى فريق نيوزيلندة للركبي.

يقول فيش إن التّستوستيرون المنخفض يمكن أن يسـبب مشاكل قلبية وعائية بمرور الزّمن. كما يُربَـط أيضاً بالإعياء والاكتئـاب وتقلّص الكتلـة العضلية. إليكم كيف يعبِّر فيـش عن ذلك في كتابـه: "إن الرّجال الذين يملكون مسـتويات تقل عن 300 نانوغرام/ ديسـيلتر (حالـة تُدعى ضعف المناسـل الوظيفـي hypogonadism) يميلون إلى ضعف الاهتمام بالجنس، ويكونـون في العادة غير مجابهين، ومنكفئين اجتماعيـاً، وضعفاء جسـدياً. ويكونـون أيضاً فـي أغلب الأحيـان واسـعي الثّقافة، ومبدعين، ومعبِّرين، ومحبوبين. أما الرّجال الذين يملكون مسـتويات تستوستيرون أعلـى مـن المعـدل، فيكونـون فـي الغالب عكـس مـا سـبق؛ أي إنهم مهووسـون بالجنس، وتنافسـيون، وعدائيـون، ومنفتحون، وجسـديون، ويميلون إلى الأنشـطة والمهن الحركية والمثيرة". سيكون من اللّطيف امتلاك خليط من الفئتين.

كيف وصل تستوسـتيروني إلى هذه الحالة المؤسـفة؟ هناك عدة عوامل أدت إلى ذلك:

بالطبع، إنـه جزئياً أمـر وراثي. لكن مسـتوى تستوسـتيرونك ينخفـض عندما تتـزوج، وينخفض مرة أخـرى عندما تنجـب، وينخفض فـي كل لحظـة بعد ذكرى ميلادك الثّلاثيـن؛ إذ يفقد الرّجال نحـو واحد بالمائـة من تستوسـتيرونهم في العام (لكن الإسـتروجين يـزداد، "ولهذا السّـبب نحصل على أثـداء ذكوريـة"، على حدّ تعبير فيش). كما أنه ينخفـض عندما تملك دهوناً كثيـرة، وبخاصة دهون البطن (ما زلت أعمل على بطنـي). ولديّ أيضاً مشـكلة متعلقة بالأوردة الدّموية في الأسـفل تُدعى دوالي كيس الصّفن.

لكـن الخبـر الجيـد، وفقـاً لفيـش، يكمـن فـي وجـود طـرق طبيعيـة لتعزيـز

التّستوستيرون. أولاً، بنظام غذائي صحي: جوز، سلمون، حبوب كاملة. بما أنني أتبع هذا النّظام منذ أشهر، فلا يمكنني الاعتماد على هذا. ويقول فيش إن التّمرين الرّياضي المعتدل يساعد في هذا الجانب، بعكس التّمرين الشّاق، ما يفسر انخفاض مستوى التّستوستيرون إلى ما دون المعدل عند لاعبي كرة القدم المحترفين. وأنا أتمرَّن بشكل معتدل منذ أشهر.

أقول للدكتور فيش: "قرأت ذات مرة أنه باستطاعة المرء تعزيز تستوستيرونه فقط من خلال الإمساك بمسدس".

"هذا صحيح، لكنه مجرد تعديل مؤقت".

يقول فيش إن علينا التّفكير في المكمّلات الدّوائية.

هناك تاريخ طويل يتحدث عن رجال يحاولون تعزيز تستوستيرونهم. حتى قبل اكتشاف العلماء للتستوستيرون الكيميائي، كانوا يعرفون أن التّستوستيرون له علاقة ليست بسيطة بالرجولة. في العشرينيات، حقق جرّاح فرنسي يُدعى سيرج فورونوف ثروة من تقنياته المتعلقة بإعادة الشّباب، والتي كانت متطرفة إلى حدٍّ ما. كان يزرع نسيجاً من خصية قرد في عضو الرّجل. وكان يعِدُ بحياة أطول ورغبة جنسية أعلى وبصر أقوى. وهناك طبيب آخر كان يُجري العملية الجراحية نفسها باستخدام خصيتي ذكر الماعز (تيس). كنت تنتقي التّيس الذي تريده كما تنتقي اليوم سرطان البحر في المطاعم، وفقاً لكتاب ديفيد فريدمان حول التّاريخ الثّقافي للعضو الذكري دماغ خاص به. لكن أياً من عمليات الزّرع الحيوانية تلك لم تفِ بما كانوا يعدون به.

لكننا نملك اليوم تقنيات إعادة شباب أكثر علميةً، حيث يتناول آلاف الرّجال مكمِّلات التّستوستيرون، إما عن طريق الدهونات (gels)، أو الكريمات، أو الحقن. وتبقى الوعود ذاتها، باستثناء ذاك المتعلق بقوة البصر. وتبقى الأسئلة المتعلقة بفعالية العلاجات ذاتها أيضاً. والبيانات متضاربة، حيث تشير بعض الدّراسات إلى أن حقَنَ التّستوستيرون تزيد الكتلة العضلية والطاقة، في حين تُظهر دراسات أخرى - منها دراسة كبيرة نُشرت في مجلة الرّابطة الطّبية الأميركية في العام 2008 - أن تناول التّستوستيرون لم يحسِّن الحركة أو القوة أو نوعية الحياة.

ويقول المشكّكون أيضاً إننا لا نعرف التّأثيرات بعيدة المدى. فقد قالت طبيبة تحدثْتُ معها إن موجة مكمّلات التّستوستيرون الحالية تذكّرها بموجة علاج الهرمون البديل التي انتشرت في التّسعينيات، حين خضعت ملايين النّساء في سن اليأس لهذا العلاج من أجل مكافحة انخفاض الرّغبة الجنسية والطاقة ليجدن لاحقاً أنه يزيد خطر الإصابة بسرطان الثّدي ومرض القلب.

يقول فيش إنه لا يتبع علاج تستوستيرون بديل، ويدعو علاجه تطبيع التّستوستيرون (*testosterone normalization*). ولا ينصح باستخدام الدهونات والكريمات المحتوية على التّستوستيرون. بما أنني أملك أطفالاً، فقد تكون الدهونات والكريمات مشكلة؛ وفقاً للدكتور فيش. لو حملت أطفالي على تماس مع صدري المدهون بالجل، فإن الكريم قد يتغلغل في أجسادهم. وربما بعد فترة من الوقت، سيحتاج جاسبر إلى استعارة ماكينتي الحلاقة جيليت ماك3.

بدلاً من ذلك، ينصح فيش بدواء يُدعى كلوميد. هذا الدّواء سيجعلني أنتج تستوستيروني الخاص. والغريب في الأمر أن هذا الدّواء تستخدمه النّساء في العادة لتعزيز الخصوبة، لكنه نافع للرجال أيضاً لزيادة أنزيمين يُدعيان LS وHLS، وهما يُحفّزان إفراز التّستوستيرون. وإضافة إلى ذلك، يعيد الكلوميد مستوى التّستوستيرون إلى طبيعته كي لا تحتاج إلى الاستمرار في تناوله بقية حياتك، وفقاً للدكتور فيش.

عندما أصل إلى البيت أخبر جولي بذلك، فتسألني بارتياب: "ما هي الآثار الجانبية؟".

"في الواقع، إنه سيزيد رغبتي الجنسية".

"أعتقد أن رغبتك الجنسية جيدة".

"هناك احتمال بأن يزيد صلعي".

"هذا ليس جيداً".

أقول لجولي إن الكثير من الأطباء مرتابون، حيث يعتبرون أن السّند العلمي لهذا العلاج جديد، وأننا لا نعرف جميع الآثار الجانبية بعد.

فتقول: "لا. أعتقد أنها فكرة سيئة".

"ينبغي عليّ أن أجرِّبها على الأقل".

"لا، لا تفعل ذلك".

نزلت عند رغبتها لبضعة أيام، قبل أن أقرر تحدّي قرارها؛ فقط كي أعرف ما يمكن أن يفعله امتلاك مستوى تستوستيرون أعلى. بدأت بابتلاع 25 ملغ من القرص الأبيض يومياً.

منذ عدة سنوات، كتب أندرو سوليفان قصة في مجلة نيويورك تايمز حول تجربته المتعلقة بحقن تستوستيرون صنعي لمكافحة آثار مرض نقص المناعة المكتسب. بالنسبة إليه، كان ذلك أشبه بجرعة عجيبة حوّلته إلى متفوق نيتشي، حيث تفجّرت طاقته وثقته بنفسه ورغبته.

لكن التّحوّل الذي اختبرتُه أنا أقل من ذلك، في الواقع. بالرغم من أنني أشعر بالفعل بطاقة أكبر بقليل، حيث أصبحت الأميال الثّلاثة التي أقطعها على جهاز المشي في النّادي تبدو أكثر سهولة. ولا أشعر برغبة شديدة في النّوم بعد تناول طعام الغداء.

كما أن رغبتي الجنسية أصبحت أعلى بالفعل. إن الأفكار الجنسية تنبثق في رأسي على نحو غير اعتيادي. أحاول قراءة مجلة إسكواير - بما أنه عملي - فإذا بصورة لعارضة أزياء برشلونية تُدعى كلوديا باسولز تحرف تركيزي. لقد مثّلتْ في فيلم مع جان - كلود فان دام، وكانت حَكَماً في برنامج الشّيف الحديدي. لربما يتوجب علي تفحّص موقعها؛ كموظف في إسكواير. وهكذا أنفق عشر دقائق في تقليب صورها.

وبما أنه لا يُسمَح لي بإعطاء تفاصيل حول حياتي وحياة جولي الشخصية، سأكتفي بقول التّالي: نحن بالتأكيد تجاوزنا المعدل الياباني.

وهل أصبحت عدوانياً؟ في الواقع، منذ بضعة أيام، كنت واقفاً في الصّف في محطة قطار أنفاق لأشتري بطاقة مترو، وكانت هناك ثلاث ماكينات تقدم بطاقات مترو، ولكن مع صف واحد يغذي الماكينات الثّلاث. كان الجميع ملتزمين بدورهم بصورة متمدِّنة.

وبعد ذلك، جاء رجل يرتدي بذلة رمادية وتوجّه نحو الماكينة اليسرى،

متجاوزاً الصّف بأكمله الذي كان يضم أحد عشر شخصاً.

فقلت له: "من فضلك. يوجد صف هنا".

فقال مشيراً إلى الماكينتين الأخريين: "الصف من أجل هاتين الماكينتين فقط".

فقلت: "حقاً! هل ستتجاوز كل هؤلاء الأشخاص؟".

بدأ بالنقر على لوحة المفاتيح متجاهلاً الجميع؛ ومن بينهم أنا، فشعرت ليس بالانزعاج وحسب، بل بالغضب الشّديد. يا له من كاذب أناني!

"لا يمكنني أن أصدق كم أنت وغد. أعني، أنا أسمع عن أشخاص مثلك، لكنني نادراً ما أراهم شخصياً".

بما أنني لست من النّوع الذي يميل إلى المواجهة، فقد بدت كلماتي مفاجئة حتى بالنسبة إليّ. كان الأشخاص الآخرون في الصّف ينظرون إلي بمزيج من الامتنان والإحراج والنرفزة.

ردَّ متجاوزُ الصّف ببعض الكلمات لكنني لم أسمعها، ربما بسبب تدفق الدّم في أذنيَّ. كما أن يديّ كانتا ترجفان.

أعتقد أن للتستوستيرون علاقة بغضبي غير المعتاد. ثمة بيانات علمية تربط التّستوستيرون بالسلوك العدواني. لكنني، بالطبع، لن أقلل من أهمية تأثير الوهم هنا، لا سيما بالنظر إلى ارتفاع مستوى طاقتي وثقتي بنفسي، ولو قليلاً.

بعد بضعة أسابيع، أُجري فحص تستوستيرون آخر. وعندما تصل الرّسالة الإلكترونية إلى صندوق بريدي حاملةً النّتيجة معها، أتردد في النّقر عليها. ماذا لو انخفض مستوى التّستوستيرون؟ لكنني أستجمع شجاعتي وأفتح الملف. أجل! 465. إنني ضمن المجال الطّبيعي. أنا ذكر رسمياً. وبعد شهرين من تناول الأقراص، ارتفع تستوستيروني إلى 650، وهذا يقع في مكان ما بين قاطعي الأشجار ورؤساء الوزارء الإيطاليين.

لكن، يخطر لي أن هذا الزّمن ربما يكون الأسوأ في التّاريخ لرفع تستوستيروني. تقول هانا روزين في كتابها الأطلسي إن المجتمع الحديث يناسب النّساء أكثر، "للمرة الأولى في التّاريخ الأميركي، مال ميزان قوة العمل لصالح

النّسـاء اللّواتي يمثلـن أغلبيةً في وظائـف الأمـة... إن الصّفات المقـدَّرة اليوم أكثر من غيرها - الذكاء الاجتماعي، والتواصـل المنفتح، والقدرة على الجلوس بثبات، والتركيـز - هي في الحد الأدنى ليسـت ذكورية. فـي الواقع، قد يكـون العكس هو الصّحيح".

على هذا الأسـاس، ربما يتوجب عليّ تناول مكمّلات الإسـتروجين بدلاً من التّستوسـتيرون. لقـد قرأت مؤخراً دراسـة تقـول إن المهـارات اللّغوية عند النّسـاء تصل إلـى الـذّروة عندما يكـنّ في فتـرة الإباضـة، ويكون الإسـتروجين فـي أعلى مستوياته. إذاً، قد تجعلني حقن الإستروجين كاتباً أفضل.

في الوقـت الحاضر، سـأوقف الكلوميـد. جزئياً، لأنني سـأموت نتيجـة تفقُّد صدغيَّ باستمرار للتأكد إذا كنت أزداد صلعاً.

الفحص: الشّهر الحادي والعشرون

جدي في المستشفى مجدداً، هذا المرة بسبب معاناته من مشكلة في التّنفس. أستقل سيارة أجرة كي أزوره.

في المستشـفى، أدخل المصعد المليء بـزوّار قليلي الـكلام، وأخرج منه في الطّابق التّاسـع. أنعطف يميناً عند أصيص الزّهور ثم يسـاراً عند نهاية الممر وأصل إلى الغرفة 134.

جدّي مسـتلق على جانبـه الأيمـن، وقد تـمّ رفعه بواسـطة ثلاث وسـائد. إنه يرتدي رداء مستشـفى أبيض وأزرق، وثمة أنبوب أوكسـجين تحـت أنفه، وحاجباه أشد كثافة من أي وقت مضى.

فمه مفتوح في شكل بيضوي، وشفتاه تكادان تكونان غير ظاهرتين.

تقول ابنته جيـن: "انظـرْ من هنـا!". لقد نامت هنـا اللّيلـة الماضيـة ببيجامتها الرّياضية الزّرقاء. "كل هؤلاء الزّوّار أفضل لك من المضادات الحيوية!".

"مرحباً يـا جدي المتذمـر". يتنفـس بصعوبة وسـرعة ناظراً إلي عبـر عينين نصف مغمضتين، ثم يرفع يده بضعة سنتمترات - إنها صغيرة جداً وضعيفة، كما لو أنها يد امرأة - فأتلقفها بيدي. يضغط على أصابعي، أو لعلي تخيَّلت ذلك فحسب.

لست متأكداً.

تمسك جين عصا في نهايتها إسفنجة خضراء مكعبة رطبة، وتربِّت بها حول فمه لإبقائه رطباً، ثم تنحني وتقبِّل وجنته.

التلفزيون مفتوح على قناة بلومبيرغ الخاصة بالأعمـال التّجارية. رجل أعمال حتى النّهاية.

أشعر بضرورة محاولة تسليته، فأخبره قصصاً عن أولادي وعملي.

لا يضحك، لكنـه يومئ برأسـه ببطء، ويرتعـش حاجباه قليلاً. إن رداء المستشفى لا يُغطي كامل سـاقيه النّحيلتين المصطبغتين باللونين الأحمر والأصفر والمليئتين بالعروق النّاتئة.

تطرق أختي بيريـل على الباب وتدخـل الغرفة. يشـحب وجهها قليلاً حالما ترى جسـده الذي يبدو متقلصاً جداً. تقول له بصوت مرتعش: "مرحباً جدي. كيف حالك؟". ثم تعتذر للذهاب إلى الحمام، وبعد دقيقتين تعود محمرَّة العينين.

تقول عمتي جين: "إن أوراق الأشـجار رائعة هذه الأيـام. يجب أن تخرج من هنا كي تستمتع بمنظرها".

لا يتفوه جدي بأي كلمة، ويستمر في التّنفس بصوت عالٍ.

هل سـيخرج حقاً من هنا؟ هـل هذا هو الحـد الفاصـل بين التّفاؤل الوهمي والواقعية؟ أُخرج حاسوبي المحمول وأريه فيديوهات لعائلتي، تتضمن واحداً لابنة بيريل وهي تلعب دور فأر في مسـرحية غنائية مرتكزة على رواية الريح في أشـجار الصّفصاف.

يدخل طبيب الغرفة ليفحص الطّفح الجلـدي على ذراعه حيث أدخلت الإبرة الوريدية.

يطرق شخص آخر على الباب، فيتبين أنها فاليري؛ سكرتيرة جدي التي لازمته زمناً طويلاً. "مرحباً أيها الرّئيس!". تقول خلال دخولها برفقة صديقها. تتساءل إذا كان بوسعها أن تمسك بيده وتطلب من الله مسـاعدته على الشّفاء. هل يفهم جدي ما يجري حوله.

قبل المغـادرة، أقول لجـدي بصوتٍ حاولت قـدر الإمكان جعله يبـدو فرحاً:

"أحبك يا جدي. سأراك قريباً!". يحاول أن يقول شيئاً ما لكنه لا ينجح سوى في إخراج أنين خافت.

توفي بعد يومين. أخبرتني مارتي أنه "كان مستلقياً بهدوء وسكينة لدرجة أنك كنت ستعتقد أنه كان يأخذ غفوة فقط".

أقمنا مراسم الجنازة لجدي في مقبرة لونغ آيلاند في يوم مشمس مع برودة منعشة. كان هناك خمسة عشر شخصاً من العائلة المقرَّبة فقط متجمعين حول القبر. ستُجرى مراسم عزاء عامة في وقت لاحق.

في اليوم التّالي، نشرت نيويورك تايمز مقالةً نعت فيها جدي. كان نعياً لائقاً وجديراً به، حيث وصفته بصانع سلام. تناولت المقالة شغفه بحل النّزاعات، مستشهدة بمقالة قديمة في مجلة نيويورك تايمز كُتب فيها: "ينظر بعض الرّجال إلى جينا لولوبريجيدا فتشتعل النّيران فيهم. وكييل أيضاً كان يختبر رد الفعل نفسه عند مواجهته إضراباً قاسياً حقاً". وقد جعلته المقالة يبدو مثل جيمس بوند، حيث أضافت: "رغم أن السّيد كييل عالج نزاعات لصالح خبّازين وجامعي قمامة وسبّاكين وجباة في قطارات الأنفاق وقباطنة زوارق قطْر ومتعهدي دفن موتى، إلا أنه كان رجلاً جسوراً يحب الحياة المترفة، ومغرماً بالسيارات الرّياضية السّريعة والأطعمة".

تُظهر الصّورة جدي حاملاً هاتفين، واحد على كل أذن، في خضم مفاوضات بين العمال وأصحاب العمل؛ ربما اتحاد سائقي الحافلات، أو السّمفونيات. لم تذكر المقالة شيئاً عن هذا الأمر. وهذا ليس مهماً، على أي حال.

قصَّت جولي النّعي وألصقته على قطعة ورق مقوّى، وقد وجدت بادرتها جميلة وحميمية في هذه الأزمنة الرّقمية.

كان هناك فيديو قصير في موقع الصّحيفة على الإنترنت. لا بد أنهم أجروا تلك المقابلة معه قبل بضع سنوات فقط، ولا بد أنه عرف أنها كانت مقابلة تحضيرية للنعي. لقد صوّروه على خلفية سوداء، وكان لا يزال طليق اللّسان حينئذ.

سُئل جدي: "كيف تريد أن يتم تذكّرك؟".

فضحك جدي وقال: "لا أريد أن يتم تذكّري. أريد أن أبقى لفترة أطول من الزّمن".

الفصل الثّاني والعشرون

الأنف

السعي للشم على نحو أفضل

مضى أسبوعان على وفاة جدي. إنني آكل الكثير من المواد الكربوهدراتية المكررة. ونادراً ما أتمرّن. أستذكر دائماً حجة جيم فيكس؛ درّة المنطق الانهزامي: مهما فعلت فسأموت في النّهاية، فلماذا أضيّع كل هذا الوقت والطاقة؟

إنني أمتّع نفسي الآن بالتهام قبضة يد من الزّبيب والفستق والشوكولاته. وبعد ذلك، سآكل لوح شوفان مع 24 غراماً من السّكر. قرأت مؤخراً وصفاً رائعاً للنهَم، مع أنه لا يتعلق بالأكل، لكنه أفضل وصف قرأته لحالة ضعف مشينة. يصف المقطع رجلاً يمشي بجانب كومة من الجثث. يحاول الرّجل أن يشيح ببصره بعيداً، لكنه يستسلم في النّهاية ويقول لعينيه: "انظرا بنفسيكما، أيتها البائستان الشّريرتان، خذا كفايتكما من المنظر الجميل!".

هذا ما أشعر به تجاه المعدة التي تشبه وحشاً منفصلاً عني. "إليكِ أيتها السّافلة الشّريرة، خذي كفايتك من أصابع التّين (فيج نيوتونز) واخرسي".

منذ بضعة أسابيع، حجزت موعداً لي في مركز مونيل للحواس في فيلادلفيا. إنه أكبر مؤسسة بحثية في أميركا مخصصة لدراسة حاستي الشّم والتذوق عند الإنسان.

أستقل القطار متجهاً إلى مونيل في صباح ثلاثاء مثلج. من الصّعب عدم رؤية المركز، وذلك بفضل تمثال الأنف البرونزي العملاق المنتصب عند مدخل

Ground Cumin
FAIRWAY
FAIRWAY
Cayenne Pepper
FAIRWAY
Basil
DILL WEED
NUTMEG

المركز. لعله أمر حسن أن المصمم نفسه لم يعمل على تصميم رمز لمركز هارفار لطب أمراض المسالك البولية.

يعتقد العلماء الثّمانون في مركز مونيل أن الشّم والتذوق جزء - غير مُقدَّر حق قدره - من العيش الصّحي. ولهذا السّبب جئت إلى هنا.

ارتبطت الصّحة بالشم والتذوق لآلاف السّنين. وكان الأطباء الأوائل يشخِّصون الأمراض بواسطة أنوفهم، كما تبيِّن الدّكتورة إستير في كتابها فضاءات الشّفاء. على سبيل المثال، كانت رائحة البول الحلو تعني مرض السّكري. والآن، هذا الأمر يعود إلى دائرة الاهتمام بفضل حقل من المعرفة يُدعى التّشخيص الشّمّي، الذي يحلل بعضاً من آلاف المركّبات التي نستنشقها في كل نَفَس.

لطالما اعتُقد أن الشّم والتذوق يؤثران في المزاج والسلوك. كانت فلورنس نايتنغيل تعتقد أن رائحة اللاّفندر تهدّئ مرضاها، حيث كانت تدهن جباه الجنود الجرحى في الحرب الأهلية بعطر هذا النّبات. لسوء الحظ، لم تُجرَ بحوث علمية رصينة كثيرة حول الموضوع، لكننا حصلنا - بدلاً من ذلك - على حقل العلاج باستخدام زيوت النّباتات (*aromatherapy*). وهو ليس سيئاً، وخاصة إذا كان مترافقاً مع تدليك للقدم. لكنه من النّاحية العلمية لا يختلف كثيراً عن علم الأرقام.

ومركز مونيل يعمل على إصلاح هذا الخلل.

تمنحني واحدة من علماء المركز - وهي امرأة ذات بنية قوية تضع نظارة زرقاء تُدعى ليزلي ستين - جولة في المبنى المكوَّن من ستة طوابق. ميكروسكوبات، ثلاجات بحجم شاحنة، متاهات من أجل الفئران، اثنا عشر معطفاً مخبرياً معلقاً على التّوالي، علماء يتفحصون بيانات في مكاتبهم، قبعات للرأس مزودة بأقطاب كهربائية، دمية أوسكار سيئة المزاج في غرفة فحص الأطفال. لكن ما يدعو للاستغراب هو أن المبنى لا تفوح منه روائح بشعة. تمكنت فقط من ملاحظة رائحة دجاج مطهوّ في مايكروويف أحد الباحثين.

ثمة شعور بالمغامرة هنا، فحاسة الشّم ليست الحاسة الوحيدة التي تخضع للبحوث. "أحبه لأنه مكان غير محدد الأهداف"، يقول الباحث جوهان لندستروم، "في أي وقت تخطر لي فكرة ما، يمكنني تصميم تجربة للتأكد من صحتها، لأن

هناك احتمالاً بأن لا تكون قد أُجريت من قبل".

من بين التّجارب التي يجريها مركز مونيل:

- معالجة اضطراب ما بعد الصّدمة (*post-traumatic stress*) الذي قد يُثار بواسطة روائح مثل احتراق متفجرات.
- إعادة إنماء الخلايا العصبية. تتميز الخلايا العصبية في الأنف بقدرة غير عادية؛ وهي إعادة الاستيلاد بعد ثلاثين يوماً. هل سيقدر الأطباء على جعل خاصية إعادة النّمو هذه تحدث خارج الأنف؟
- والمفضّلة لي شخصياً، تجربة أظهرت أن رائحة أجساد الرّجال تملك أثراً مهدّئاً على النّساء. وهو عذر رائع لعدم الاستحمام. "أحاول فقط تهدئتك يا عزيزتي".

خلال اليوم الذي أمضيته في مركز مونيل أُجريت عليّ عدة اختبارات. من بينها، ارتدى باحث يُدعى كريس قفازاً جراحياً أزرق ولوّح بسلسلة من 18 قلماً بحجم أقلام ماجيك ماركر تحت أنفي، ثم طلب مني اختيار رائحة الأقلام من قائمة مكونة من أربعة خيارات.

هل القلم رقم خمسة ذو رائحة جلد أم تربنتين أم مطاط؟ أغلق عينيّ وأستنشق. إن رائحته تشبه رائحة حذاء أبي. جلد.

قلم آخر تفوح منه رائحة تشبه رائحة العسل.

إن الأقلام مقنعة جداً لدرجة أنها تحفز إفراز اللّعاب، وخاصة الأقلام اللّيمونية. لكن الرّقم 16، بالمقابل، تفوح منه رائحة سمك كريهة جعلتني أُرجع رأسي إلى الوراء بسرعة.

أنتقل إلى التّذوق مع عالمة نفس تُدعى دانييل ريد. أشرب ستّاً وثلاثين قارورة صغيرة تحوي سوائل صافية؛ كل واحدة منها مكونة من خليط مختلف من النّكهات: الحلو، المر، الحامض، المالح، واليومامي (umami). وهذه الأخيرة هي النّكهة الأساسية الخامسة المتجاهَلة غالباً، والتي تُدعى أحياناً مشهّية أو مقبّلة. إنها النّكهة التي توجد في فطر شيتاكي شرق آسيوي والسمك المدمس.

تقلّب الدّكتورة ريد الآن ملف الأجوبة المكون من ست صفحات، متفحصة أجوبتي المكتوبة والكلمات التي رسمْتُ حولها دوائر مثل "صابون، مسك، بول،

حليب، فانيليا".

ثم ترفع رأسها وتقول: "حسناً، إنك الشّخص المختبَر الأسوأ على الإطلاق".

أضحك. لديهم حس دعابة غريب هؤلاء العلماء.

لكن وجهها يبقى جدياً.

"حقاً؟".

"أجل. حقاً".

من الواضح أنني قمت ببعض الأخطاء المحرجة. لقد خلطت بين الحامض والمشهّي، وبين نصف الحلو وشديد الحلاوة. لقد كنت الأسوأ بين الكثير من الأشخاص الذين أجروا الاختبار على مر السّنين.

إنه أمر مزعج. صحيح أنني لم أعتبر نفسي مطلقاً مولعاً بالطعام، ولكن أن أمتلك اللّسان الأقل تمييزاً في أميركا، أو على الأقل بين تلك الألسنة التي اختُبرت؟! وخاصة بعد أن اعتقدت أن حس التّمييز لديّ قد تحسَّن بفضل تخفيف الملح والسكر.

مرة أخرى، يثبت مشروع الصّحة هذا أنه تمرين على الإذلال المطلق. بعكس ما كانت أمي تقوله لي دائماً، أنا لست فوق المعدل دائماً. لكن المشكلة أن حواسي الكيميائية ليست ضعيفة وحسب، بل عمياء تجاه بعض الرّوائح والنكهات. على سبيل المثال، لدي مشكلة في تمييز اليومامي، ولا يمكنني أن أشتم رائحة شيء يُدعى أندروستينون.

لكنني لست الوحيد، فقرابة 45 بالمائة من الأميركيين غير قادرين وراثياً على تمييز رائحة الأندروستينون. إنها مادة ستيرويدية توجد في العرَق والبول.

هناك تنوع كبير في قدراتنا على التّذوق والشم، ومعظمها وراثي. لم تكن لديّ أي فكرة قبل الآن بأنني أشم وأتذوق عالماً مختلفاً عن الآخرين.

بالرغم من نتائجي المتدنية، إلا أنني لم أغادر مركز مونيل بحزن. فالوضع ليس ميؤوساً منه كلياً. يمكنني التّصرف. لقد أضاف العلماء شيئين إلى لائحة الأشياء التي يجب عليّ القيام بها: تقوية حاسة الشّم عندي، واستخدام العطور لمساعدتي على الاسترخاء. سأشرحهما بالترتيب:

التجربة الأولى: تقوية حاسم الشّم

قالت الدّكتورة باميلا دالتون، إحـدى الباحثات في مونيل: "هناك علاقة بين قدرتنا على الشّـم وصحتنا الذّهنية. ليست علاقة تلازمية مثالية، لكن النّاس الذين يفقدون حاسة الشّم يُظهرون عوارض اكتئابية".

وقالت لي إن الحفاظ على حاسـة الشّـم قوية يمكن أن يسـاعد على الحفاظ على صحتنا الذّهنية. "مرِّنها كما تمرِّن أي عضلة أخرى".

كيف؟

"اذهب إلـى رف التّوابل في منزلك وحاول تمييز الزّجاجات مـن دون النّظر إليها".

لقد أصبحت هذه لعبتي المفضلة الجديدة. تعطيني جولي زجاجة، فأسـحب نَفَساً عميقاً، وأنا مغمض العينين.

في المرات الأولى، كل شيء بدت رائحته مثل رائحة جوز الطّيب.

"جوز الطّيب".

فتقول جولي: "لا. كركم".

"جوز الطّيب".

"لا، عشب ليموني (lemongrass)".

وهلم جـرّاً. لكنني أجريت التّمرين عشـرين مـرة الآن، وأجوبتي الصّحيحة تمثل 50 بالمائة من مجموع الأجوبة.

أنفي يتحسـن. قـد لا أتعلَّـم أبـداً كيـف أميِّـز راحـة الأندروسـتينون، ولكن باستطاعتي أن أصبح أفضل في تمييز الرّوائح التي يعرفها أنفي مسبقاً، أو بحسب تعبير أحـد الباحثين في مركـز مونيل: "لا يمكنك أن تجعل السّـيارة تسـير بسـرعة أكبر، ولكن يمكنك أن تصبح بارعاً في المسارات المتعرجة".

يشـمّ الشّـخص العادي نحو 10,000 رائحة، على الأقل وفقـاً للحائزيْن على جائزة نوبل، ريتشـارد أكسـل وليندا بـاك. لكن هذا ليس مؤكداً تماماً. في الواقع، إنها ليست مسـألة بسيطة نسبياً، بعكس التّذوق، الذي يتكون مـن خمس نكهات أساسية فقط. لكنه نظام معقد غير مفهوم بشكل كلي ويتعلق – بحسب اعتقادنا –

بمستقبلات أنفية تميِّز الأنواع الكيميائية المختلفة.

بصرف النّظر عن كيفية عمله، أجد أنني أميِّز الآن المزيد من الرّوائح في العالم الخارجي؛ العذبة منها (مثل البطاطا الحلوة في المطعم المجاور) والكريهة (مثل رائحة الكلور المتغلغلة في مركز المجتمع القريب).

كما لاحظت أن للشم الحماسي مخاطر. عندما قابلت صديقاً من أجل تناول طعام الغداء وأخذت نفساً عميقاً جداً من الهواء، نظر إلي بارتياب وقال: "هل تشمّني؟". في الواقع، نوعاً ما.

التجربة الثّانية: الاسترخاء

إن الجزء المسؤول عن الشمّ في الدّماغ موجود في القسم القديم المسمّى دماغ السّحلية (*lizard brain*)، والذي يعني أنه مرتبط بالعواطف. يمكن للرائحة أن تثير مشاعر قوية، وهذا أمرٌ يعرفه أي شخص قرأ كتب براوست أو صفحته في ويكيبيديا.

أي روائح وأية مشاعر؟ هذا يعتمد على الفرد. هنا يخطئ حقل العلاج باستخدام زيوت النّباتات، بحسب باحثي مونيل، حيث يقدم أخصائيو هذا النّوع من العلاج تصريحات قاطعة مثل "الفانيليا سوف تهدِّئكم". لكنه يعتمد على التّجربة.

تقول ليزلي ستين في هذا الخصوص: "لا يمكنك أن تقول إن رائحة اللّيمون منعشة. إذا نشأت في حديقة جميلة ملأى بالأزهار، فإنك ستحصل على مشاعر إيجابية عندما تشم الأزهار. ولكن، إذا كنت قد تعرَّضت إلى رائحة زهرة ما لأول مرة في جنازة جدتك، فالعكس سيكون الصّحيح".

تقول دالتون، على سبيل المثال، إن رائحة الدّيزل تجعل مزاجها سعيداً مثل رائحة زهر اللّيمون. "أنا أسافر كثيراً. وعندما أكون في غرفة ما في فندق مجهول، يصبح النّوم مسألة صعبة، ولهذا فإنني أجلب معي رائحة آمنة (بالطبع، إنها تحمل رائحة زهر اللّيمون بدلاً من الدّيزل).

بالنسبة إلى خياري الشّخصي المتعلق بالرائحة المهدئة، فهي رائحة اللّوز.

لعل السّـبب هو المرصبان الذي كان أبـي يجلبه معه إلى المنـزل دوماً. من يدري؟ لكن رائحة اللّوز تجعل التّوتر يختفي، وتزيل الاكتئاب الخفيف.

هكذا، بدأت بحمـل زجاجة صغيرة من زيـت اللّوز إلى جانـب معقم بيوريل والشـوكة الصّغيرة فـي جيبي. أفتح سـدّتها فـي النّفق وأستنشـق الرائحـة. قد يظن المارّة أننـي أستنشـق صمغـاً (بغـرض التّخديـر)، لكنني أشـعر باسـترخاء وهدوء شديدين لدرجة أنني لا أكترث لما يظنونه.

الفحص: الشّهر الثّاني والعشرون

الوزن: 71.5 كغ.

معدل دقائق التّدليك الذّاتي في اليوم: 4.

معدل ساعات النّوم في اليوم: 7.

عدد الوجبات التي تتضـمن القرفة (التي يمكن أن تزيد تقبُّل الإنسولين): 1 من 3.

لقد حرّرَتْ مغامرتي الأنفية ذهني من الأفكار السّقيمة حقاً. وهذا أمر جيد.

كما ألهيت نفسـي من خلال الانشـغال بأمور كثيرة إلى حدٍّ لا يُصـدَّق. هناك القليل من الوقت، والكثير الكثير من الأشياء الباقية على لائحتي. إنني أحاول إنهاء الكتاب خلال سنتين من أجل سلامة عقلي وعقل ناشري.

الفصل الثّالث والعشرون

اليدان

السعي لامتلاك أصابع رائعة

لقد انتهيت للتو من قراءة كتاب من العام 1980 للبروفيسور في جامعة برينستون جون نابيير، بعنوان يداان. إنه عمل جميل. خليط من علم التّشريح والتاريخ والقصائد الشّعرية التي تتحدث عن اليدين، نموذج كلاسيكي عن أدب اليدين (وهو نوع أدبي أكبر مما يمكن أن تعتقد). وقد جعلني من هواته على الفور. انظرْ إلى هذا المقطع فقط: "ينغمس زائرو حديقة الحيوانات في حالة من البهجة الشّديدة بسبب الطّريقة التي يمد فيها فيل خرطومه ليأخذ تفاحة... لكنهم لا يتوقفون ليفكروا لحظة واحدة في القدرات التي تفوق الوصف لأيديهم بالذات".

إنه محق. إننا نستخف بأيدينا، في حين يلقى الدّماغ والقلب كل المجد والاهتمام. إننا نعتبر الدماغ والقلب المدير التّنفيذي والرئيس للجسد. أما اليدان، فمجرد مساعديْن متدرِّبيْن.

لكن، ليس أنا. إذا كان هدفي صحة الجسد بأكمله، فلا يمكنني تجاهل هذه المجموعة المعقدة على نحو رائع والمكونة من 27 عظمة و30 عضلة. سأعمل بنصيحة نابيير، وأحاول تحسين القدرات التي تفوق الوصف ليديّ الاثنتين. سأحاول قدر استطاعتي امتلاك أقوى يدين وأسرعهما.

أما الفوائد، فقد تكون مذهلة. يقول عالم الأعصاب ريتشارد ريستاك في كتابه فكِّر بذكاء: "بما أنه ليس هناك جزء في الجسد أكثر ارتباطاً وظيفياً بالدماغ

من اليدين، حيث المناطق المخصصة للأصابع في الدّماغ أكبر من تلك المخصصة للساقين أو الظّهر أو الصّدر أو المعدة، فإن تطوير مهارات اليدين وسيلة مؤكدة النّجاح لتطوير وظيفة الدّماغ".

وهنـاك كتـاب آخـر مناصـر لليدين، اليـد: كيـف يؤثر استخدامها في الدّماغ واللغة والثقافة الإنسانية، يؤكد أن تفكيرنا خاطئ تماماً. فالدمـاغ ليس الملك، بل خادم اليد المطيع. لقد طوّرنا فصوصنا الجبهية المعقـدة - جزئياً على الأقل - كي تسـمح لنا بالتحكم بأصابعنا. في حين يقـول الفيلسـوف مـاثيو كراوفـورد، مؤلف كتاب التعليـم العملي كمهنـة روح - ومالك محـل تصليـح دراجات ناريـة - إن العجز اليدوي يمكن تحميله مسؤولية العزلة التي تعاني منها الحداثة. عندما فقدنا قدرتنا على استبدال مفتاح مصباح كهربائي أو تنجير لوح خشبي، فقدنا أرواحنا.

إذا أردت امتـلاك يديـن صحيتين مثاليتين، فعليـك التّحدث مـع رجل يُدعى غريج إيروين. يملك إيروين سكسوكة شـقراء ووجهاً عريضاً ودوداً، وهو مختـرع تمريـن صعـب لليدين يُدعى رشاقة الأصابع. يمكنك إيجـاد فيديوهاتـه علـى اليوتيوب. وإذا شـاهدتها، لا تشعر بالاستياء من فضلك، ففي مقدمة أحدها، يقول إيروين محذِّراً: "لا أشعر أن الإشارات الاجتماعية ينبغي أن تقيِّد التّدفق السّلس للإشـارات في هذا الفيديو. وعلى هذا الأسـاس، إن أياً من الوضعيات التي ترونها في هذا الفيديو لا يُقصَد منها امتلاك أي معنى اجتماعي".

وبعد ذلك، يبرز الإصبع الوسطى في وجهك.

بفضل نابيير، أعـرف أن الإصبع الوسطى حصلت علـى رمزيتها السّـيئة لأن "الإصبع الطّولى تميل لتنفيذ عمليات خدش خشنة".

لكن إيروين يقول إن إبراز الإصبع الوسطى في هذا الفيديو ليس فيه أي شيء شـخصي. إنه مجرد جزء من تمريـن تمدُّ فيه جميع الأصابـع وتمطّها. مـن المثير مشاهدة إيروين يمرِّن يديه. تشعر بأن يديه مغلفتان بغشاوة من شدة سرعة أصابعه حين تتقاطع وتتمايل وتقوم بأداء تحية النّصر. إنه باليه أصابع.

حددت موعداً لأخذ درس خاص مباشـر مع غريج على سكايب. لقد أرسل لي، منذ بضعـة أسـابيع، حقيبة مبتـدئ تتضمـن قرصيْ دي في دي وكرتيْ علاج

283

صيني فضِّيتيْن بحجم ثمرتيْ مشمش. كنت أريد التّمرُّن، لكنني انشغلت بغسل الخضروات والجري وشم الزّجاجات على رف التّوابل. "لنبدأ بالأساسيات. احنِ، اطوِ، انقرْ، اضغطْ"، يقول غريج.

أشبك يدي في وضعية تضرع، وأحنيهما بشكل زاوية قائمة، وأطويهما نحو اليسار، ثم أرتبك. في أي اتجاه أطويهما الآن؟

"لديك فيديوهاتي منذ أسابيع ولا تستطيع إنجاز احنِ، اطوِ، انقرْ، اضغطْ؟".

أعترف له بخجل أن هذا صحيح.

"حسناً، لعلك مرتبك قليلاً لأنك تقوم بذلك أمامي".

هذا صحيح أيضاً.

أحب شغف غريج باليدين. إنه يأكل ويشرب وينام ويحلم باليدين، ويجلس عليهما أيضاً، لأن في منزله أربعة كراسٍ على شكل أيدي. في الحقيقة، يحوي منزل غريج أكبر مجموعة من الأمتعة الخاصة المصنوعة على شكل اليد في العالم: فناجين على شكل اليد، مصابيح كاشفة على شكل اليد، مجوهرات على شكل اليد، إضافة إلى بصمات أيدٍ تزِّين جدران حمّامه.

لقد ابتكر رشاقة الأصابع منذ ما يقرب من ثلاثين عاماً. كان في ذلك الحين يدرس الموسيقى في الجامعة (ساعد أيضاً في تطوير أول أداة زايلوفون إلكترونية) ويعمل كغاسل أطباق.

غالباً ما يسأله المشكّكون حول سبب أهمية تمرين اليدين. فيجيب: لتجنّب الإصابات، ولتجنب التهاب المفاصل، ولنعيش حياتنا بحالة ممتازة. "نحن جميعاً رياضيون صغار. فكِّروا كيف سيتغير هذا العالم لو أننا جميعاً نمارس تمرين رشاقة الأصابع. سيطبع النّاس بشكل أسرع. سيجري الجرّاحون عملياتهم بسرعة أكبر. وسيتمكن كبار السّن من تزرير قمصانهم".

باع غريج 20,000 قرص دي في دي؛ الكثير منها لموسيقيين ورياضيين.

مع ذلك، إنه يشعر بالإحباط. "إنني مندهش لأن هذا لم ينتشر أكثر. أنا أفعل ذلك منذ 15 سنة. لكنني لا أستطيع حتى أن أجعل أمي تمارس التّمارين".

لكن الاستثناء - وفقاً لغريج - هو الصّين التي يزورها عدة مرات في العام.

إنهم يتقبَّلونها هناك. "يدان صحيتان، عقل صحي".

أشعر بالتعاطف مع غريج. كنت سأكتب "قلبي مع غريج" لكن الأصح هو "يداي مع غريج". أعده بأن أكتب حول تمرين رشاقة الأصابع في كتابي. وأعده كذلك بأن أتمرن خمس دقائق أو عشر دقائق في اليوم خلال الانتظار عند الإشارات الحمراء أو مشاهدة التّلفزيون. ويعدني غريج بإبلاغي بنتائج دراسة قادمة حول رشاقة الأصابع في جامعة وينستون سالم.

يقول غريج: "إن اليدين منقوصتا القيمة حقاً في المجتمع الغربي". عندما يعرض حركات يديه في الحفلات، غالباً ما يعتبر المثقفون المتعجرفون ما يفعله مجرد حيلة. "أكاد أعتقد أن العقل مهدَّد من قبل اليدين". أو كما يقول الكوميدي إيمو فيليبس: "اعتدت أن أعتقد أن الدّماغ هو العضو الأروع في الجسد، ثم أدركت من كان يقول لي ذلك".

إمساك اليدين

لقد اكتشفت أمراً آخر: يجب ألا أُبقي يديّ لنفسي فقط. في دراسة قام بها جيمس كوان، أستاذ علم الأعصاب في جامعة فيرجينيا، جلب 16 امرأة متزوجة إلى مخبره، وعرَّضهن للتهديد بصدمة كهربائية في حين كان يتفحص أدمغتهن على جهاز تصوير بالرنين المغناطيسي. وجد كوان أن إمساك يد الزّوج خفّض التّوتر. وحتى إنّ إمساك يد شخص غريب هدَّأ النّساء، وإن لم يكن ذلك بالقدر نفسه.

ولهذا السّبب، أحاول الإمساك بيد جولي قدر الإمكان من أجل تخفيف مستوى توتري (أيدي الغرباء، لا. لأن خوفي من الميكروبات ومن التّعرُّض للكمة على الوجه يفوق الفوائد الصّحية للإمساك بالأيدي). إنني أقبض على يد جولي كثيراً عندما نمشي، وعندما نتكلم، وعندما نشاهد التّلفزيون.

أنا مندهش من مدى إعجابي بهذا السّلوك. لقد نسيت كم يمكن أن يكون الاتصال الإنساني جيداً، حتى لو لم يكن في السّرير. عندما أمسك بيدها، أتخيّل جميع أجزاء السّعادة في دماغي تشعُّ في شاشة مرنان مغناطيسي.

في البداية، أحبّت جولي ذلك، وقد أعربت عن سرورها بضع مرات، لكن

لجولي حدوداً. فعندما حاولت إمساك يدها خلال شجار حول مدى انضباط أولادنا، أبعدت يدها بسرعة كما لو كنت مصاباً بمرض جلدي معدٍ.

قلت لها: "سأخفّض مستوى توترنا خلال الشّجار".

فأجابت: "أريد أن أكون متوترة خلال الشّجار. هذا كل ما في الأمر".

الفحص: الشّهر الثّالث والعشرون

الوزن: 71 كغ .

المسافة المقطوعة خلال الكتابة: 1,144 ميلاً .

عدد مرات تمرين الضّغط حتى الإنهاء: 167 .

عدد حبات البطاطا المأكولة في الأسبوع: 2 (أحاول استبعادها من غذائي، لأن العديد من أخصائيي التّغذية يعتقدون أنها تسبب زيادة الوزن).

سيبدأ السّباق الثّلاثي بعد أسبوعين. لقد أقنعت مدربي توني بالانضمام إلي، حتى يشاركني في الانتصار، والإذلال، وآلام الجسد.

إنني أتدرب كل يوم، وأقلق كل يوم أيضاً. وما يخيفني أكثر من أي شيء آخر هو المياه المتجمدة. لقد أمضيت ساعات في تصفح الإنترنت بحثاً عن أفكار تتعلق بكيفية تجنُّب انخفاض درجة حرارة جسدي. وجدت بذلة الغطس الوحيدة في العالم التي تُسخَّن إلكترونياً بواسطة بطاريتيْ ليثيوم مثبتتين ضمن البذلة المصنوعة من مادة النّيوبرين. قد تفيد. فبحسب تقييمي لدرجة المخاطرة، إن التّعرُّض للصعق بالكهرباء أفضل من التّجمد. لكنها تكلِّف ألف دولار، ولهذا فإن جولي وضعت الفيتو عليها.

وهكذا اضطررت لاعتماد الخطة ب. استأجرت بذلة غطس غير إلكترونية وأخذتها للتجربة في مسبح المركز الذي أرتاده. عندما خرجت من غرفة تغيير الملابس، تلقيت بعض النّظرات السّاخرة. هل أنا عضو في فرقة كوماندوس تابعة لسلاح البحرية في مهمة لاغتيال متدرّب أبيض الشّعر.

غطست في مياه المسبح بقدميَّ أولاً. لسوء الحظ، كانت درجة حرارة الماء

286

37 درجة؛ الأمر لم يكن ليساعدني في مسألة التّعوُّد على التّحمُّل. مع ذلك، قلت لنفسي إنه ينبغي عليّ استغلال وجودي هناك من أجل السّباحة عدة دورات في الحوض. وما إن بدأت حتى غيَّر رجل خمسيني مساره مبتعداً عني قدر الإمكان، قائلاً: "بذلتك لا تشعرني بالراحة". في الحقيقة، لقد أشعرني كلامه بنشوة ذكورية.

ووصلني في هذا الشّهر خبرٌ يتعلق بالمقابلة مع جاك لالان. ترك وكيل إعلاناته رسالة صوتية هذه المرة.

"أنا آسف بخصوص ذلك، لكن جاك مضطر للتأجيل بسبب شيء طارئ".

أوه! لقد اشتريت تذكرتي وحجزت في الفندق مسبقاً. ألا يستطيع احترام التزامه؟ أي نوع من الرّجال هو؟ لا بد أن شيئاً أفضل طرأ، أليس كذلك؟

اتصلت بالمعلن، وجهّزت نفسي لتوبيخه.

سألته أولاً: "ماذا حصل؟".

"أُصيب جاك بمشكلة صحية. ولا يبدو الوضع جيداً".

"إنني آسف لسماع ذلك".

"أجل. إن الوضع ليس جيداً حقاً".

"أوه".

"هناك أعضاء لا تعمل".

أشعر بالخجل لتفاهتي، وبالدهشة لأن جاك لالان سيموت. جاك لالان سيموت؟ لقد قال هو نفسه مرات كثيرة: "لا يمكن أن أموت، لأن ذلك سيشوِّه صورتي".

لكن وكيل إعلاناته لم يكن يكذب، فبعد بضعة أيام، قرأت في موقع سي أن أن على الإنترنت، "جاك لالان، معلم الرّشاقة، يتوفى عن عمر يناهز السّادسة والتسعين". وبجانب الخبر صورة له مرتدياً بذلة قفز مظلي زرقاء اللّون، متخذاً وضعية راعي بقر يستعد لإطلاق النّار، مع ابتسامة عريضة تعلو وجهه.

أولاً جدي، والآن لالان. رجلان حيويان في تعاقب سريع، وكلاهما رحلا في عمر 96.

أبحث في الإنترنت عن جاك لالان والموت وأجد كلماته هذه: "أنا أتمرَّن

كما لـو أننـي أتمـرن للألعـاب الأولمبية أو مـن أجـل بطولة سـيد أميـركا (لكمال الأجسـام)، وهكذا تمرنت دائماً طوال حياتي. أترون؟ الحياة ميدان معركة. الحياة هي بقاء أصحـاب الصّحـة المثلى. كم عـدد الأصحـاء الذين تعرفونهـم؟ كم عدد الأشـخاص السّـعداء الذين تعرفونهم؟ فكّروا فـي الأمر. يعمل النّـاس للموت ولا يعملون للحيـاة. إن تمريني يمثل التزامـي بالحياة. إنه دوائي المهـدِّئ. إنه جزء من طريقتي في قول الحقيقة؛ وقول الحقيقة هو ما جعلني حيوياً طوال هذه السّنين".

احتراماً لجاك، أتوجه إلى النّادي كي أتمرّن من أجل الحياة.

الفصل الرّابع والعشرون

الظهر

السعي للوقوف بانتصاب

إن أسفل ظهري يؤلمني، لكن هذا لا يجعلني مميزاً على نحو خاص، إذ إنني واحد من 65 مليون أميركي يعانون من آلام الظّهر، أي ما يقارب عدد الذين صوَّتوا في الانتخابات الرئاسية الأخيرة. ألم الظّهر هو السّبب الأكثر شيوعاً لزيارة الطّبيب.

إن الألم الذي أعانيه خفيف، وهو يظهر عادةً في نهاية اليوم. لكنه سيزداد سوءاً مع التّقدم بالعمر، وخاصة إذا أخذنا بعين الاعتبار وضعية الجسد. أنا أمشي مثل هومينيد رقم ثلاثة في رسوم تطور الإنسان تلك. وهذا ناجم، جزئياً، عن الكسل. لكن المشي بصدر بارز يجعلني أشعر بالغرابة، أو بالأحرى بالصلَف.

لسوء الحظ، إن وضعية الجسد تفاقم ألم الظّهر، فهي تزيد الضّغط على الأقراص في العمود الفقري، ويمكن أن تسبب أيضاً ألماً في الرّقبة ومشاكل في الرّكبة.

عندما بحثت في الإنترنت عن خبراء في وضعية الجسد، وجدت شخصاً يُدعى جوناثان فيتزجوردون أُدرج اسمه ونبذة عنه في قسم الصّحة في صحيفة نيويورك تايمز. ويذكر موقعه على الإنترنت أنه يعلِّم اليوغا، لكنه مشهور بدروسه الخاصة بتعليم المشي.

جاء فيتزجوردون إلى شقتي في الأسبوع التّالي. إنه رجل ذو بنية صلبة في الثّامنة والأربعين من العمر نشأ في بروكلين، ولا يزال يحتفظ بأثر من لهجة نشأته.

سألني: "هل لديك أي تجربة في المشي؟".

آه، أجل. قليلاً. لم أشأ أن أبدو مغروراً. ولكن، في الواقع، إنني أمشي منذ زمن طويل، يبلغ عقوداً.

خلع فيتزجوردون حذاءه وراقب وقفتي ثم مشيتي عبر غرفة الجلوس، ثم أطلق حكمه. قال إنني رخو. حوضي متقدم كثيراً إلى الأمام، وكتفاي مائلتان كثيراً إلى الخلف.

لا ينبغي أن أشعر بالاستياء، فأنا مجرد أميركي نموذجي. لا يعرف الأميركيون كيف يمشون ويقفون بشكل صحيح، ويرجع الفضل في ذلك إلى نمط حياتنا الجلوسي.

يُخرج فيتزجوردون رسماً كارتونياً شهيراً لروبرت كرامب بعنوان "استمر في العيش بسعادة رغم المشاكل"، وفيها رجل يرتدي بذلة زرقاء يميل إلى الخلف بشدة في أثناء المشي. هذه مشكلة أميركا. نحن نميل إلى الوراء كثيراً.

"يجب أن يكون المشي مائلاً إلى الأمام"، يقول فيتزجوردون. هكذا بُنينا. "اذهب إلى ملعب الأطفال، ستجد أن الأطفال يمشون مائلين إلى الأمام. إنهم يشغِّلون محركهم". يمشي فيتزجوردون في غرفة جلوسي بجسد مائل إلى الأمام، مثل شخصية وايل إ. كويوت الكرتونية قبل انطلاقه في العدْو.

ويكمن السّر في إبراز مؤخرتك. بحسب جون الذي يقول: "هل ترى كيف تقدِّم جولي حوضها إلى الأمام؟".

لقد أخذت جولي استراحة من عملها لتنضم إلينا في غرفة الجلوس. أنا متأكد بأنها لم تكن تتوقع انتقاداً لحوضها.

"حرِّريها يا جولي. أبرزي مؤخرتك".

تحاول.

"أكثر. أكثر. جيد".

تضحك جولي بمؤخرتها البارزة، وتقول إنها تشعر مثل السّيدة ديلوريا؛ معلمتها في الصّف السّادس الابتدائي التي كانت مشهورة بمؤخرتها الكبيرة.

لكن فيتزجوردون راضٍ: "تقول الأمهات لبناتهن، لا تُظهرن معالمكن. تشعر

النّساء كما يلي، إنني أمشي في الشّارع، لذا من الأفضل أن أخفي معالمي، لكنني أقول أظهرن معالمكن".

أحاول المشي بهذه الطّريقة في الغرفة. مؤخرتي بارزة، وجسدي مائل إلى الأمام، وذراعاي متدليتان على الجانبين. أقول لجون: "أشعر كأنني قرد".

يبتسم فيتزجوردون ثم يقول: "هذا بالضبط ما أنتظر سماعه. امشِ كالقرد أيها الشّاب! هذه واحدة من عباراتي الأساسية". يملك قرد الغوريلا أسفل ظهر مسطح، ولهذا السّبب فهو لا يستطيع الجلوس أو المشي بتراخٍ.

أسأل جون عن طريقة تساعدني على تعلُّم وضعية جسد صحيحة، فيقول إن موازنة كتاب على الرّأس في أثناء المشي فكرة جيدة. "أنت بحاجة إلى مط مؤخر العنق". ولكن، في المقابل، "ليس هناك أسوأ من إرجاع كتفيك إلى الخلف". عندما تكون كتفاك متراجعتين إلى الوراء، يصبح نَفَسُك قصيراً. أنت بحاجة إلى التنفس من البطن.

بعد مغادرة فيتزجوردون، أمضيت وجولي الأيام القليلة التّالية في محاولة المشي على طريقته.

اتفقنا على الجزء المتعلق بالوقوف بشكل منتصب. وهكذا، صرنا نقول لبعضنا كلما مررنا في المطبخ "اعتدلْ!" أو "اعتدلي!". وفي الحقيقة، بهذه الوضعية، شعرت أنني أكثر صرامةً، وثقةً بالنفس، كما لو كنت أدميرالاً في سلاح البحرية.

كنت آمر أولادي بصرامة قائلاً: "من فضلكم، لا تلمسوا حاسوبي". وكانوا يبتعدون، قائلين: "حاضر سيدي!". هل كان هذا سيحدث لو كنت أقف بتراخٍ؟ ربما لا.

كما أعجبني اقتراحه حول المشي بخطوات قصيرة، إذ جعلني هذا أشعر بأنني أكثر كفاءة وسرعةً من قبل. إن كان هناك شيء تعلَّمته في تجاربي فهو أن الجسد يؤثر في العقل. كلما كانت الخطوات أسرع، كان العقل أسرع.

أما بالنسبة إلى مسألة إبراز المؤخرة، فإنها لا تزال تبدو غريبة بالنسبة إليّ ولجولي، مهما كررنا ذلك. نحن نبرز مؤخرتينا، ولكن خلال بضع دقائق نجد

أنهما عادتا إلى الأمام من تلقاء نفسيهما.

وللتأكد من أنني وجولي نسير على الطّريق الصّحيح، اتصلت بخبير ظهر تقليدي أكثر من فيتزجوردون. إنه الدّكتور جيفري كاتز، وهو أستاذ في جامعة هارفارد ومؤلف كتاب اشفِ ظهرك الموجع. وما هي نصيحته المتعلقة بوضعية الجسد؟ في الواقع، لم تكن مفصَّلة مثل نصيحة جون، لكنه يعتقد، بشكل أساسي، أننا يجب ألاّ نشغل بالنا بها بشكل مفرط. "ليس هناك الكثير من الأدلة العلمية حول وضعية الجسد". وما نعرفه هو أن نقف بشكل مستقيم وأن نشد ظهورنا. وهذا يريحني، في الحقيقة، على الأقل لأنه يتجاهل المؤخرة البارزة.

يقدِّم كاتز في كتابه نصائح حول تخفيف ألم الظّهر. وأنا أجرِّبها أيضاً.

- تمارين الرّقبة: اضغط براحة يدك على جبينك لمدة 10 ثوان. إنه تمرين جيد، لأنه يشعرني بالحاجة إلى القيام بمجموعة أخرى من التّمارين (يدان، ساقان، حلق)؛ إنني أتجاوز مدة ساعة في اليوم.
- عند الجلوس، أرجعْ مؤخرتك إلى الخلف قدر الإمكان. ملاحظة جيدة لي ولجولي، لأننا كلينا نجلس بتراخ شديد.
- عند رفع أشياء معينة، احنِ ركبتيك، وحافظ على الظّهر مستقيماً، ثم ارفع بواسطة السّاقين. إنني أعرف هذه التّقنية، ولكن، هل نفّذتها؟ في الحقيقة، لا. لأنني بدأت بتجنُّب تكوير مؤخرتي في أية وضعية.

مراجعة القرفصة

يبدو أنني أصبحت متحمساً للقرفصة، الأمر الذي قد يجعل جون سعيداً. يعتقد جون، وعدد مثير للدهشة من النّاس أننا ينبغي أن نقرفص خلال الانتظار عند مواقف الباصات وخلال تناول طعام الغداء، كما كان يفعل الكثير من الآسيويين في الماضي. ليس هناك الكثير من الدّراسات حول هذه الوضعية، لكنني أراهن أنها أفضل من الجلوس. أي شيء تقريباً أفضل من الجلوس. في المرة الأولى التي حاولت فيها القرفصة، شعرت بالألم. قلت لجولي إنني شعرت وكأن ساقيّ تعانيان من ألم طمثي، فوجدت التّوصيف غريباً.

ولكن، تبيَّن أنني كنت أقوم بذلك بشكل خاطئ. أما إذا أردت أن تقوم بالقرفصة الآسيوية الصّائبة، فينبغي عليك الحفاظ على قدميك مسطحتين، وإبعاد ما بين ساقيك، وإبقاء ذراعيك ممدودتين إلى الأمام من أجل التّوازن.

جرَّبت هذه الوضعية في موقف باص بعد إيصال جاسبر إلى المدرسة.

فقال لي رجل يرتدي سترة فريق يانكيز: "يوجد مكان". زلق مؤخرته على المقعد ليفسح لي مكاناً للجلوس.

"لا شكراً. أفضِّل القرفصة".

هز الرّجل رأسه بصبر.

بعد شهر من المشي بظهر مستقيم والقرفصة، تحسَّن ظهري فعلاً. تراجع الألم إلى مستوى وخزات مؤقتة. وما زلت أمشي أحياناً كالقرد، ولكن غالباً من أجل إخافة الأولاد.

الفحص: الشّهر الرّابع والعشرون

الوزن: 71.5 كغ .

عدد الكلاب التي قمت بملاطفتها: 12 .

دقائق الغناء اليومية (وسيلة محتملة لتخفيف التّوتر): 10 .

الأيام التي أمضيتها في التّمرُّن على العزف على الدّيدجيريدو: 2 .

كان هذا الشّهر شهر سباق التّحمُّل الثّلاثي، وإليك ما حصل. في يوم أحد بدأ المنبه يرن في الثّالثة والنصف صباحاً. كانت معدتي كالرصاص، فقد أكثرت من النّشويات في اللّيلة السّابقة. صحيح أن أبحاثي تفيد بأن الأطعمة النّشوية قبل السّباقات لا تُقدِّم أية منفعة علمية، إلا أنني لم أكترث لذلك، فقد كنت منذ أسابيع أتشوق لالتهام طبق لنغويني ألفريدو هائل، ولم أكن لأسمح لشيء من العلوم المتعالية أن يقف عائقاً في طريقي.

ركبت قطار الأنفاق حتى محطة المراكب. كان توني في انتظاري، فركبنا دراجتينا الهوائيتين وقطعنا الجسر المؤقت الواصل بين الرّصيف وبين قارب

الخامسة والنصف صباحاً المتجه إلى جزيرة ستايتن. كان على متن المركب نوعان من المسافرين ولم يكن صعباً تمييزهما، الأول هو ركاب الدّراجات الهوائية الخفيفة مع خوذاتهم الانسيابية وزجاجات المياه، أما الثّاني فمراهقات شعرهن مصبوغ بألوان فاتحة يرتدين تنانير ضيقة مصنوعة من قماش يشبه جلد النمر، ويضعن مَسْكَرَة سميكة على عيونهن، عائدات من ليلة طويلة صاخبة في مانهاتن.

"لديّ سؤال واحد"، قال توني بعد جلوسنا في المركب.

"ما هو؟".

"لماذا؟ لماذا يفعل النّاس ذلك بأنفسهم؟".

"أتعني...".

"لماذا يعاقبون أنفسهم بخوضهم سباقات التّحمل الثّلاثية؟".

لم أعرف بماذا أرد.

كنا نجلس قبالة رجل في الثّلاثينيات من عمره يتكئ على دراجة من نوع كانونديل ذي لحية حمراء رفيعة وعضلات فخذين ضخمة.

"يا لها من حقيبة!"، قال وهو يومئ إلى أمتعة التّخييم التي أحملها.

فأجبته: "شكراً".

أعتقد أنني سأخوض أول جولة لي من الثّرثرة في جو السّباق، فبصراحة هذه الحقيبة لم تكن الخيار الأول بالنسبة إليّ، لكني لم أجد سواها في الشّقة. كانت مموهة، ولكن لسبب أجهله، لم يكن التّمويه باللون الأخضر التّقليدي وإنما بلون زهري فاقع ولُطَخ حمراء، وهو ما أعتقد أنه يمكن أن يكون مناسباً فيما لو كنتَ تريد أن تشنَّ غارة على غرفة نوم لفتاة في التّاسعة عشرة من عمرها، غير أنها لن تساعد إذا كنت تحاول الظّهور بمظهر رياضي سباق تحمل ثلاثي.

"إنها ضخمة أيضاً"، قال الرّجل الملتحي. "هل تضع فيها أحداً آخر لتخرجه حينما تتعب؟".

استدار توني نحوي وقال: "أعتقد أن موقف هذا الشّخص لا يروقني".

كان بمقدور توني، وهو ضابط سابق في الشّرطة، أن يطرح هذا المعتوه أرضاً بلكمة واحدة على فمه، لكني قلت لتوني إن علينا ادخار طاقتنا للسباق.

بمجرد ترجّلنا من المركب علمنا أننا وصلنا للمكان المنشود. كانت مكبرات الصّوت تصدح بأنشودة بروس سبرنغستين الخاصة بالتمارين "حبيبتي، لقد ولدت كي أعدو"، وكان الميدان مغطى بمئات الدّراجات المسندة على قضبان فولاذية، كما كانت الخوذات والمناشف وأغلفة مراهم الطّاقة المستخلصة من ثمر العليق مبعثرة في كل مكان. أسندت دراجتي على القضيب المعدني بجوار شابة شقراء عشرينية تضم سحَّاب بزَّتها المقاومة للماء.

أسألها: "هل خضتِ هذا السّباق من قبل؟".

تومئ برأسها دلالة الإيجاب.

"كيف هي درجة حرارة المياه؟".

"أوه! سوف تجزع. لن تتمكن من التقاط أنفاسك".

بعد بضع دقائق أسأل متسابقاً متمرساً آخر في الطّريق إلى الحمامات فيجيبني: "أوه، سوف تجزع. لن تتمكن من التقاط أنفاسك".

نقف في نسق واحد على الشّاطئ القريب، وعند سماع صوت الصّافرة نقفز إلى المياه.

بدأت المياه الجليدية تنزلق فوق ظهر بذلتي المقاومة للماء وفوق الكمَّيْن، ويا له من شعور كريه! إذ كأنك تسبح في شراب سلوشي. لكن الغريب في الأمر هو أنني لا أشعر بالجزع ولا أجد صعوبة في التقاط أنفاسي، وليس هذا ناجماً عن رجولتي الفائقة، بالرغم من معدل تستوستيروني الحالي، لكنني كنت قد فكَّرت كثيراً في السّباحة في المياه الجليدية بحيث أصبحت درجة الحرارة الواقعية (3 مئوية) تبدو قابلة للتحمُّل.

ويمكن أن تكون تقنياتي المهدِّئة قد ساعدتني أيضاً، مثل التّنفس البطني والاستلقاء على الظّهر والشتم، بما أنني أعلم أن هذه الأخيرة تخفف الشّعور بالألم علمياً.

أخذت أشق المياه المتلاطمة، وأرفع رأسي كل ثلاثين ثانية لمعرفة اتجاهي. وبعد إحدى عشرة دقيقة، استدرت حول عوامة كروية برتقالية اللّون وتوجهت ثانية نحو الشّاطئ. كل هذا التّوتر من أجل إحدى عشرة دقيقة فقط.

ركضت والماء يقطر مني نحـو البقعة الصّغيرة المخصصة لـي كي أخلع بذلة السّـباحة. وهنا خطرت لي فكرة لم أكن أدركها، وهي أن سـباقات التّحمُّل الثّلاثية تتضمن الكثير من عمليات تبديل الملابس. إنها تشـبه نسخة أكثر إرهاقاً من عرض مسـرحي موسـيقي فـي بـرودواي. فبعد خلـع البذلـة، جففت نفسـي بالمنشـفة ثم ارتديت السّـروال القصير والجاربين والحـذاء ووضعت محلول الواقي الشّمسـي. استغرق ذلك عشر دقائق.

"المرحلة الثّانية"، يقول توني ونحن نركب دراجتينا.

ننطلق فـي طريق خاليـة من السّـيارات أُقفلـت من أجل السّـباق. نمـر بجوار صيدليات، وعيادتيْ أسـنان، وحقل تتجول فيه بضعة ديوك رومية، وإشـارات مرور حمراء لا معنى لوجودها. نحن نقود صامتين.

مـع أن الصّمت ينقطع بيـن الفينـة والأخرى بنـداء "على يسـارك!" ويعني أن شخصاً ما مقوَّس الظّهر سيتجاوزك.

بعد ثلاث وثلاثين دقيقة وعلبتين من مشـروب الطّاقة السّكري نرمي دراجتينا ونبدأ بالركض على ممر خشبي مهتز بمحاذاة الشّاطئ.

يقول تونـي: "لسـت في عجلـة من أمـري. فـلا تشـعر بالحـرج إذا أردت أن تركض بسرعة".

"وأنا كذلك".

نتابع طريقنا من دون أن ننبس بكلمة أخرى. إنني أعتمد إيقاعاً منتظماً للتنفس بحيث أشـهق مرة وحدة كل أربع خطوات وأزفر مرة واحـدة كل أربع خطوات. أنا متعب لكنني لست منهكاً، وأشـعر أنني سـأتمكن من الوصول. لقد تدرَّبت بما فيه الكفاية، بـل ربما أفرطت فـي التّدريب، فـي الحقيقـة. إن الخوف مـن الإهانة أمام الملأ لحافز عظيم.

أراقـب الأمـواج تتقـدم وتنحسـر عـن الرّصيـف البحـري وأسـمع هتافـات المشـجعين. "لم يبق كثيراً!" قال لي رجل أصلع كان قد أنهى السّباق مسبقاً وانضم للجمهور، لكنني لا أعترض على تعاطفه المتعالي قليلاً. فقد بدأت أشعر أخيراً بما أسـماه كريس ماك دوغول متعـة الجري. لقد توصلـت أخيراً للجواب على سـؤال

توني قبل السّباق: "لماذا؟".

نعبر خـط النّهايـة ونتبادل عناقـاً أخويـاً، ثم نمشـي على جسـر خشـبي باتجاه دراجتينا. يلتفت توني إليّ ويقول: "لقد نجحنا".

فأجيبه بجملتين بدتـا غريبتين حتى في أثنـاء خروجهمـا من فمي: "كان ذلك ممتعاً، صحيح؟ سأود أن أفعلها مرة أخرى".

في رحلة العـودة على سطح المركـب، حاولت أنـا وتوني معرفة مـا إن كان سـباق التّحمُّل الثّلاثي في المحصلـة صحياً أم غير صحي. ووجدنا أن فيه أشـياء كثيرة غير صحية، أولهـا الفطائر المحـلاة المليئة بالمـواد الكربوهيدراتية البسـيطة التـي تناولناها بعد السّباق. وهناك أيضاً قلة النّـوم والضجيج وما ابتلعته في أثنـاء السّباحة من مياه جزيرة ستاتن المليئة بالجراثيم، فضلاً عن السّـموم غير المعروفة الموجودة في أقلام التّخطيط التي استخدموها لكتابة أرقامنا على أيدينا وأرجلنا.

ولكـن، في المقابل، ثمة جوانب صحية للسباق. فقد كان يحثّني على التّدرُّب كل يوم. وبالنسـبة إلى الفطائر المحلاة، لقد عرض عليّ أكثر من زميل شراباً خالياً من السّكر، وهو أفضل بشـكل طفيف من شـراب العمة جيميما. كما أنـه أتاح لي إمكانية التّواصـل الاجتماعي مع توني. وأخيراً شـعرت لعدة أسـابيع أن هناك هدفاً ما، ولو كان سخيفاً.

حين وصلت للبيت رميت حقيبة الأمتعـة وردية اللّـون في الرّدهـة وغمرت أولادي بالعناق.

"هل فزت؟". سألني زين.

فأجبته: "في الواقع، لقد تجاوزت الكثير من الأشخاص".

بدا راضياً.

"لكنني أيضاً خسرت أمام مئات غيرهم".

لم يعجبه ذلك.

(ملاحظـة: لم يكن هـذا السّـباق هو الأخيـر الذي أشـترك به. فبعد شـهرين، دفعت رسـم التّسـجيل الباهظ وغير القابل للاسترداد من أجل الاشـتراك في سباق التّحمُّـل الثّلاثي في نيويـورك. كنت أسـبح قرابـة الميل في نهر هدسـون وأقطع

298

بالدراجة خمسة وعشرين ميلاً ثم أجري لستة أميال أخرى. كان التّدريب يجري على نحو رائع وكنت أشعر بالثقة، ولكن، قبل أسبوعين من السّباق، أرسل توني هذه الرّسالة الإلكترونية:

"هل رأيت الحريق الذي نشب في معمل معالجة مياه الصّرف الصّحي في شارع 125؟ خمسة ملايين غالون من مياه المجارير الآسنة كانت تنسكب في النّهر كل ساعة قبل أن يتمكنوا من إصلاح العطل. إن المدينة تحث جميع سكان نيويورك على تجنب مياه نهر هدسون، لذا أرجو أن تعيد التّفكير في موضوع السّباق".

لم يكن يحتاج إلى الكثير من الرّجاء. في البداية، هناك رعشة التّحدي. ولكن، بعد ذلك، هناك مائتا مليون غالون من الفضلات البشرية. حالياً أنا موجود في لوائح سباق السّنة القادمة).

الفصل الخامس والعشرون

العينان

السعي لرؤية أفضل

أُحب مشاهدة البرامج الوثائقية المتعلقة بالجسم البشري على محطة ديسكفري فهي توقد فيَّ الحماسة، وتجعلني أشعر بالفخر تجاه هذه الكومة من العظام والعضلات. يتحدث المُعلِّق عن الجسم البشري كما لو أنه رون بوبيل يروِّج لأحدث فرَّامة خضار. "بمقدور العين رؤية 100 مليون لون! ويمكنها أن تنقل التّركيز من المدى البعيد إلى مسافة إنشات خلال خُمس الثّانية! ويمكنها في الظّلام الدّامس أن تكشف نور شمعة تبعد أربعة عشر ميلاً!".

إنها حقاً أرقام مذهلة.

لكن عينيّ، للأسف، ليستا مذهلتين كتلك التي سمعت عنها، فأنا أعاني من قصر النّظر والانحراف، وهذا يتعارض مع هدفي في أن أكون الرّجل الأكثر صحة في العالم.

كنت أحاول إيجاد شيء إيجابي في بصري. ولهذا السّبب، أمضيت الأسابيع القليلة الماضية في البحث عن مزايا قصر النّظر. تفيد إحدى الدّراسات أنه يقال إنه يُنظَر إلى الأشخاص الذين يضعون النّظارات على أنهم أكثر ذكاءً، ما يجعلهم مرغوبين أكثر في سوق العمل؛ وإن ما لا يقل عن أربعين بالمائة من النّاس يضعون نظارات مزيفة من أجل الحصول على وظيفة. هذا يعني أنني في وضع جيد بالنسبة إلى سوق العمل. (أُجريت هذه الدّراسة من قبل جمعية فاحصي

النّظر، وعلى الأرجح، إنها لن تُنشَر في مجلة الرّابطة الطّبيـة الأميركية في المدى المنظور).

وقرأت أيضاً أن درجة بصـري (20 /80) قد تعزز مهنتي الفنيـة غير الموجودة حتى الآن، ففي كتابها تاريخ طبيعي للحواس تذكر دايان أكرمان أن أزهار السّوسن المائية والجسـور الخشـبية الضّبابية التي رسـمها كلـود مونيه كانت ناتجـة، جزئياً، عن ضعف بصره (طلب منه طبيبه أن يضع نظـارة، ولكن يبدو أن مونيه رفض ذلك لأنه لم يكن يثـق بالطب). أما ديغـاس فقد كانت بليّتـه البصرية أكبر من سـابقه، إذ كان يعاني من قصر نظر ومن حساسـية شـديدة للضوء مما أجبره علـى التّحول من رسـم المناظر الطّبيعية إلى المشـاهد الدّاخلية. لـو كانت عينا ديغـاس أقوى، لربما كُنا شاهدنا لوحات لمناظر غروب شمس مغبشة بدلاً من راقصات الباليه الرّائعات الملفوفات بالضباب.

للحصول على تقييم تخصصـي لصحتي العينية، استشـرت الدّكتور بيتر أودل العضو المؤسِّـس في مركز كورنيل الطّبي فـي نيويورك، علمـاً أن آخر فحص مريع أجريته كان منذ ست سـنوات. أجرى الطّبيب اختبارات المقارنة الاعتيادية، ثم قام باختبار الرّؤية المحيطيـة حيث كنت بحاجة إلـى تحديد مواقع نقـاط صفراء طافية ("فقط تخيَّل نفسك كقرصان"، قالت مسـاعدته لين وأنا أضع وجهي مقابل عُصابة العين السّوداء. "قراصنة ديزني المرحون، وليس المقصودُ القراصنة الصّوماليين"). وماذا كانت النّتيجة؟ حصلت على قطرة العين التـي أرغمتني على كتابة ملاحظات علـى الكمبيوتر بخـط يعادل حجمه حجـم الخط المُسـتخدَم في إعلانـات الأفلام السّينمائية. باختصار، لا أزال أعاني من قصر النّظر.

سـألتُ الدّكتـور أوديـل كيـف يمكـن الحصـول علـى العينيـن الأكثـر صحة وتجنُّب أمراض العيون. لقد أصبحَت متفشـية بشـكل يدعو للقلـق. فتبعاً لصحيفة نيويورك تايمز، إن أكثر من 10 من الأمريكيين يعانون مـن أمراض العيون، وخاصة الغلوكوما، وماء العين، والتنكس البقعي. وسـت وعشـرون مليون شـخص يعانون من مرض ماء العين فقط. ومع تقدُّم النّاس في العمر ستزداد هذه الأرقام.

قال لي الدّكتور أوديل:

- الفواكه والخضار، بالطبع.

- الأسماك الغنية بعنصر أوميغا 3، مثل السّلمون والطون، قد تساعد في تجنُّب الإصابة بمرض التّنكس البقعي.

- لا تقلق إذا قرأت تحت ضوء خافت أو حَوَلْت عينيك أو نسيت وضع النّظارة يوماً ما، فهذه الأشياء غالباً ليست مؤذية على المدى الطّويل (ولو أن النّور الخافت يمكن أن يُسبِّب إجهاداً للعين على المدى القصير).

- ضع النظارة الشّمسية الواقية من الأشعة فوق البنفسجية، فهي نظير الواقي الشّمسي الذي يُوضَع على الجلد.

- إذا رأيت بقعاً سوداء طافية أو أضواء وامضة أو خطوطاً متموجة خلال القراءة فعليك مراجعة الطّبيب.

التقيت أخصائياً آخر في طب العيون يُدعى بول فينغر وسألته السّؤال نفسه.

قال لي: "لا تتصبح نافخ زجاج لأنه يُصدر أشعة تحت حمراء وجزيئات غبارية يمكن أن تؤدي إلى العمى".

"ممتاز".

"ولا تُصبح ملاكماً فمعظمهم يُصابون بانفصال الشّبكية".

"ما رأيك في غرز إبرة حياكة معقوفة في عيني".

"من الأفضل أن تتجنب ذلك أيضاً".

تحسين النّظر

كل تلك النّصائح الصّلبة تتعلق بوقاية عيني من التّدهور. ولكن، ماذا عن تحسين بصري ليصبح أكثر حدة؟ هل يمكنني فعل ذلك؟

أحد الخيارات يتمثل في إجراء عملية تصحيح بواسطة اللّيزر، وهو أمر لا أزال أفكر فيه. لكنني قابلت مؤخراً أحد مخترعي هذه التّقنية، وما أثار دهشتي هو أنه لا يزال يضع النّظارة خوفاً من المجازفة، الأمر الذي جعلني أمتنع عنها.

تبيَّن في ما بعد أن هناك عدة وسائل ممكنة، وثلاث منها واعدة جداً، وهي الاعتداد بالنفس وألعاب الفيديو وتمارين العين.

أولاً، الاعتـداد بالنفس. أجرت إيلين لانغر، عالمة النّفس في جامعة هارفرد، سلسلة من التّجارب المذهلة في العام 2010 وكتبت عنها في كتابها العلم النّفسي. والنتيجة التـي وصلت إليهـا هي أنك عندمـا تثق بأن نظـرك أفضل سيصبح نظرك بالفعل أفضل. ولا تستغرب ذلك كثيراً فقد عرف العلماء منذ زمن أن الرّؤية ليست مجرد إرسـال معلومات من العين إلى الدّماغ بل إنها عملية فـي اتجاهين، فأدمغتنا تلعب دوراً في تشكيل العالم من حولنا.

في إحدى التّجـارب، طلبت لانغر من المتطوعين قـراءة المخططات الخاصة بفحص العيون، وبعضهـا كان تقليدياً يبدأ بحرف E الكبير فـي الأعلى والآخر كان معكوسـاً ينتهي بحرف E الكبير في الأسـفل. لاحظت لانغـر أن المتطوعين الذين كانوا ينظرون إلى المخطط المعكوس أحرزوا نتائج أفضل مع الأسـطر الدّقيقة من أولئك الذين كانوا ينظرون إلى المخطط العادي.

تعتبر لانغر وفريقها أن ما حدث لم يكن نتيجة إمعان النّظر لوقت أطول وإنما بسبب ارتفاع مستوى دقة النّظر، لأن المتطوعين كانوا يتوقعون أن بمقدورهم قراءة السّطر الأول.

يمكن لهـذه التّجربـة أن تُفسِّـر سـبب شـعبية تلـك التّماريـن الاحتيالية على الإنترنـت، التّماريـن التي تدّعـي أنها سـتجعلك قادراً علـى التّخلص مـن نظارتك (ارسم شـكل الرّقم 8 بعينيك! ركِّز الآن على إبهامك، ثم على الجدار، والآن على إبهامك!). قد لا تساعدك هذه البرامج على تحسين نظرك، لكنها ستجعلك تثق بأنه يتحسن.

ثانياً، ألعاب الفيديو. أظهرت دراسـة قامت بها جامعة روتشيسـتر أن ممارسة ألعاب إطلاق النّار الإلكترونية جعلت قـدرة المتطوعين على تمييـز التّباين أفضل بنسبة 58 بالمائة. لقد تحسَّـنوا في تمييز درجات اللّون الرّمادي، ولهذا التّحسُّن أثر على الواقع الحقيقي، فالحساسية للتباين بالغة الأهمية في القيادة اللّيلية مثلاً. وبناءً عليه فقـد أضفْتُ ألعـاب الفيديو إلى ملف موجود في حاسـوبي تحت اسـم رذائل صحية، وهـو عبارة عـن لائحة تتضمن مسبقاً فتـرات القيلولة والإسـراف في أكل الشوكولاته وترك السّـرير من دون ترتيب؛ على اعتبار أن العث الصّغير يحتاج إلى

الازدهار في حرارة ورطوبة غطاء السّرير.

وأخيراً، عثرت على برنامج اسمه فيجوال إيدج، وهو برنامج يستخدمه الجيش وعدد من الفرق الرّياضية المحترفة (من بينها سانديياغو بادريس وهيوستن أستروس)، وهو يقوم على فكرة أنك تستطيع، بالمران، تحسين قدرتك على التّعقُّب والتركيز وتقدير العمق. لكنه بخلاف برامج تدريب العيون الأخرى، لا يعِدُك بالخلاص من قصر النّظر وإنما بتطوير سرعة النّظر ودقّته. وهم يعتمدون في ادعاءاتهم على دراسات معينة، ففي دراسة أجرتها جامعة A&M في تكساس على بعض لاعبي البيسبول في الجامعة في العام 2010، تبيَّن أن المتدربين على برنامج فيجوال إيدج كانوا ضاربي كرات أفضل.

"يشبه الأمر كثيراً رفع الأثقال ولكن بالعينين"، هذا ما يقوله الدّكتور باري سيللر، أخصائي طب العيون في شيكاغو ومخترع هذا البرنامج. هناك أمل بأنك ستحقق عدد ركضات أكبر وتلتقط كرات أكثر، وللعِلم فإن بعض الأساطير يملكون هذا البرنامج، مثل تيد ويليامز الذي استطاع قراءة العلامة على سجل نتائج دوار. هذا يشبه التّسديد على مروحة طاحونة وهي تدور.

وهكذا، بدأت برنامجي الهادف لتحسين دقّة بصري. حيث أضع النّظارة ثلاثية الأبعاد الخاصة ببرنامج فيجوال إيدج - النوع القديم منها، الذي يملك عدسة زرقاء وأخرى حمراء - لمدة عشرين دقيقة ثلاث مرات في الأسبوع، وأحاول تحديد مواضع السّهام والحلقات العائمة على شاشة حاسوبي.

ارتكبت خطأً فادحاً عندما أخبرت جاسبر أن ألعاب الفيديو قد تكون مفيدة لنظره، والآن كلما هممت بإيقاف تشغيل لعبة سوبر ماريو، ألقى منه الرّد نفسه: "لكنها تجعل عينيَّ أقوى!".

فأجيبه بأن الخروج من المنزل مفيد لعينيه أكثر. تقول ساندرا آمودت وسام وانغ في كتابهما مدخل إلى دماغ طفلك إن عيون الأولاد تحتاج إلى ضوء الشّمس، وإن الأنوار الاصطناعية تجعل احتمال إصابتهم بقصر النّظر أكبر. لكنه يرد على ذلك بمواصلة لعبة سوبر ماريو.

الفحص: الشّهر الخامس والعشرون

الوزن: 71 كغ.

عدد الواجبات المنزلية الخارجية: 4.

عدد مرات المضغ لكل لقمة: 11.

لقد خططت لإيقاف مشروع الصّحة بعد عامين من انطلاقه لكنني لا أزال أشعر بأنني لم أصل إلى مبتغاي بعد، إذ لا تزال هناك أجزاء من جسدي بحاجة إلى تحسين، واختبارات أريد تجربتها بنفسي. شاهدت حلقة من برنامج الدّكتور أوز نصح فيها بأكل جذور الكونجاك من أجل قطع الشّهية، فأضفته إلى لائحة المهام الضّخمة لدي.

هذا يشبه ما أفعله مع أولادي عندما أريد منهم أن يأكلوا غداءهم. "لقمة أخرى فقط. اتفقنا، آخر لقمة. الآن، آخر، آخر لقمة أخيرة".

عليَّ أن أتوقف، وإلا فإنني سأموت وأنا أحاول أن أكون الإنسان الأكثر صحة في العالم. الشّهر الآتي سيكون آخر، آخر شهر.

مع ذلك، أنا مسرور لأنني لم أتوقف بعد. فمنذ بضعة أيام، أثبتت لياقتي البدنية الجيدة - وربما بصري المتحسّن - أنها مفيدة جداً، وإن كانت التّجربة مرعبة.

كنت أتمشّى مع جولي والأولاد في المتنزه في عصر يوم سبت مشمس، أو بالأصح كنت أتمشى أنا وجولي بينما كان الأولاد ينزلقون حولنا على دراجات السّكووتر.

اتصل بي والدي على هاتفي الجوال وكان يريد لقاءنا، فرحت أرشده إلى المكان - أنا متأكد أنني انشغلت لمدة لا تزيد عن عشرين ثانية - ثم نظرت. كان زين وجاسبر قد اختفيا.

كنا بجوار مرج فسيح تنتشر عليه المعينات الخاصة بلعبة القاعدة وعدد من الأشخاص الذين يأخذون حمامات شمسية، وكان الطّريق يتفرع أمامنا.

قالت جولي: "أنت اذهبْ في ذاك الاتجاه، وأنا سأذهب في هذا الاتجاه".

وانطلقَتْ مع لوكاس باتجاه اليسـار. رميت الحقيبة الشّبكية مع مضرب جاسـبر - سألتقطهما لاحقاً - ورحت أركض نحو اليمين بأقصى سرعة.

كانـت قدماي تلتهمـان الطّريق تحتي. ركضـت بين عربات الأطفال وأكشـاك المأكولات الشّـعبية. قفزت فوق البُرك الطّينية الصّغيرة وناورت بجسـدي لأتفادى المشـاة المتهادين في مشـيتهم. صرخت: "جاسـبر!.. زيـن!". كانت عينـاي اللّتان ازدادتا قـوةً مؤخراً تمسـحان المكان بحثـاً عن دراجتيهمـا السّـكووتر البرتقاليتين.

"جاسبر! زين!".

كان الأدرينالـين يتدفـق بغـزارة في جسـدي، وكنت قـادراً علـى الرّكض عبر مانهاتن كلها وعبور الجسـر والوصـول إلى نيوجيرسـي. وصدَّقت حينهـا الحكاية القديمة التي تتحدث عن امـرأة تملَّكتها قوة خارقة فرفعت سـيارة كانت قد انقلبت على أولادها.

"جاسبر! زين!".

ثم بـدأ التّفكيـر السّـحري، ورحـت أسـتعرض السّـيناريوهات المرعبـة كافة: الزّنزانة السّرية المخيفة التي قد يجدا نفسيهما فيها، إطارات سيارة أجرة تزعق وهي على وشك أن تدهسهما... لكنني بعد ذلك استطعت أن أكبح جموح أفكاري.

كان الخوف طاغياً وشعرت بأنه يضعفني، ولهذا السّبب اخترت الغضب بدلاً منه. كان بوسـعي التّعامل مع الغضب. غضبت لأن ولديّ انطلقـا من دون أن ينظرا إلى الخلف، وغضبت من نفسي لأنني غفلت عنهما للحظات، وغضبت أيضاً لعدم وجود نظام Loo-Jack من أجل تحديد مواقع الأولاد. نحن نملك التّقنية!

ركضت فـي كامـل أرجـاء المتنزه بسـرعة البـرق ولـم أفكـر مطلقـاً بالإبطاء "جاسبر! زين!". انقضت أربع دقائق من دون أن أجد أي إشارة. واصلت الرّكض.

وأخيـراً، فـي نهايـة أحـد الممـرات، بالقرب مـن نصب تـذكاري لشكسـبير، اسـتطعت تمييز دراجتيهما البرتقاليتيـن ووجهيهما الجميلين القلقيـن. كانا قد لجأا لشرطية وأخبراها أنهما تاها. الحمد لله، الحمد لله، الحمد لله.

شعرت برغبة في اسـتعارة أصفاد الشّـرطية وتكبيل الولدين بمعصمي إلى أن يصبحا بعمر الرابعة والخمسين.

الفصل السّادس والعشرون

الجمجمة

السعي لتجنُّب الموت بفعل حادث

أمضيت للتو نصف ساعة مخيفة في قراءة دليل مراكز السّيطرة على الأمراض والوقاية منها المتعلق بالأسباب التي يمكن أن تؤدي للموت والإصابات. إنها وثيقة مذهلة تحوي أكثر من أربعة آلاف صنف، منها التّقليدي مثل حوادث السّيارات طبعاً، وغير التّقليدي مثل حوادث المناطيد والانهيارات الثّلجية والعربات التي تجرها الحيوانات. وهي تشمل عضات الكلاب وكذلك الاحتكاك المزعج مع أسود البحر والببغاوات والزرافات، وهناك حوادث إطلاق النّار المألوفة وكذلك حوادث ماكينات الخياطة وفتّاحات العُلَب.

كل ذلك قد يجعلك ترغب بالتقوقع في السّرير لولا أن السّرير نفسه قد يتسبب بمقتلك بطرق لا حصر لها.

- التشابك في قماش السّرير، يسبب الاختناق (رقم الرّمز T71).
- السقوط في أثناء الصّعود إلى السّرير (W13.0).
- الحرائق النّاتجة عن المواد ذات القابلية العالية للاشتعال في الأغطية والشراشف والوسائد والفُرش (X05).
- الغرق المرتبط بالأسرَّة (W17.0).

لست متأكداً من طريقة عمل آليات الغرق المرتبط بالأسرَّة؛ حتى بالنسبة للأسرَّة المائية. ولكن، هذا هو الشّيء المذهل في هذه اللائحة، فنصف الأسباب

لم يكن ليخطر لي حتى في أشد حالات الارتياب التي يمكن أن أمر بها، كما هو الحال مع الرّمز Y35.312: إصابة مُتفرِّج بعصا سباق تتابع.

القصد مما سبق هو أنك تستطيع أن تأكل المكسرات البرازيلية وتتأمل لبعض الوقت وتركض خمسة أميال في اليوم، لكن كل ذلك لن ينفعك إذا سقطت عن الرّصيف وكسرت جمجمتك.

تأتي الحوادث في التّرتيب الخامس بين أسباب الوفيات في أمريكا (بعد أمراض القلب والسرطان والسكتة الدّماغية وانخفاض الضّغط الشّرياني) والحوادث المنزلية وحدها تتسبب بنحو 21 مليون زيارة طبية في السّنة.

لا تُعتَبر السّلامة الجزء الأكثر جاذبية في التّسويق للأمور المتعلقة بالصحة، ولهذا لا نجد الكثير من الهرج والمرج حول الوقاية من الحوادث في وسائل الإعلام... ولا أعتقد أن مجلة صحة الرّجال ستبيع الكثير من النُّسخ لو تصدَّر غلافها عنوان مثل "سِر بهذه الطّريقة: عشر طُرق جديدة ومثيرة لتجنُب الانزلاق والسقوط". ولكن، إذا كنت ترغب بالعيش حياة مديدة - وهو جزء حاسم في تعريف الصّحة - يجب عليك أن تُبقي السّلامة حاضرة في ذهنك دائماً.

كانت الحادثة التي تاه فيها وَلَداي بمثابة الحافز للاهتمام بالسلامة على مدى شهر كامل لدرجة أنني أصبحت مهووساً بها؛ مع أن هذا ليس بالأمر الجديد، فأنا أبالغ مسبقاً في هذا الجانب.

حين وُلد ابني الأول اشتريت أغطية بلاستيكية لمآخذ الكهرباء وزوايا لدنة للطاولات. في الواقع، لقد فقدت السّيطرة قليلاً؛ ستشهد جولي على ذلك حتماً. أمضيت بعض الوقت على الإنترنت باحثاً عن إمكانية شراء خوذات خاصة للأطفال. صحيح أنني لم أشترها، لكنني بحثت. للأطفال رؤوس طرية جداً كما تعلَم! لقد سخِرَت جولي مني بسبب هذا الأمر كما سَخِرَت من عدم رغبتي في قراءة قصة "قطة في القبّعة" لهم. لكنني ما زلت مصمماً على موقفي الأخير هذا: ما رأيك بصبي وبنت يُتركان وحيدين فيسمحان لغريب معسول اللّسان بدخول المنزل ثم يحاولان إبقاء الحادثة برمتها سراً يخفيانه عن والديهما.

كنت أعتقد أني في موقع متقدم من ناحية السّلامة، ولكن، اتضح لي أنني

شخص مهمل في مسألة منع الحوادث. فشقتي، التي تبدو غير مؤذية على الإطلاق، تمثل في واقع الأمر فخاً مميتاً؛ أو على الأقل وفقاً لأولئك المهووسين بهذه الأمور أكثر مني.

دعوت السّيدة ماري كي آبي، رئيسة المنظمتين غير الرّبحيتين "مجلس السّلامة المنزلية" و"أميركا ذات الأولاد السّالمين"، لتتفحص شقتنا بحثاً عن انتهاكات السّلامة تماماً كما فعلت عمتي مارتي بالنسبة للمواد السّامة.

عندما أفتح الباب أجد آبي تتفحص سقف المدخل.

"كنت فقط أتحقق من وجود مرشات في المبنى".

لم تكن لدينا مرشات، فكانت الإصابة الأولى.

تتمتع آبي، كما تأمَل من أي خبير في السّلامة، بهيئة حسنة التّرتيب: شعر بني قصير متناسق، سترة زرقاء وقميص أسود. وبعكس مخاوفي، إنها دافئة ومرحة تستبق بعض اقتراحاتها الصّارمة بعبارة "حسنٌ، لا بد من التّحذير هنا".

إنها مندهشة من لامبالاتنا كمجتمع في ما يتعلق بموضوع السّلامة، حيث ينظر الكثيرون منا لإنذارات الحريق على أنها مجرد ضجيج يمكن تجاهله ببساطة، وذكرت مثالاً على ذلك حصل معها مؤخراً في مطعم صيني حين بقي الجميع باستثناء عائلتها يتناولون طعامهم بشكل طبيعي بعد انطلاق إنذار الحريق، ما دفعها لتوبيخ إحدى العائلات التي تجاهلت الإنذار في أثناء خروجها من المطعم.

"أرى أن المنيَّة يمكن أن توافيك بطرق مخيفة ومرعبة كثيرة، ولا يمكنك فعل أي شيء حيالها، فلماذا لا تفعل شيئاً حيال تلك التي يمكنك منعها؟".

نبدأ بالمطبخ المليء بالخروقات. السّكاكين في متناول اليد، وقفازات الفرن قريبة جداً من مصدر النّار.

لدينا جهاز إنذار للدخان وهذه بداية جيدة. ولكن، في المطبخ؟ أحياناً يقوم البعض بإيقاف أجهزة إنذار الدّخان في المطبخ لأنها تنطلق في أثناء الطّهو.

أقسم لها إني لم أوقفه مطلقاً، ومع ذلك لم أنجُ، فجهاز الإنذار قديم جداً (عشر سنوات كحد أقصى). ويجب تبديل البطاريات كل سنة. ولضمان السّلامة، يجب أيضاً مزامنة هذا الجهاز مع بقية أجهزة الإنذارات في المنزل.

"يجب عليك أيضاً استخدام أداة شفط خفيفة للتخلص من الغبار المتراكم على الجهاز بشكل شهري". وفقاً لآبي، إن تراكم الغبار يؤثر على حساسيتها.

"آه! وابحث أيضاً عن طريقة للحصول على تلك المرشات".

فأقول: "لديّ أعباء كثيرة".

"أعلم أن هذا كثير، ولكن من واجبي أن أعطيك كل شيء ويمكنك أن تختار الأكثر أهمية".

حتى آبي - ملكة السّلامة ذاتها - لا يمكنها أن تنفذ كل الشّروط، فقد اعترفت لي أنها تطهو على فتحات النّار الأمامية في فرنها مع أن الخلفية منها أفضل من ناحية السّلامة.

ومن ضمن الانتهاكات الكثيرة لدينا دلو منسي في الرّدهة يمثل خطر التّعثُّر به.

ولا توجد في حوض استحمامنا حصائر بلاستيكية لاصقة مانعة للانزلاق أو قضبان للتمسك بها.

والأجهزة الكهربائية موصولة في المأخذ مع أنها ليست قيد الاستخدام.

وتوجد آنية زجاجية فوق رف مرتفع.

ولكن، هناك شيء واحد آمن: إن ماءنا السّاخن ليس شديد السّخونة، فهو أقل بكثير من درجة السّخونة الخطرة 50. تقول ماري كي إن حوادث الاحتراق بالماء الحار من أكثر الحوادث المنزلية شيوعاً، فهي مسؤولة عن أكثر من 100,000 إصابة سنوياً.

لاحَظَتْ الشّموع على مائدة طعامنا ونصَحَتني باستخدام الشّموع الكهربائية عديمة اللّهب، قائلةً: "أنا نفسي أستخدمها. حتى إن لبعضها رائحة الفانيلا الرائعة".

نظرتُ لأتأكد من أن جولي لا تسمعنا، لعلمي أن هذه الملاحظة ستجعلها تقلب عينيها استهزاءً.

"أنا أحياناً أقلق من شموع الهانوكا، وخاصة إذا توجَّب علينا مغادرة الغرفة وهي لا تزال مشتعلة".

أومأَت برأسها دلالة الموافقة.

أسألها: "وماذا عن شموع ذكرى الميلاد؟".

تجيب: "أنا محتارة. لأنني أحب الاحتفال بذكرى الميلاد. لكن وجود أولاد قرب لهب مكشوف؟! ماذا نعلِّم أولادنا بهذا التّصرُّف؟ يمكنك أن تجعلهم ينفخون الشّموع من بعيد. بعض أصدقائي في قسم الحماية من الحريق لا يضعون الشّموع بتاتاً على قالب الحلوى، بل يستخدمون أشياء أخرى، مثل الزّهور".

تعود جولي ويصبح بإمكاني التّكلُّم بصوت طبيعي ثانية.

أسألها: "إذاً، كيف حال أدائنا؟".

فتجيب: "لستما سيئين كثيراً. سأعطيكما قطعاً علامة B أو B ناقص. لحسن حظكما، إن أولادكما ليسوا صغاراً كثيراً، وإلا لكنتما حصلتما على علامة C ناقص".

تجربة الخوذة

بعد مغادرة آبي أقرر أن يكون مشروعي المُصغَّر الأخير أسبوع السّلامة القصوى.

أريد أن تحصل شقتنا على علامة A زائد. في صباح اليوم التّالي، أقضي ساعة على الإنترنت باحثاً عن أجهزة إنذار للدخان جديدة وشموع بدون لهب. لم ترُقْ لي تلك المصنوعة على شكل شمع ذائب متقطر على جانبها. أُنزل جميع الأواني الزّجاجية من الرّفوف، وأشتري حصائر بلاستيكية لاصقة مانعة للانزلاق على شكل قدمين.

أقرر أيضاً أني إذا أردت أن أكون آمناً تماماً فيجب عليّ تقصّي الفكرة التي بسببها سخرت مني جولي ذات مرة، ألا وهي الخوذة. لا أقصد مجرد خوذة من أجل ركوب الدّراجة أو قيادة عربات السّباق الصّغيرة، بل خوذة للسير بها في أرجاء المدينة.

قد يبدو ذلك غريباً لكنني لست الشّخص الوحيد الذي فكَّر باستخدام خوذة للمشي، فقد أُطلقت عام 2009 حملة في الدّانمارك تُشجِّع على استخدام خوذ للمشاة.

طبَعَ مجلس السّلامة الطّرقية في الدّانمارك ملصقات يظهر فيها أشخاص

في حالات مختلفة - يتسوقون، ويقفون على السّلم المتحرك، ويرمون القمامة - وجميعهم يرتدون خوذات متعددة الألوان. أما الشّعار المكتوب فكان يقول: "خوذة المشي خوذة جيدة، فالسلامة المرورية لا تقتصر على راكبي الدّراجات. إن المشاة في الدّانمارك مُعرضون في الواقع لخطر أعلى بالنسبة لإصابات الرّأس".

هذه ليست مزحة وليست قصة بصلة، فقد تحققت من ذلك.

وماذا عن ارتداء الخوذة في السّيارة؟ طبعاً لا أقصد هنا سائقي ناسكار، وإنما الأشخاص العاديين الذين يركبون سيارات الأجرة أو يقودون سياراتهم الخاصة. مرة أخرى، كانت هناك عدة محاولات لتشجيع هؤلاء على ارتداء الخوذة، ولكن دون نتيجة تُذكَر.

على سبيل التّجربة، إنني أرتدي خوذتي الزّرقاء المخصصة للدراجة الهوائية في أثناء أداء المهام المنزلية الخارجية، ولم أجد الأمر سيئاً كثيراً. لم أتلقَّ نظرات ساخرة كثيرة بالقدر الذي توقعته؛ لا شك في أن العابرين اعتقدوا أن دراجتي مركونة في الجوار. أضف إلى ذلك الأمان الذي أشعر به، خاصة عندما أمرُّ تحت السّقالات الموجودة منذ الأزل في نيويورك، والتي لطالما خفت منها.

لقد جرَّبت ارتداء الخوذة في الشّقة أيضاً. ارتديتها هذه اللّيلة عندما كنت أُحضِر أطباق المعكرونة للأولاد. رفضت جولي التّعليق لكنها حازت على إعجاب لوكس لدرجة أنه ركض ووضع خوذة دراجته الهوائية التي تحمل رسم قرصان، الأمر الذي جعلها تسرق الأضواء من خوذتي البسيطة.

بعد بضعة أيام تخليت عن خوذة المشي، جزئياً لأنني لم أكن أستطيع وضع سماعتي الكاتمتين للضجيج والخوذة معاً على رأسي، فكان علي أن أختار.

في الحقيقة، ما دفعني لإثارة فكرة الخوذة توضيح نقطة هامة، وهي أننا نفكر بالأخطار بطريقة غير منطقية. أخبرني ريتشارد ثالر - بروفيسور في جامعة شيكاغو، وأحد مؤسسي علم الاقتصاد السّلوكي - "يبالغ النّاس دائماً في تقييم بعض المخاطر، ويقللون من شأن مخاطر أخرى". نحن نُركِّز على الأخطار الخطأ، تلك التي تتصدر العناوين، وليس على الشّائعة منها.

كتبت ليزا بيلكين مقالة استفزازية حول هذا الموضوع في صحيفة نيويورك

تايمز أوضحت فيها أن العوامل الخمسة الأكثر إيذاء للأولاد دون الثّامنة عشرة هي حوادث السّيارات والقتل (عادة من قِبل شخص يعرفونه) والاعتداء الجنسي والانتحار والغرق. في حين أن العوامل الخمسة الأولى التي يقلق الأهل بشأنها، وفقاً لدراسة أجرتها مؤسسة مايو كلينيك، هي الخطف وقتلة المدارس والإرهابيون والغرباء الخطرون والمخدرات.

وتقول بيلكين أيضاً إننا نقود سياراتنا إلى المتجر لشراء "خضراوات عضوية (لا توجد معلومات فعلية تُثبت أن الأطعمة العضوية تطيل العمر)، ثم نتفقد بريدنا الإلكتروني عند أول إشارة حمراء (بحسب دراسة أجرتها جامعة هارفارد، تقع كل عام 2,600 حالة وفاة مرورية سببها استخدام السّائقين لهواتفهم الجوالة)".

لا أزال أشعر بالتوتر من استخدام قطار الأنفاق، حتى بعد انقضاء عشرة أعوام على أحداث الحادي عشر من أيلول. أخشى أن يقوم مخبول ما بتفجير أحد القطارات. ولهذا السّبب، أختار غالباً إما السّير أو ركوب سيارة أجرة بدلاً من القطار النّفقي. وهذا أمر غير منطقي، إذ إن احتمال التّعرُّض للأذى نتيجة حادث سيارة أجرة أعلى بكثير منه نتيجة تفجير نفق قطارات ما.

إذاً، كيف يجب أن يتصرف شخص نصف عقلاني؟ لقد وضعتُ عدة قواعد منطقية. احذرْ من السّيارات وليس الطّائرات. احذرْ من الحريق وليس الخطف. تدرَّب، ولكن ليس إلى حد يؤثر على الوقت الذي تمضيه مع عائلتك.

وربما - أقول ربما - اشترِ خوذة.

خط النّهاية

تنتابني رعشة غريبة في هذه الأيام كلما دخلت موقع سكايب. لأن دفتر العناوين ينبثق فجأة أمامي ويظهر على صفحته الأولى اسم جدي "تيد". والأغرب من ذلك وجود دائرة خضراء اللّون بجانب رقمه، ما يعني أنه بطريقة ما قد سجَّل دخوله.

يخطر لي دائماً أن أنقر على الاسم ثم أفكِّر بالإحباط الذي قد يصيبني حين لا يجيب.

ألاحظ مثل هذه الإشارات أكثر فأكثر ليس فقط على حاسوبي، وليس فقط بالنسبة إلى جدي. فمع تقدمي في العمر أرى أن المدينة تمتلئ بازدياد بمعالم صغيرة محزنة مرتبطة بأصدقاء وأقارب متوفين.

أمشي بجانب مطعم "نيك وتوني" الإيطالي وأتذكر كيف أكلتُ الرّافيولي منذ خمسة عشر عاماً مع صديقة سابقة عانت من الاكتئاب وانتحرت في العام الماضي وهي ترتدي قميص "ماما أوباما".

وهناك على النّاصية تحدثت مع بوب العامل التّقني في إسكواير الذي توفي من جراء ذبحة قلبية عن واحد وخمسين عاماً. في الحقيقة، يمكنني أن أقوم بجولة حافلة بذكريات الموت في مانهاتن.

اليوم، سأقوم برحلة إلى مركزها؛ حيث تقع شقة جدي القديمة في شارع 61. جميع الأحفاد متحمسون للذهاب أملاً بالحصول على تذكارات يحتفظون بها قبل أن يتم بيعها أو تخزينها أو وهبها.

تفتح أمي الباب 11F فأشم رائحة جدي المألوفة، وهي مزيج من رائحة التّعتيق وبودرة بيبي جونسون التي كان يسكبها في حذائه كل يوم.

شعرت للحظة كما لو أنه قد خرج للتو من المنزل لتناول شطيرة لحم مشوي، فعدسته المكبِّرة المستطيلة السّوداء لا تزال قابعة فوق طاولة غرفة الجلوس، ورقعة الشّطرنج مع الحجارة الشّفافة جاهزة كلها ليقوم بالنقلة الافتتاحية، وحاسوبه ذو لوحة المفاتيح الضّخمة ينتظره ليبدأ بكتابة الرّسائل.

في أثناء توجهنا نحو غرفة النّوم أدوس على عصا نقرٍ بلاستيكية كان أحد أولاد أحفاده قد تركها تحت طاولة المطبخ.

في غرفة النّوم، هناك عدة صناديق كرتونية كبيرة تغطّي السّرير. وكانت إحدى بناته قد ميَّزت كل صندوق ببطاقات كُتب عليها بالخط الأسود "كُتُب 1"، "كُتُب 2"، "صور 1"... إلخ. وبعض الصّناديق أُلصِقت عليها بطاقات مميزة تحمل صبغة شخصية كالصندوق الذي كُتب عليه: "نيويورك: المدينة التي لطالما أحبّها"، وهو يحوي سيرة حياة روبرت موسس، مُخطط المدينة، وعلى جائزة من منظمة الرّابطة المدنية.

لقد أتيت لأبحث عن شـيء واحد، وهو البذلة التي ارتداها جدي يوم زفافي. لم تكن بذلـة عادية على الإطـلاق. كانت بذلـة قطنية مصممة على شـكل مربعات بيضاء وحمـراء، وكانت جريئـة ومهيبـة. لا أعلم إن كنت سـأمتلك الشّـجاعة يوماً لارتدائهـا في مكان عـام، لكن فكـرة وجودها في شـقتي كانت تروقني، وسـتكون بتصميمها الشّبيه برقعة الدّاما بمثابة تذكار لحياة عيشت بكل تفاصيلها.

أفتح باب الخزانة وأرى الكثير مـن الملابس المبهرة للنظـر، ولكن ما من أثر للبذلة.

تقـول أمـي بنبـرة اعتذاريـة: "أعتقد أنهـا كانـت رثة لدرجـة جعلـت أحدهم يتخلص منها".

تُخـرج علاّقة ملابـس تحمل قميصـاً ذا أزهـار زرقاء وحمـراء ثم تقـول: "ما رأيك بهذا؟". إنّه ليس البذلة القطنية ذات المربعات، لكنّه سيفي بالغرض.

لا تزال هناك عشرات الأشياء الباقية على لائحة مهامي الصّحية، فأنا لم أنضم لفرقة كـورال (يُعتَقَد أن لهـذا علاقة بتخفيـض الإصابة بأمراض القلـب)، ولم آكل البطيخ الأحمر الذي من المفترَض أنه مضاد للالتهاب ومضاد للفيروسـات ومضاد للبكتيريـا ومضاد لكل ما هو سـيئ فـي هذا العالـم، ولم أعُـد لعيادة النّـوم لإجراء المُراجعة.

وماذا بشـأن أعضاء الجسـم؟ ماذا عن الطّحال والكبد والمريء؟ لـم أخصص شهراً لأي واحد منها.

ولكـن، حفاظـاً علـى السّـلامة العقلية، أنـا مضطـر لوضع حـد لهـذا العيش الصّحي المتواصل بدون توقف. لقـد وعدت أولادي، وهم ينتظـرون بفارغ الصّبر منذ عامين أن أشاركهم تناول الحلويات في احتفالاتهم.

هل أنا حقاً الرّجل الحي الأكثر صحة في العالم؟ إنني بدون شـك أكثر صحة مما كنت عليـه قبل عامين. لقد ذهبـت لإجراء الفحص الأخير في مركز المشـاريع الصّحية التّنفيذيـة (EHE) ووجـدت أنني فقدت ربـع كيلو غرام آخـر ليصل وزني إلـى 70.5 كغ (انخفـاض الوزن الإجمالـي: 8 كـغ). أصبحت أضيّق الحـزام أكثر.

أخبرني الدّكتور هاري فيش أن أرقام الشّحوم "جيدة جداً، وستسبب لك نوبة قلبية" (HDL: 48، LDL: 62)، كما ازدادت قيمة VO2 القصوى؛ أي قياس كمية الأوكسجين المستهلَكة في أثناء تمرين مجهد، وهو أمر جيد بالنسبة إلى الصحة المستقبلية؛ بنسبة 37 بالمائة منذ بداية العام. وأصبح لدي صدر واضح.

أعتقد، كما آمل، أنني تمكنت من زيادة عمري الافتراضي، رغم رفضي العنيد للانتقال إلى أوكيناوا أو سردينيا. سأخبركم بالنتيجة خلال بضعة عقود.

ولكن، الرّجل الأكثر صحة في العالم؟ من يدري. ربما لا. لسبب واحد وهو أنني كنت مشغولاً جداً بالتغذية والتدريب لدرجة أني فقدت توازن حياتي فلم أعُد أتابع أفلام السّهرة مع زوجتي وفوَّتُّ...

كان الدّكتور براتمان سيقول إني أُصبت بحالة خفيفة من هوس تناول الأطعمة الصّحية، فمؤخراً أصبحت أتجنب معظم الفاكهة، باستثناء أشدّها مرورةً، الكريب فروت، خشية أن تكون عالية السّكر.

هكذا تكون أيام العيش الصّحي المتطرف قد انتهت، وسأتحول إلى اعتماد أسلوب صحي أكثر صحيةً.

سأطبِّق الكثير مما تعلمته.

سأمضغ أكثر وأمشي أكثر وأهمهم وألاطف الحيوانات الأليفة. سأضع سماعتيّ الكاتمتين للضجيج، وأتوقف كي أشم رائحة اللّوز. سأكتب رسائل إلكترونية على جهاز المشي وأجلب حاجيات المنزل ركضاً. سأعيد صياغة مواقف الحياة المزعجة، وأستخدم أشخاصاً آخرين ليهتموا بدواعي قلقي.

سأنظف أسناني بالخيط وأتنفس من معدتي. سآكل الشّمندر السّويسري والكينوا. وسأشرب الماء المثلج، وأتأمل، وأكون من الشّاكرين.

سأحاول أن أحافظ على زواجي، وأقيم علاقة حميمة بفترات غير متباعدة كثيراً. وعند التّدريب، سأتبع التّمرين الشّديد المتقطع، حيث سأبدِّل بين الرّكض السّريع والمشي كل دقيقة، وسأتجنَّب الضّوء الأزرق قبل الخلود للنوم.

سأتبع نصيحة خبير اللّياقة أوسكار وايلد بالاعتدال في كل شيء بما في ذلك الاعتدال نفسه. وهناك مكان حتى للأشياء المفرطة، فالولائم الاحتفالية يمكن أن

تكون صحية، وكذلك الأمر بالنسبة إلى خوض سباق ثلاثي من حين لآخر.

سأحاول أيضاً أن أمضي أياماً مثل 19 حزيران؛ اليوم الأخير في مشروعي، حين أخذنا الأولاد – أنا وجولي – إلى بروكلين لمشاهدة مباراة كرة القاعدة لفريقنا المحلي سايكلونز في دوري الدّرجة الثّانية. قطعت حينئذ 8,304 خطوات؛ كثير منها للوصول إلى الملعب. وتواجدت في الهواء الطّلق واستنشقت تلك المركبات العضوية التي تطلقها النّباتات (phytoncides)، وعرَّضت نفسي للشمس – قليلاً فقط – من أجل الفيتامين د والميلاتونين. وشاهدت كرة القاعدة التي يمكن أن تخفض ضغط الدّم.

وقمت ببعض الأنشطة الهوائية أيضاً، من بينها قذف كرة في صالة صغيرة قرب الملعب حيث يوجد رادار يُخبرك بالسرعة التي قذفت بها الكرة.

العائلة كلها جرَّبت ذلك لكن الرّادار تعطَّل حين رمى زين الكرة، حيث سجَّل أنه رمى بسرعة 94 ميلاً في السّاعة، فقال الشّاب الذي يدير الصّالة: "خُذ هذا الفتى ليوقِّع عقداً مع فريق ميتس!".

وفي أثناء عودتنا إلى مقاعدنا أمسكت باليد الصّغيرة للولد الأعجوبة في رمي الكرة، فأخمدَت ملامسته مستوى هرمون التّوتر لدي، الكورتيزول. لكن يد زين كانت دبقة لأنه كان وقتها منشغلاً بالتهام حلواه الوحيدة المسموح له بها في اليوم.

سألني: "هل تريد أن تتذوقها يا أبي؟".

ترددت. نعم، أعتقد ذلك. للتذوق فقط.

الملحق أ

تمرين الفدائيين

كيف تحوِّل العالم كله إلى صالة تمرين.

خمس نصائح للناس العاديين

قرفصْ إلى مستوى الأولاد حين تتكلم معهم.

اركنْ سيارتك في أبعد زاوية متاحة في المرأب.

التزمْ بالسلالم، وتجنَّب المصاعد الكهربائية.

تململْ في المكان، أو وفق تسمية العلماء، مارس النّشاط الفيزيائي العَرَضي (*Incidental Physical Activity*)، فحتى النّقر على الرِّجل يمكن أن يساعد في صحتك القلبية الوعائية.

حين تسير في نيويورك، اعبر الشّارع بالمشي عبر محطة الأنفاق فهذا يُجبرك على صعود الأدراج ونزولها (فائدة إضافية: لن تنتظر الإشارات الحمراء).

ست نصائح للمهووسين

أحضر حاجياتك وحاجيات المنزل ركضاً. وإذا كنت تركض لحضور أي موعد عمل، أنصحك بالاحتفاظ بمزيل للرائحة وقميص نظيف في حقيبتك.

تصرَّف في الاجتماعات كما لو أنك شخصية في مسلسل "الجناح الغربي"، أي تحدَّثْ وامشِ بسرعة في الممرات بين المكاتب.

تناول طعام الغداء في وضعية القرفصة.

اضبط التّلفاز بالضغط على أزرار جهاز التّحكم وأنت في وضعية الوقوف.

ادفع عربة الأطفال أو عربة التّسوق من دون أن تحرر مكابحها.

تَعامَلْ مع أولادك كما تتعامل مع السّمك.

الملحق بـ

كيف تأكل كميات أقل

علم وفن التّحكم بالحصص

أربع نصائح للناس العاديين

استخدم أطباقاً صغيرة. أنا أستخدم أطباق نيمو والديناصور الخاصة بولدي.

مارس المضـغ: ينصح الأخصائيـون بمضغ كل لقمة خمسـين مـرة. أنا أصل بصعوبة لخمس عشرة أو عشرين مضغة.

أطفئ التّلفاز: تُظهر الدّراسـات أننـا نأكل أكثر بنسـبة 71 بالمائة حين نشـاهد التّلفاز.

ضع الشّوكة من يدك بعد كل لقمة.

ستّ نصائح للمهووسين

احتفظ دائماً بشوكتك الصّغيرة معك أينما ذهبت، والأفضل منها عيدان الأكل الصّينية.

أَعِدْ توزيع الأطعمة المخزَّنة (مثل الكعك والفاكهة المجففة والحلويات) في مَحافظ صغيرة مزوَّدة بسحَّاب.

اكتـبْ شـيكاً بقيمـة 100 دولار لأي جمعية أو مجموعة سـيئة شـبيهة بها، ثم اقطعْ عهداً أمام نفسـك أو أمام صديق لك بأن تُرسل الشّـيك إذا أكلت طعاماً ضاراً مرة أخرى.

انظرْ إلى نفسـك، فقد أظهـرت الأبحاث أن المـرء يأكل كمية أقـل حين يأكل أمام المرآة.

احترم ذاتـك الهرمـة: أهرمْ رقمياً إحدى صـورك (جـرِّب موقـع hourface. com)، واحتفظ بها في محفظتك لتتذكر بأن تأكل من أجل ذاتك المستقبلية.

تناول تفاحة، وطبقاً من الحساء مع الفلفل الأحمر، وكوبين من الماء، وقبضة من الجوز؛ فقد أظهرت الدّراسات أنها جميعاً تكبح الشّهية. إليك بعض التّفاصيل، بدءاً من أكثرها فعالية، بحسب تجربتي الشّخصية، وانتهاءً بأقلها فعالية.

- التفاح: أظهرت دراسة أُجريت في بنسـلفانيا أن من يأكل تفاحة قبل ربع ساعة من الطّعام يستهلك 187 سعرة حرارية أقل ممن يتناول صلصلة التّفاح.
- المكسـرات، أو البقوليـات، أو أي بروتين يعطيك شـعوراً بالامتـلاء لوقت أطول مما تفعله المـواد الكربوهيدراتية. ولهذا السّـبب أجبر أولادي علـى تناول البيض في الصّباح.
- الماء: أظهرت دراسـة لمعهد فيرجينيا التّقني أن تناول كوبين من الماء قبل الوجبة يُساعد الأشخاص البدناء على تخفيف الوزن.
- الفلفل الأحمر: قد تساعد الأطعمة كثيرة التّوابل على خسـارة الوزن، جزئياً لأنها تكبـح رغبتنا بتنـاول الأطعمة الحلـوة والمالحة والدسـمة، حيث أظهرت دراسـة لجامعة بيردوي أن الفلفل الأحمر يُخفض الشّهية.
- الحسـاء: تنصح دراسـة أخرى لولايـة بنسـلفانيا بتنـاول زبدية صغيرة من حسـاء الخضار قبـل الوجبة. أولـئك الذين تناولوا الحسـاء (خلال الدّراسـة) اسـتهلكوا 134 سعرة حرارية أقل من الآخرين الذين تناولوا طعامهم مباشرةً.

الملحق ج

خمس نصائح بخصوص المكاتب المزوَّدة بجهاز المشـي

بقلم جو ستيرت الطّبيب، وأحد روّاد المكاتب المزوَّدة بجهاز المشي.

1. يمكن البدء بأي جهاز للمشـي؛ لا تتـذرع بالتكلفة. اذهب إلـى متجر وابحث عن واحد مقابل مائة دولار أو أقل. ويمكـن أن تجد أحياناً من يعطيك جهازه مجاناً، فقـط ليتخلص منه، ولكـن تأكد أولاً من تشـغيله والسير عليه قبل أن تدفع ثمنه. إذا كان بوسـعه تحمُّل سـرعة ميلَـيْن في السّـاعة من دون أن ترى شرارة أو دخاناً، فادفع ثمنه.
2. لا تقع ضحية احتيال مواقـع الإنترنت التي تعلن عن طـاولات مكاتب مزودة بأجهـزة مشـي بمئـات أو آلاف الـدّولارات، فمعظم مـا تحتاجـه موجود في منزلك ولا ينبغـي أن تنفـق أكثر من مائـة دولار (بمعـزل عن جهاز المشـي) لتحصـل علـى مجموعة تفـي بالغـرض بحيـث يمكنك لاحقـاً إجـراء بعض التّعديلات عليها في أثناء العمل.
3. المكونات الأسـاسـية تقتصر على كدسـة من الصّناديق أو قطع الأثاث تضعها أمام جهاز المشـي بحيث تكون ثابتة بمـا يكفي لحمل شاشـة كمبيوتر، و/ أو تلفاز. اجعل ارتفاع الكدسـة كافياً بحيث يكون مركز الشّاشة بمستوى عينيك في أثناء المشـي على الجهاز، لأنك إذا كنت مرغماً على النّظر للأسفل طوال الوقت، فإن رقبتك وعينيك سُترهَق، ما يجعلك تُقلع عن الفكرة.
4. تحتـاج الآن لوضع لوح يسـتند على مقبضي جهاز المشـي لتضـع عليه لوحة المفاتيح. يمكنك وضع كتب فوق اللّوح لترفع لوحة المفاتيح إلى المسـتوى الذي يجعـل الكتابة عليـه مريحة. يمكن وضـع الماوس أو جهـاز التّتبع على

أحد جانبي لوحة المفاتيح.

5. ابدأ بسرعة 0.7 ميل في السّاعة. صحيح أنها بطيئة لكنك تحتاج لوقت كي تعتاد على هذه الطّريقة الجديدة كلياً في العمل. وبعد ذلك، يمكنك زيادة السّرعة تدريجياً بمعدل 0.1 ميل في السّاعة أسبوعياً إلى أن تصل إلى السّرعة المناسبة. إنني أعمل منذ سنوات على سرعة 2.0 ميل في السّاعة، بمعدل ثلاث ساعات يومياً.

في غضون أسبوع أو أسبوعين ستبدأ فعلياً في التّعلّق بمكان عمل جهاز المشي، وعلى الأرجح ستدرك أن شعورك وأداءك في العمل أصبحا أفضل مما كانا عليه حين كنت تعمل بكسل على طاولة المكتب عادية. ولا حاجة للذكر أن نومك سيصبح أفضل وأنك ستخسر بعض الوزن إذا التزمت. وإذا أردت المزيد من النّصائح أو الإرشادات التّخصصية، يمكنك مراسلتي على العنوان: bookofjoe@gmail.com.

الملحق د

وسائلي الخمس المؤكدة (بالنسبة إليّ على الأقل) لتخفيف التّوتر

التدليك الذّاتي:

من النّوع G. أفرك كتفيَّ ورقبتي وذراعيَّ يومياً.

استخدم شخصاً آخر ليهتم ببواعث قلقك:

ليكن لديك شخص تتبادل معه أسباب القلق.

مارس التّأمُّل:

تتمثل طريقتي الخاصة في التّركيز على الضّوء الوامض ببطء على حاسوبي المحمول حين يكون بوضع الخمول، ومحاولة التّنفس بشكل متزامن معه.

احصل على كلب أو قطة:

وجدت دراسة أجرتها جامعة نيويورك - بوفالو أن تلقّي حيوانات أليفة كهدية خفَّض التّوتر في أثناء القيام بالمهام المجهدة مثل حل مسائل الرّياضيات الصّعبة أو وضع اليد في مياه مثلجة. لحسن الحظ، إن عائلتي الآن هي العائلة الوصيَّة المؤقتة لديزي، وهي كلبة فائقة اللّطف يملكها صديقانا كانديس وبين.